よくわかる! 管工事 1級 施工管理技術検定試験 第一次検定

種子永修一【編著】

弘文社

重要マークについて

小見出しの横にあるこのマークは，そこに記載されている内容の重要度を示すものです。それぞれに 1～3 個付していますが，その数が多い程重要度が高いという意味です。これを参考に効果的な学習に役立てていただきたい。

まえがき

検定制度の主な改正点（技士補の創設）

本検定は建設業法の試験制度改正によって，令和３年度より従来の学科試験，実地試験から**第一次検定**，**第二次検定**へと再編されています。

２級の第一次検定は，17 歳以上実務経験なしで受検でき，合格者には生涯有効な資格として「**２級管工事施工管理技士補**」の称号が与えられます。これにより，第二次検定の受検資格は無期限に有効となり，所定の実務経験後は何度でも第二次検定からの受検が可能となりました。

またこの２級第二次検定に合格して「２級管工事施工管理技士」となれば，その後の１級受検に必要な実務経験を経ることなく，すぐに１級管工事施工管理の第一次検定まで受検することができます。

合格すれば「１級管工事施工管理技士補」の称号を得て，監理技術者補佐として重要な役割を担えるようになります（監理技術者補佐を専任で置いた場合，その現場の監理技術者（特例監理技術者という）は２現場の兼務が可能）。

その後，一定の実務経験を経て１級第二次検定に合格すれば，晴れて「１級管工事施工管理技士」の称号を手にすることができます。

このように段階を踏んでいくことで，より多くの方に資格取得の機会が増えたと言えるでしょう。

しかし１級管工事施工管理技術検定は，出題範囲が広く，かなり難しい問題も多く出題されるため，難関を突破して栄冠を勝ち取るのは容易ではありません。

この「よくわかる！１級管工事施工管理技術検定試験　第一次」は，膨大な学習内容を整理して出題頻度の高い項目を抽出することにより，比較的短期間で合格点が得られるよう，工夫して編集したものです。

検定内容を受検案内に掲載しましたが，本書はこの検定内容に合わせて，わかりやすい解説と豊富な演習問題で編成してあるので，本書を十分マスターすれば，百点満点は無理としても，合格点は必ず取れると確信しています。

また巻末の模擬試験問題は，**新検定制度の問題**ですので，学習の総仕上げとして活用して下さい。

本書を大いに活用して，難関を突破し，栄冠を勝ち取られるよう祈ってやみません。

著者しるす

目　次

第2章 空調設備

第3章　衛生設備

第4章　電気設備

第5章　建築学

第 6 章 建築設備一般

第 7 章 施工管理

第8章 工事施工

第9章 法 規

受検案内

はじめに

「1級管工事施工管理技術検定」は，建設業法に基づき，建設工事に従事する施工技術の確保，向上を図ることにより，資質を向上し，建設工事の適正な施工の確保に資するもので，国土交通大臣指定試験機関である一般財団法人全国建設研修センターが実施する国家試験です。

令和3年度から第一次検定及び第二次検定によって行われ，第一次検定合格者は**「1級管工事施工管理技士補」**の称号を得て，営業所の専任技術者，工事現場の主任技術者に加え，**監理技術者補佐**として重要な役割を担うことができます。またその後必要な実務経験年数を経て第二次検定に合格すれば「1級管工事施工管理技士」の称号を得て，監理技術者になれます。

1. 受検資格

下記は概略ですので，詳細は各自ホームページなどでお調べ下さい。

(1) 第一次検定　受検資格

次のイ，ロ，ハ，ニ，ホのいずれかに該当する者

<table>
<tr><th rowspan="2">区分</th><th rowspan="2" colspan="2">学歴又は資格</th><th colspan="2">管工事施工に関する実務経験年数</th></tr>
<tr><th>指定学科</th><th>指定学科以外卒業後</th></tr>
<tr><td rowspan="4">イ</td><td colspan="2">大学・専門学校の「高度専門士」</td><td>卒業後3年以上</td><td>卒業後4年6ヶ月以上</td></tr>
<tr><td colspan="2">短期大学・高等専門学校・専門学校の「専門士」</td><td>卒業後5年以上</td><td>卒業後7年6ヶ月以上</td></tr>
<tr><td colspan="2">高等学校・中等教育学校・専修学校の専門課程</td><td>卒業後10年以上</td><td>卒業後11年6月以上</td></tr>
<tr><td colspan="2">その他の者</td><td colspan="2">15年以上</td></tr>
<tr><td>ロ</td><td colspan="2">技能検定合格者(検定職種　1級「配管」)</td><td colspan="2">10年以上</td></tr>
<tr><td>ハ</td><td colspan="2">高等学校
中等教育学校
専修学校の専門課程</td><td>卒業8年以上の実務経験(その実務経験に指導監督的実務経験を含み，かつ，5年以上の実務経験の後専任の監理技術者による指導を受けた実務経験2年以上を含む)</td><td></td></tr>
<tr><td rowspan="2">ニ</td><td rowspan="2">専任の主任技術者の実務経験が1年以上ある者</td><td>高等学校
中等教育学校
専修学校の専門課程</td><td>卒業後8年以上</td><td>卒業後9年6ヶ月以上
(2級配管技能検定合格者・給水装置工事主任技術者に限る)</td></tr>
<tr><td>その他の者</td><td colspan="2">13年以上</td></tr>
<tr><td>ホ</td><td colspan="4">2級合格者（詳細は下記参照）</td></tr>
</table>

※1　指定学科とは，土木工学，都市工学，衛生工学，電気工学，電気通信工学，機械工学又は建築学に関する学科。

※2　資格区分イ，ロの実務経験年数のうち，1年以上の指導監督的が含まれていることが必要です。

ホの2級合格者で，第一次検定のみの受検をする場合には，第二次検定受検に必要な実務経験年数を満たしていなくても受検が可能です。ただし，第一次検定に合格しても，同じ年度内に第二次検定を受検することはできません。

第一次と第二次を同時受検の場合，または次年度以降に第二次検定のみを受検する場合には，2級合格後の実務経験年数によって受検資格に次のような細かい区分があります。詳しくは試験機関のホームページで確認してください。

(2) 2級合格者の第二次検定受検に必要な実務経験年数

<table>
<tr><th rowspan="2">区分</th><th rowspan="2" colspan="3">学歴又は資格</th><th colspan="2">管工事施工に関する実務経験年数</th></tr>
<tr><th>指定学科</th><th>指定学科以外卒業後</th></tr>
<tr><td rowspan="4">i</td><td colspan="3">2級合格後3年以上の者</td><td colspan="2">合格後1年以上の指導監督的実務経験及び専任の監理技術者による指導を受けた実務経験2年以上を含む3年以上</td></tr>
<tr><td colspan="3">2級合格後5年以上の者</td><td colspan="2">合格後5年以上</td></tr>
<tr><td rowspan="2">2級合格後5年未満の者</td><td colspan="2">高等学校・中等教育学校・専修学校の専門課程</td><td>卒業後9年以上</td><td>卒業後10年6ヶ月以上</td></tr>
<tr><td colspan="2">その他の者</td><td colspan="2">14年以上</td></tr>
<tr><td rowspan="4">ii</td><td rowspan="4">専任の主任技術者の実務経験が1年以上ある者</td><td colspan="2">2級合格後3年以上の者</td><td colspan="2">合格後1年以上の専任の主任技術者実務経験を含む3年以上</td></tr>
<tr><td rowspan="3">2級合格後3年未満の者</td><td>短期大学・高等専門学校専門学校の「専門士」</td><td>(1) イの区分</td><td>卒業後7年以上</td></tr>
<tr><td>高等学校・中等教育学校専修学校の専門課程</td><td>卒業後7年以上</td><td>卒業後8年6ヶ月以上</td></tr>
<tr><td>その他の者</td><td colspan="2">12年以上</td></tr>
</table>

※1 資格区分 i の実務経験年数のうち，1年以上の指導監督的実務経験が含まれていることが必要です。

注：令和6年度の試験より受験資格が変更になります。（次ページ下参照）各自必ず試験機関のホームページ等で最新の情報をご確認ください。

2. 受検日程

※日程等は変更されることがあるので，必ず事前に各自で確認してください。

(1) 受検申込用紙販売（4月上旬）次のいずれかの方法で購入

① 電話：0570-020-700〔注文専用ダイヤル〕にて

② インターネット：全国建設研修センターホームページより

③ 窓口販売：全国建設研修センター及び各地域づくり協会等にて

※一部の再受検申込者はインターネット申込も可能

(2) 申込受付期間　5月上旬～中旬の2週間

(3) 試験日時　第一次　9月上旬の日曜日　第二次　12月上旬の日曜日

(4) 試験地　札幌，仙台，東京，新潟，名古屋，大阪，広島，高松，福岡，沖縄

(5) 受検手数料　第一次　10,500円　第二次　10,500円

(6) 合格発表　第一次は10月上旬，第二次は3月上旬頃

(7) 管工事施工管理技術検定に関する問合せ先

一般財団法人　全国建設研修センター　管工事試験部

〒187-8540　東京都小平市喜平町 2-1-2

TEL　042（300）6855（代）

ホームページアドレス　https://www.jctc.jp/

※電話番号のおかけ間違いにご注意ください。

3. 検定の内容

検定区分	検定科目	知識能力	検定基準	方式
第一次検定	機械工学等	知識	・機械工学，衛生工学，電気工学，電気通信工学及び建築学に関する一般的な知識 ・設備に関する一般的な知識 ・設計図書に関する一般的な知識	マークシート方式
	施工管理法	知識	・**監理技術者補佐としての，**施工計画の作成方法及び工程管理，品質管理，安全管理等工事の施工の管理方法に関する知識	
		能力	・**監理技術者補佐として施工の管理を適確に行うために必要な応用能力**	
	法規	知識	・建設工事の施工に必要な法令に関する一般的な知識	
第二次検定	施工管理法	**知識**	・**監理技術者として工事の施工の管理を適確に行うために必要な知識**	記述式
		能力	・**監理技術者として**設計図書を正確に理解し，設備の施工図を適正に作成し，並びに必要な機材の選定及び配置等を適切に行うことができる応用能力	

※**太字**検定制度改正による変更部分

※各検定の合格に求められる水準は，これまでと同じですが，**第一次検定の合格基準**は，全体の得点が 60%に加えて，施工管理法の応用能力問題での得点が 50%以上であることです。

※第一次はすべてマークシート方式で，ほとんどの問題が 4 肢択一式ですが，施工管理法の応用能力問題のみ 4 肢択二式で出題されています。

※第一次検定の試験時間は，午前の 2 時間 30 分と午後の 2 時間です。

法改正情報

技術検定の受検資格の見直し

令和 6 年度の検定試験より，1 級・2 級とも第一次検定については，一定年齢以上の全ての方に受検資格を認める方向で検討されています。（案：1 級 19 歳以上・2 級 17 歳以上）

今後の国土交通省令の改正により決定されますので，令和 6 年度以降に受検される方は（㊟令和 5 年度は現行の通り），必ず試験機関ホームページ等で最新の情報を確認して下さい。

第一次検定出題分類（推定）

区分		大分類	小分類		出題数		解答数
第一次	午前	一般基礎	環境工学		3	10	必須
			流体工学		3		
			熱工学		3		
			その他		1		
		電気工学			2	2	必須
		建築学			2	2	必須
		空調	空気調和		5	23	選択 23問中12問選択 （余分に解答すれば減点対象となる。）
			冷暖房		2		
			換気・排煙		4		
		衛生	上下水道		2		
			給水・給湯		3		
			排水・通気		3		
			消火設備		1		
			ガス設備		1		
			浄化槽		2		
		設備関連	機材		3	5	必須
			配管・ダクト		2		
		設計図書			2	2	必須
	午後	施工管理法（知識）	施工計画		1	10	必須
			工程管理		1		
			品質管理		1		
			安全管理		1		
			工事施工	機器の据付・調整	1		
				配管・ダクト	2		
				保温・保冷	1		
				その他	2		
		法規	労働安全衛生法		2	12	選択 12問中10問選択 （余分に解答すれば減点対象となる。）
			労働基準法		1		
			建築基準法		2		
			建設業法		2		
			消防法		2		
			その他		3		
		施工管理法（応用能力）	施工計画		1	7	必須 ここだけ4肢択二式
			工程管理		1		
			品質管理		1		
			安全管理		1		
			工事施工	機器の据付・調整	1		
				配管・ダクト	2		
計					73		60問解答

※出題内容や出題数，問題番号などは試験年度により変更されることがあります。

第1章

一般基礎

1　環境工学

2　流体工学

3　熱工学

1　環境工学

1. 光，色

ⓐ 光の波長

1. 波長の単位は「nm」（ナノメーター）で表す。
   1 nm = 0.000,000,001 m = 10 のマイナス 9 乗メーター
2. **紫外線**とは波長が **380 nm** より短い電磁波をいい，目には見えない。
3. **赤外線**とは波長が **780 nm** より長い電磁波をいい，目には見えない。
4. **可視光線**とは波長が **380〜780 nm** の電磁波をいい，人間が目で見ることのできる波長の範囲を表す。
5. **比視感度曲線**とは，視感度（最も明るく感じる）が最大な黄緑光の波長 **555 nm** の明るさ感覚を 1 とし，他の波長の明るさ感覚を比較値で表した曲線図をいう。

ⓑ 人体への影響

1. 殺菌作用が最も強いのは，波長が **200〜280 nm** の電磁波である。
2. 日焼（紅斑）を起こす作用が最も強いのは，波長が **280〜310 nm** の電磁波である。
3. 光化学スモッグは，波長が **310〜380 nm** の電磁波で起こされる。
4. 熱作用は，**赤外線**の電磁波で起こされる。

ⓒ 必要照度

必要照度の概略値（単位ルクス）は下記のとおりである。

事務室	300〜1,500	タイプ作業室	750〜2,000
製図室	300〜1,500	会議室	300〜750
講堂	150〜300	休養室	75〜150
工場の検査室	300〜1,500	非常階段	30〜75

ⓓ 配管識別

① 蒸気 ――――― 暗い赤色

② 水 ―――――― 青色
③ 油 ―――――― 暗いオレンジ色
④ 電気 ――――― 薄いオレンジ色
⑤ 空気 ――――― 白色

ⓔ 誘導標識

① 緑 ―――― 安全，進行，救急，避難口誘導灯
② 赤 ―――― 危険，停止，消火器
③ 赤紫 ――― 放射能
④ 黄と黒 ―― 注意

ⓕ 色彩心理効果

1. 明るい色の物体は膨張して見える。（面積効果）
2. 赤や黄は暖かく青や緑は冷たく感じる。（寒暖効果）
3. 暖色は近づいて見える。（進出色）
4. 寒色は遠ざかって見える。（後退色）
5. 明るい色は軽く，暗い色は重く感じる。また，暖色は寒色より軽く感じる。（軽重効果）
6. 柱を寒色で塗装すると柱が細く見え，そのため部屋が広く見える。

ⓖ 色彩用語

1. 彩度とは，色のあざやかさの度合いをいい，無彩色（白，灰，黒）の 0 から純色（赤）の 14 までである。（記号 C）
2. 明度とは明るさの大小（色の反射率）をいい，純黒の 0 から純白の 10 までの 11 段階に分けている。（記号 V）
3. 色相とは波長差による色あいをいう。（記号 H）

ⓗ マンセル表示法

マンセル表示法とは，色相，明度，彩度の順に並べて示す方法をいう。
（表示法 H・V／C）

演習問題 1

光と色に関する次の記述のうち，不適当なものはどれか。

(1) 視感度が最大な波長は，555 nm の黄緑光である。

(2) 熱作用は赤外線の電磁波で起こされる。
(3) 圧縮空気の配管は白色で塗装する。
(4) マンセル表示法では，色相，彩度，明度の順に表示する。

解答 解説

(4) マンセル表示法では，色相，明度，彩度の順に表示する。

演習問題 2

色彩の心理効果に関する次の記述のうち，不適当なものはどれか。

(1) 明るい色の物体は膨張して見える。
(2) 寒色は遠ざかって見え，暖色は近づいて見える。
(3) 寒色は暖色よりも軽く感じることを色の軽重効果という。
(4) 赤や黄は暖かく，青や緑は冷たく感じる。

解答 解説

(3) 暖色は寒色よりも軽く感じる。設問の記述が逆である。

2. 音 重要 重要

ⓐ 聴覚と周波数

1. 人間の耳の可聴範囲は約 20 Hz から 15 kHz ないし 20 kHz である。
2. 健康な耳の聴覚が最も鋭敏な周波数は 2,000～5,000 Hz である。
3. 騒音性難聴の起こりやすい周波数は 4,000 Hz 付近の高音域である。
4. 音声として主に使われる周波数は 100～4,000 Hz である。

ⓑ S／N 比（Sound／Noise）

1. S／N 比とは聞きたい音と騒音とのレベル差をいう。
2. S／N 比が 10 dB 以上あれば，その音は聞きやすい。

ⓒ 音速

1. 音が空気中を伝わる速さ（音速）は，気温が高くなるほど速くなる。
2. 気温 15 ℃における音速は約 340 m／s
3. 温度による音速上昇率は 0.6 m／℃

4. 音の波長は，音速を周波数で除した（割った）値である。

ⓓ 騒音計

1. 騒音計で測定した騒音レベルは，物理的騒音の大きさを感覚的な大きさに騒音計の中で置きかえている。
2. 騒音レベルは指示騒音計で測定した音圧レベルをいい，単位にホン又は dB を用いる。
3. 騒音計は A，B，C の 3 特性に分けられており，A 特性は人の聴感曲線に近似した周波数をもつ。
4. 騒音は騒音計のツマミを A に合わせて測定する。

ⓔ 音に関する用語

1. 音の強さとは，音波の進行方向に直角な単位面積を単位時間に通過する音のエネルギー量をいい，単位は Watt／m^2（ワット）で表す。
2. 音の強さのレベルとは，音の強さを騒音計で測定したときの比較値のことで，単位は dB で示す。
3. 音圧とは，音が伝播しているとき，ある測定位置での圧力の大気圧よりの変動分をいい，単位は Pa（N／m^2）（パスカル）で表す。
4. 音圧レベルとは，音圧を騒音計で測定したときの比較値のことで，単位は dB で示す。
5. ある音の大きさのレベルとは，その音と同じ大きさに聞こえる，周波数 1,000 Hz の純音の音圧レベルと同じ数値で，phon（ホーン）で示す。
6. マスキングとは，ある音を聞こうとするとき，他の音のために聞きにくくなる現象をいう。
7. 残響時間とは，室内の音圧が定常状態に達したときに音を止め，その室内の平均音圧レベルが 60 dB 減衰する時間をいう。
8. NC 曲線とは，各周波数帯別の音圧レベルの許容値を示した線図をいい，騒音評価をするときに用いられる。

ⓕ 音の合成

1. 同じ音圧レベルの 2 つの音を合成すると，3 dB 高くなる。
2. 同じ音圧レベルの 10 個の音を合成すると，10 dB 高くなる。

ⓖ 遮音，吸音

1. 音の周波数が大きいほど，一般に遮音性能を表す透過損失は大きい。
2. 外壁の単位面積当たりの重量が大きいほど有効である。
3. 遮音材料としては，重くて厚いものが適している。
4. 吸音材料としては，空隙が多く軽くて厚いものが適している。
5. 孔あき石こうボードやグラスウールなど多孔質材料は吸音性能は大きいが遮音効果は少ない。

ⓗ 消音

1. マフラー形消音器は，特定の周波数帯に限って消音効果が大きい特性を有している。
2. 消音ボックスは，音の反射と内張りによる吸音効果を利用したものである。
3. 内張りエルボは，比較的広い周波数範囲にわたり消音が期待できる。
4. 直管部の内張りダクトは，低い周波数の消音能力は小さい。

ⓘ 音の減衰

1. 距離による音の減衰は，面音源が最も小さく，線音源，点音源の順に大きくなる。
2. 点騒音源からの距離が 2 倍になるごとに騒音レベルは 6 dB 低くなる。
3. 線騒音源からの距離が 2 倍になるごとに騒音レベルは 3 dB 低くなる。

演習問題 3

音に関する次の記述のうち，不適当なものはどれか。

(1) NC 曲線は各周波数帯別の音圧レベルの許容値を示した線図である。

(2) 残響時間とは，室内の音圧が定常状態に達したときに音を止め，その室内の平均音圧レベルが 50 dB 減衰する時間をいう。

(3) 音の強さは，音の進行方向に垂直な平面内の単位面積中を単位時間に通過する音のエネルギー量をいう。

(4) 人間の耳で聞くことのできる音の周波数は，一般に 20～20,000 Hz である。

解答 解説

(2) 音のエネルギーが 60 dB だけ減衰するのに要する時間を規定残響時間という。

演習問題 4

音に関する次の記述のうち，不適当なものはどれか。

(1) 聞きたい音が 50 dB で，周囲の騒音が 40 dB であるときの S／N 比は 1.2 である。

(2) 周波数 1,000 Hz，強さのレベル AdB の音と同じ大きさに聞こえる音を A ホーンの大きさと呼ぶ。

(3) 音圧とは，音が伝播しているとき，ある測定位置での圧力の大気圧よりの変動分をいう。

(4) マフラー形の消音器は，特定の周波数に近い音を選択して消音することができる。

解答 解説

(1) S／N 比とは，聞きたい音（S）と騒音（N）とのレベル差をいい，この場合の S／N 比は，S－N ＝ 50－40 ＝ 10 dB である。

演習問題 5

音に関する次の記述のうち，不適当なものはどれか。

(1) 音の大きさのレベルとは，その音と同じ大きさに聞こえる周波数 2,000 Hz の音の音圧レベルをいう。

(2) マスキングとは，ある音を聞こうとするとき，他の音のために聞きにくくなる現象をいう。

(3) 健康な耳の聴覚が最も鋭敏な周波数は 2,000～5,000 Hz である。

(4) 周波数が 20 Hz 以下の音を超低周波音といい，音として聞こえないが，肩こり，どうき，息切れ，頭痛などの原因となる。

解答 解説

(1) 音の大きさのレベルとはその音と同じ大きさに聞こえる周波数 1,000 Hz の音の音圧レベルをいう。

演習問題 6

音に関する記述のうち，適当でないものはどれか。

(1) ロックウールやグラスウールは，一般に，低周波数域よりも中・高周波数域の音をよく吸収する。

(2) 音圧レベル 50 dB の音を 2 つ合成すると，53 dB になる。

(3) 音の大きさは，その音と同じ大きさに聞こえる1,000 Hzの純音の音圧レベルの数値で表す。

(4) NC曲線の音圧レベル許容値は，周波数が高いほど大きい。

解答 解説

(4) NC曲線の音圧レベル許容値は，周波数が低いほど大きい。

3. 気象 重要 重要

ⓐ 日照，日射

1. 直達日射とは，大気を透過して直接地表に達する日射をいう。
2. 天空日射（又は天空放射，天空ふく射）とは，大気中の微粒子によって乱反射し間接的に地表に達する日射をいう。
3. 直達日射量と天空日射量を合わせて全天日射量という。
4. 日射量は熱量単位（kJ/m^2h）で表す。
5. 日射のエネルギー量は赤外線域が最も多く，次に可視光線域が多いが，紫外線域は比較的少ない。
6. 紫外線のうち，保険衛生上で効果がある部分をドルノ線または健康線という。
7. 大気透過率とは，地表に達する日射の強さと，大気外の日射の強さとの比をいう。
8. 日照率 $= \dfrac{\text{日照時間（実際に日照のあった時間）}}{\text{可照時間（日の出から日没までの時間）}} \times 100$〔%〕

ⓑ 気象用語

1. 月平均気温とは，日平均気温を1か月にわたって平均した気温。
2. 日平均気温とは，1日数回測定した気温の平均値。
3. クリモグラフは気候図ともいい，例えば，横軸に湿度（%），縦軸に気温（℃）を取ったグラフ上に，各地域や各都市の各月の平均気温と平均湿度を求め，その交点を結んでループを作り，それぞれの地域の年間の気象の移り変わりの特色を知るために作られる。
4. デグリーデとは，1日の室内平均温度と外気平均温度との差を求め，暖房又は冷房の期間中を通じて集計した値で，暖房期は暖房デグリーデ，冷房期は冷房デグリーデといい，暖房や冷房に要する年間エネルギーを見積もるために用いる指数で，単位は〔℃ day〕で表す。

5. 太陽定数とは，大気圏外で太陽に正対する単位面積が単位時間に受ける熱量をいう。

6. 百葉箱とは，外気の温度や湿度を測定する場合に，太陽の直射の影響がないよう，周囲に通気口を設けた気象観測用屋根付木箱で，地表上 1.2～1.5 m の位置に設置し，その中に温湿度計又は自記録温湿度計などを置いて観測するのに用いる。

演習問題 7

気象に関する次の記述のうち，不適当なものはどれか。

(1) 太陽定数は，大気圏外で太陽に正対する単位面積が単位時間に受ける熱量である。

(2) 天空日射は，主に日の出から日没までの間に存在する。

(3) 日射は，直達日射と天空日射とに大別される。

(4) 日照率とは，可照時間を日照時間で除した値の百分率をいう。

解答 解説

(4) 日照率とは，日照時間を可照時間で除した値の百分率をいう。

演習問題 8

気象に関する次の記述のうち，不適当なものはどれか。

(1) 月平均気温とは日平均気温を１か月にわたって平均した気温をいう。

(2) 日射エネルギーは，赤外線部よりも紫外線部の方が多い。

(3) 紫外線のうち，保険衛生上で効果がある部分をドルノ線または健康線という。

(4) クリモグラフから地域の季節による気象の特色を知ることができる。

(2) 日射の熱エネルギーは，主に赤外線部及び可視光部に多く存在し，紫外線部にはほとんど含まれない。

4. 空気 重要 重要

ⓐ 空気の組成

1. 容積比（%）で窒素約 78　酸素約 21　アルゴン約 0.9　炭酸ガス約 0.03
2. 空気を 1 とした比重では，窒素 0.97　酸素 1.11　アルゴン 1.38　炭酸ガス 1.53 で，炭酸ガスは空気の約 1.5 倍重い。

ⓑ 湿り空気線図

1. 乾球温度，湿球温度，相対湿度，絶対湿度，比エンタルピー，水蒸気分圧，顕熱比，等の空気の状態を同じ図表中に書き表したものを湿り空気線図という。
2. 湿り空気線図では，2 つの要素が分かれば，他の要素も総て知ることができる。
3. 相対湿度とは，ある湿り空気の水蒸気分圧と，その時の空気温度での飽和水蒸気分圧との比の百分率をいう。
4. 絶対湿度とは，湿り空気中の乾き空気の単位重量に対応する水蒸気の重量をいう。
5. 比エンタルピーとは，湿り空気の持つ単位重量当たりの顕熱量と潜熱量の合計保有熱量をいう。
6. 水蒸気分圧とは，湿り空気の全圧のうち水蒸気の保有する圧力をいう。
7. 顕熱比とは，空気の保有全熱量のうちの顕熱量の割合をいう。
8. 熱水分比とは，比エンタルピーの変化量を絶対湿度の変化量で除した値をいう。
9. 露点温度とは，湿り空気の水蒸気分圧と等しい水蒸気分圧を持つ飽和湿り空気の温度をいう。

ⓒ 湿り空気の性質

1. 乾球温度を上げると相対湿度が下がる。
2. 乾球温度が下がれば，相対湿度は上がる。
3. 乾球温度を上げても絶対湿度は変わらない。
4. 乾球温度が同じであれば，絶対湿度が高い方が相対湿度も高い。
5. 乾球温度が同じであれば，湿球温度が高い方が相対湿度は高い。
6. 蒸気を用いて加湿すると，乾球温度は殆ど変わらないが湿球温度は上昇するので，空気の相対湿度は上がる。また，このときの絶対湿度も上昇する。

7. 水噴霧加湿では，だいたい湿球温度一定の線に沿って変化する。
8. 乾き空気では，絶対湿度，相対湿度，飽和度，水蒸気分圧等はすべて零である。
9. 飽和空気では，乾球温度と湿球温度と露点温度は全部同じ値である。
10. 湿球温度一定の変化では，エンタルピーは殆ど変化しない。
11. 加熱するとエンタルピーは増加する。

ⓓ 温感用語と関連要素

1. 温感用語とその数値を求める関係要素は次のとおりである。

名　称	記　号	関係要素					
		乾球温度	湿球温度	相対湿度	気流	黒球温度	ふく射熱
有効温度	ET	○	○		○		
修正有効温度	CET		○		○	○	
新有効温度	ET*	○	○	○	○		
効果温度	OT	○			○		○
不快指数	DT	○	○	○			

2. ヤグローの有効温度は感覚温度ともいい，相対湿度 100 %で無風のときの乾球温度を基準にしている。
3. 修正有効温度は修正実効温度ともいい，ヤグローの有効温度図表で，乾球温度の代わりに黒球温度計の温度を用いて求めた温度である。
4. アメリカ暖房冷凍空調学会（ASHRAE･アシュレー）の新有効温度（ETスター)は，相対湿度 50 %のときの乾球温度を基準として目盛られている。
5. 効果温度は作用温度ともいい，乾球温度，気流，周壁からのふく射の総合効果を表したもので，実用上は周壁の平均温度と室温との平均値で示されるので，一般に湿度の影響は無視されている。
6. 不快指数 ＝〔(乾球温度＋湿球温度)×0.72〕＋40.6

ⓔ 特殊温感用語

1. PMV（予想平均申告）とは，人間の温冷感を表す指標として ISO が採用しているもので，人間側条件として代謝量，衣服の熱抵抗，環境側条件として気温，平均ふく射温度，相対湿度，気流速度，水蒸気分圧等によって決定される。

2. MRT（平均ふく射温度）とは，室を構成する各壁体の表面温度を平均したものをいう。

3. ETD（実効温度差）とは，日射の当たる外壁において，壁体での熱的遅れを考慮した貫流熱量を熱通過で割った値をいう。

演習問題 9

空気に関する次の記述のうち，不適当なものはどれか。

(1) 空気中に占める窒素の割合は，容積比率で約 69 % である。

(2) 比エンタルピーとは，乾き空気 1 Kg の保有する熱量と，混在する水蒸気の保有する熱量との和のことである。

(3) 絶対湿度は，湿り空気中に含まれている水蒸気と，乾き空気の質量割合である。

(4) 相対湿度は，ある湿り空気の水蒸気分圧と，それと同じ温度での飽和空気の水蒸気分圧との比をいい，普通は%で表す。

解答 解説

(1) 空気中に占める窒素の割合は，容積比率で約 78% である。

演習問題 10

空気に関する次の記述のうち，不適当なものはどれか。

(1) 熱水分比とは，比エンタルピーの変化量を絶対湿度の変化量で除した値をいう。

(2) 比エンタルピーが一定で乾球温度を下げると，相対湿度は高くなる。

(3) ある湿り空気の露点温度とは，その空気と等しい水蒸気分圧をもつ飽和空気の温度をいう。

(4) 湿り空気中の水蒸気の量を一定に保ちながら温度を上げると，相対湿度は高くなる。

解答 解説

(4) 湿り空気中の水蒸気の量を一定に保ちながら温度を上げると，相対湿度は低くなる。

5. 室内空気環境

ⓐ 室内空気環境基準

中央管理方式の空気調和設備を有する建築物の居室の室内空気環境基準は，建築物における衛生的環境の確保に関する法律（通称ビル管理法）及び労働安全衛生法に基づく事務所衛生基準規則で，次のとおり定められている。

① 浮遊粉塵　0.15 mg／m^3 以下（対称粒子径 10 ミクロン以下）
② CO_2　1,000 ppm（0.1 %）以下
③ CO　10 ppm（0.001 %）以下
④ 気温　17 ℃以上 28 ℃以下
冷房時は外気との温度差 7 ℃以内
⑤ 相対湿度　40 %以上 70 %以下
⑥ 気流　0.5 m／秒以下

ⓑ 測定器

① 相対沈降径がおおむね 10 ミクロン以下の浮遊粉塵を測定できるもので，0.3 ミクロンのステアリン酸粒子を 99.9 %以上捕集する性能と同等以上の性能を有するもの。
② 一酸化炭素及び炭酸ガスは検知管方式による検定器，又は，それと同等以上の性能を有するもの。
③ 気温及び相対湿度 0.5 度以下の目盛の通風式温度計。
④ 気流は 0.2 m／秒以上の測定可能な風速計。

ⓒ 評価の方法

① 平均値 ――― 浮遊粉塵，一酸化炭素，炭酸ガス
② 瞬時値 ――― 気温，相対湿度，気流（平均値ではない）

ⓓ 測定回数

始業後，終業前，その中間の 1 日 3 回

ⓔ 測定位置

床上 75 cm 以上 120 cm 以下の位置（測定台車使用）

f 測定場所

① 居室の中央付近，各階１ヶ所以上
② おおむね500 m^{2}に１ヶ所

演習問題 11

次に示す室内空気環境基準値で，誤っているものはどれか。

(1) 浮遊粉塵　0.15 mg／m^3 以下
(2) 炭酸ガス　1,000 ppm 以下
(3) 一酸化炭素　100 ppm 以下
(4) 相対湿度　40 %以上 70 %以下

解答 解説

(3) 一酸化炭素の室内空気環境基準値は 10 ppm 以下。

演習問題 12

空気環境測定に関する次の記述のうち，不適当なものはどれか。

(1) 炭酸ガスの測定にあたっては，測定者の呼気が及ぼす影響に注意する必要がある。
(2) 室内の浮遊粉塵濃度が高い場合は，喫煙が原因の場合が最も多い。
(3) 棒状温度計で室温を読みとる場合，温度計の目盛より目の位置が高いと室温を低く評価することがある。
(4) CO_2，CO 及び浮遊粉塵は，測定時の瞬時値で評価し，気温，相対湿度，気流は測定値の平均値で評価する。

解答 解説

(4) CO_2，CO，浮遊粉塵は平均値，温度，湿度，気流は瞬時値。

演習問題 13

環境に関する語句の組合せのうち，関係のないものは次のうちどれか。

(1) 不快指数――――着衣量
(2) 有効温度――――気流
(3) 代謝量―――――メット
(4) 修正有効温度――グローブ温度

(1)　不快指数は乾球温度と湿球温度をもとに計算で求められ，着衣量には関係しない。

6. 室内空気汚染

ⓐ 汚染物質と発生源

① CO ―――― 開放式燃焼器具
② NO_X ―――― 開放式燃焼器具
③ ホルムアルデヒド ―――― 建材
④ ニコチン ―――― タバコ
⑤ オゾン（O_3）―――― 事務用複写機
⑥ VOC（揮発性有機化合物）―― カーペット洗剤残渣
⑦ アスベスト ―――― 防火断熱材

ⓑ 浮遊粉塵落下細菌

1. 直径 2〜4 ミクロンぐらいの粉塵は肺胞での沈着率が高い。
2. 浮遊微生物には細菌，ウイルス，カビなどを含む。
3. ダニやその死がいは，気管支ぜんそくなどのアレルギーの原因となる場合がある。

ⓒ CO_2（炭酸ガス）

1. CO_2 は体内で栄養分が酸化されることによって発生する。
2. 呼気中の CO_2 は安静時に約 4 万 ppm（4 %）であり，体の動きが激しくなるにつれて増加する。
3. 清浄な外気中の CO_2 は，およそ 300 ppm（0.03 %）であるが，都市部では 400〜450 ppm に達する所が多い。
4. 室内の CO_2 濃度は，空気の清浄度の指標の一つとされている。
（許容値 1,000 ppm ＝ 0.1 %）
5. 体内で発生した CO_2 は静脈血によって肺に運ばれ呼気とともに排泄される。
6. 空気中の CO_2 濃度が 8 %程度になると呼吸困難となり，18 %以上になると致命的となる。

ⓓ CO（一酸化炭素）

1. COは無色無臭である。
2. COは慢性でも急性でも強い毒性を有し，低い濃度でも慢性的に吸入すると健康障害をおこす。
3. 低濃度のCOを長時間吸入すると，高濃度で短時間吸入する場合と同様の中毒症状をおこす。
4. 一酸化炭素中毒は後遺症を伴う。
5. 一酸化炭素を室内で有効に吸着する材料はない。
6. 1万ppm（1％）のCOを吸入すると1～3分で死亡する。

演習問題 14

室内の空気環境に関する記述のうち，適当でないものはどれか。

(1) 燃焼において，一般に，酸素濃度が19％を下回ると不完全燃焼が著しくなり，一酸化炭素の発生量が多くなる。
(2) 臭気は，臭気強度や臭気指数で表され，空気汚染を知る指標とされている。
(3) ホルムアルデヒドは，シックハウス症候群の原因物質の1つであるが，濃度が0.1 mg／m^3程度になると死に至ることもある。
(4) 浮遊粉じんの環境基準値は，重量濃度で示されている。

解答 解説

(3) ホルムアルデヒドは，生命に危険を生じる値は，50～100 ppmであり，0.1 mg／m^3（0.08 ppm）以下は，中央管理方式の空気調和設備の室内環境基準である。

演習問題 15

室内空気に関する次の記述のうち，不適当なものはどれか。

(1) 二酸化炭素濃度が18％以上になると致命的となる。
(2) 直径200～400ミクロンぐらいの粉塵は肺胞での沈着率が高い。
(3) 開放式燃焼器具は，COやNO_Xの発生源となる。
(4) 浮遊微生物には細菌，ウイルス，カビなどを含む。

(2) 肺胞での沈着率が高いのは，粒径が 10 ミクロン以下の粉塵である。

7. 地球温暖化

① 地球の温暖化に影響を与える程度を示す地球温暖化係数（GWP）は，二酸化炭素よりフロン類の方が大きい。二酸化炭素の影響を 1 とした場合の赤外線の吸収割合を地球温暖化係数（GWP）として定義し，メタンは 23 倍，フロン類では数百～数万倍である。

② オゾン層が破壊されると，太陽光に含まれる紫外線の地表への到達量が増大して，生物に悪影響を及ぼす。

③ HFC-134a は，オゾン層破壊係数 0（ゼロ）の代替フロンとして開発されたが，地球温暖化係数が高いため普及していない。

④ アンモニア（NH_3）は，オゾン層破壊係数（ODP）及び地球温暖化係数（GWP）が 0（ゼロ）の自然冷媒である。

⑤ 指定フロンであった HCFC は，2020 年に廃止が決定し，CFC と同様に特定フロンに分類されている。

⑥ 酸性雨は，大気中の硫黄酸化物（SO_X）や，窒素酸化物（NO_X）が溶け込んで pH5.6 以下の酸性となった雨などのことで，湖沼や森林の生態系に悪影響を与える。

⑦ 建築物の二酸化炭素排出量を一般的なライフサイクルでみると，設計・建築段階，運用段階，改修段階，廃棄段階のうち，運用段階が全体の過半を占めている。

⑧ 地球温暖化とは，温室効果ガスの大気中濃度が高まることにより，「温室効果」が強められ，地球全体の平均気温が上昇することである。

⑨ 地球の温度は，日射エネルギー（可視光線，近赤外線）により加熱され，地表面からは遠赤外線が放射されるが，大気中の水蒸気，二酸化炭素，メタンなどのいわゆる「温室効果ガス」により，地表面からの放射熱の一部が吸収され，吸収された熱の一部は下向きに再放射され，結果的に地表面は高い温度で安定する。熱エネルギーの収支バランスによって定まる。

演習問題 16

地球環境問題に関する記述のうち，適当でないものはどれか。

(1) オゾン層が破壊されると，太陽光に含まれる紫外線の地表への到達量が増大して，生物に悪影響を及ぼす。

(2) 指定フロンであったHCFCは，2020年に廃止が決定し，CFCと同様の特定フロンに分類されている。

(3) HFC-134aは，オゾン層破壊係数0（ゼロ）の代替フロンとして開発されたが，地球温暖化係数が高いため普及していない。

(4) アンモニア（NH_3）は，オゾン層破壊係数は大きいが，地球温暖化係数が0（ゼロ）の自然冷媒である。

解答 解説

(4) アンモニア（NH_3）は，オゾン層破壊係数及び地球温暖化係数とも0（ゼロ）の自然冷媒である。したがって，(4)が適当でない。

演習問題 17

地球環境に関する記述のうち，適当でないものはどれか。

(1) 建築物の二酸化炭素排出量を一般的なライフサイクルでみると，設計・建設段階，運用段階，改修段階，廃棄段階のうち，運用段階が全体の過半を占めている。

(2) オゾン層が破壊されると，太陽光に含まれる有害な赤外線がそのまま地表に到達し，生物に悪影響を及ぼす。

(3) 地球の温暖化に影響を与える程度を示す地球温暖化係数（GWP）は，二酸化炭素よりフロン類の方が大きい。

(4) 酸性雨は，大気中の硫黄酸化物や窒素酸化物が溶け込んでpH5.6以下の酸性となった雨などのことで，湖沼や森林の生態系に悪影響を与える。

解答 解説

(2) 太陽光に含まれる赤外線ではなく，紫外線がそのまま地表に到達し，生物に悪影響を及ぼす。したがって，(2)が適当でない。

演習問題 18

地球環境に関する記述のうち，適当でないものはどれか。

(1) 二酸化炭素やメタンなどの大気中の温室効果ガス濃度が高くなると，干ばつや洪水などの異常気象を引き起こすおそれがある。

(2) 建築分野における地球温暖化に着目した評価では，ライフサイクルを通じての二酸化炭素の発生量を定量化したものであるLCCO$_2$（ライフサイクル二酸化炭素排出量）がよく知られている。

(3) かつて指定フロンであったHCFC-22，123などは，2020年に，全面廃止の対象となる特定フロンへと移行した。

(4) 代替フロンHFC-134aは，オゾン層破壊係数は0（ゼロ）で，地球温暖化係数が二酸化炭素より小さい冷媒である。

解答 解説

(4) 代替フロンHFC-134aは，オゾン層破壊係数は0（ゼロ）であるが，地球温暖化係数（温室効果）は，二酸化炭素の影響を1とした場合，メタンは23倍，フロン類では数百～数万倍である。したがって(4)が適当でない。

演習問題 19

環境に関する記述のうち，適当でないものはどれか。

(1) 光化学汚染物質は，大気中に窒素酸化物と炭化水素が共存するとき，太陽の紫外線によって生成し，目や気管支等に障害をもたらす。

(2) 地球の温暖化に影響を与える程度を示す地球温暖化係数（GWP）は，メタンより二酸化炭素の方が大きい。

(3) かつて指定フロンであったHCFC-22は，CFC-11などの特定フロンに比べてオゾン層への影響は少なかったがゼロではないため，2020年に廃止が決定し，特定フロンに分類されている。

(4) 酸性雨は，大気中の硫黄酸化物や窒素酸化物が溶け込んでpH5.6以下の酸性となった雨，霧などのことで，湖沼や森林の生態系に悪影響を与える。

解答 解説

(2) 温室効果ガスのうち，地球温暖化係数（GWP）が最も小さいのは，二酸化炭素である。したがって(2)が適当でない。

8. 人体生理　重要 重要 重要

ⓐ 恒常性

1. 人体の生理機能として，体温，脈拍，血液の pH 等を常に最も安定した一定の状態に保とうとする働きがあり，これを人体生理の恒常性という。
2. 脈拍平時 70／分位
3. 呼吸数 17 回前後／分
4. 血液検査値
   ① pH ―― 7.3～7.4
   ② 赤血球 ―― 5,000,000 個／mm^3
   ③ 白血球 ―― 5,000 個／mm^3
   ④ ヘモグロビン ―― 15 g／dℓ
   ⑤ 血糖 ―― 食前 100 mg／dℓ，食後 130 mg／dℓ

ⓑ 体温調節

1. 体温の恒常性を維持するためには，体内の産熱と体外への放熱とのバランスを保つ必要がある。
2. 産熱は，主として筋肉や肝臓で行われる。
3. 放熱は，主に皮ふや呼吸器を介して行われる。
4. 皮ふからの蒸発は，常温では不感蒸泄によるが，高温では発汗による。

ⓒ 環境適応

1. 熱帯地方に住む住民は，発汗に関与する汗腺の数が多い。
2. 高地の住民の赤血球数は，平地の住民より多い。

ⓓ 代謝量

1. 体内で消費する熱量を代謝量と言う（単位 kcal／m^2・h，又は W／m^2）
2. 基礎代謝量とは，生命保持に必要な最低限の代謝をいう。
3. 基礎代謝量は，気温が低い冬は高く，暑い夏は低い。
4. 代謝量に最も影響を与えるものは筋肉の活動である。
5. 代謝量を体表面積で割ると，体格の大きい人ほどその値は減少する。
6. 代謝量は睡眠中は低下し，食事をすると上昇する。
7. 代謝量は人体の表面積に比例し，体格が大きいほど大きい。

8. 基礎代謝量の消費熱量の約 50 %は内臓の働きによる。
9. 体表面積当たりの基礎代謝量は，年齢の若い人ほど多く，成人に比べて小児は高く老人は低い。
10. 安静時の代謝量は，気温が下がれば増加する。
11. 睡眠中の代謝量は，基礎代謝量より少ない。

e 人体発熱量

1. 標準体重の日本人男性の，快適環境における安静時の発熱量は，83 W／m^2～94 W／m^2
2. 常識的に人体の発熱量（顕熱）の目安は，100 W 白熱電球 1 個といわれている。
3. 寒冷時は皮膚表層の血管が収縮し，血液の流量が減少するため特に手指の皮膚温度が低下する。

f 健康管理関連単位

1. 健康管理関連単位として次のものがある。
   ① 栄養 ――――― caℓ
   ② 衣服 ――――― cℓo（1 cℓo = 0.155 m^2・K／W）
   ③ 作業強度 ――― met（1 met = 58 W／m^2）
2. クロ（cℓo）は衣服や寝具の熱絶縁性を示す単位で，普通の仕事着（スーツ）が約 1 クロである。
3. 作業強度とは人体の体表面積 1 m^2 当たり 1 時間に消費する熱量をいい，安静時の代謝量（58 W／m^2）を 1 メット（met）とする。

演習問題 20

人体生理に関する次の記述のうち，不適当なものはどれか。

(1) 人間に限らず大部分の生物では，血液や組織液の成分は，ほぼ一定の量に保たれている。
(2) 血液の pH は，健康人であれば 5.5～8.5 の間にあり，狭い範囲で安定している。
(3) 血糖は食事や運動によって増加するが，安静にしていれば元の値にもどる。
(4) 呼吸数は 1 分間に約 17 回が成人の生理機能の正常値とされている。

(2) 血液のpHは，健康人で通常7.3〜7.4の間にある（P.34，ⓐの4.参照）。

演習問題 21

人体生理に関する次の記述のうち，不適当なものはどれか。

(1) 通常，夏は高湿度が問題となるが，冬は低湿度が問題となる。

(2) 低湿度は，鼻やのどの粘膜が乾燥し，空気中の粉塵や微生物が飛散しやすい状態をまねく。

(3) 気流は対流をうながし，また蒸発も盛んにするので，ある程度必要である。

(4) 衣服の保温力の単位にclo があり，ちょうど快適と感じる服装の保温力が10clo である。

解答 解説

(4) ちょうど快適と感じる服装の保温力は1clo である（P.35，ⓕ参照）。

演習問題 22

人体生理に関する次の記述のうち，不適当なものはどれか。

(1) 早朝空腹時に，仰臥しているときのエネルギー代謝量を基礎代謝量という。

(2) 単位時間当たり，体表面積当たりの基礎代謝量は年齢によって差があり，年少者では大きく高齢者では小さい。

(3) 着席安静時における代謝量に対する各種の作業時の代謝量の比を，met（メット）という。

(4) 基礎代謝量には季節による違いがあり，冬より夏のほうが多い。

解答 解説

(4) 基礎代謝量は，夏より冬のほうが多い（P.34，ⓓの3参照）。

9. 公害

重要

ⓐ 公害の定義

① 事業活動その他，人の活動に伴って生ずる相当範囲にわたり人の健康又は生活環境に係る被害が生ずるもの。

② 大気汚染，水質汚濁，土壌汚染，騒音，振動，地盤沈下，悪臭の７項目

ⓑ 公害法の性格

1. 国民の健康保持と生活環境の保全を目的としている。
2. 環境基本法は，広範囲の地域の環境保持が目的で総量規制による努力目標の性格を有する。（環境基準）
3. 大気汚染防止法は特定発生源の規制が目的（排出基準）
4. 水質汚濁防止法は特定発生源の規制が目的（排出基準）

ⓒ 現状と問題点

1. 先端技術を中心とする技術革新による新たな環境汚染の問題
2. 閉鎖性水域における環境基準の低達成率
3. 工場，事業場の騒音のほか，深夜営業騒音や建設作業騒音などの苦情
4. 大気中の窒素酸化物（酸化窒素，二酸化窒素）の濃度改善の遅れ
5. 酸性雨による湖沼や森林の生態系への悪影響
6. 地球の温暖化
7. オゾン層の破壊

演習問題 23

公害の定義に関する次の文章の（　）内に入る語句の組合せのうち，正しいものはどれか。

「公害」とは，事業活動その他の人の活動に伴って生ずる相当範囲にわたる（ ア ），水質の汚濁，土壌の汚染，騒音，（ イ ），（ ウ ）及び悪臭によって，人の健康または生活環境に係る被害が生ずることをいう。

	ア	イ	ウ
(1)	大気の汚染	振動	日照権の侵害
(2)	海洋汚染	放射能汚染	電波障害
(3)	日照権の侵害	振動	放射能汚染
(4)	大気の汚染	振動	地盤の沈下

解答 解説

(4) 前記，ⓐ **公害の定義**の項参照

10. 廃棄物

ⓐ 廃棄物の定義

廃棄物とは，ごみ，粗大ごみ，燃えがら，汚泥，糞尿，廃油，廃酸，廃アルカリ，動物の死体その他の汚物又は不要物であって，固形状又は液状のものを言う。

ⓑ 産業廃棄物

1. 事業活動に伴って排出される廃棄物を言う。
2. 該当例として，燃えがら，汚泥，廃油，廃酸，廃アルカリ，廃プラスチック，出版業の紙くず，畜産農業に係る動物の死体，公共下水道の終末処理場から排出される汚泥などがある。
3. 事務所ビルの排水槽からの汚泥（し尿を含まないもの）は産業廃棄物である。
4. 事業者は，その事業活動によって生じた廃棄物を自らの責任において，適正に処理しなければならない。

ⓒ 一般廃棄物

1. 産業廃棄物以外の廃棄物を言う。
2. 該当例として一般家庭から排出されるごみ，乾電池，紙くず，し尿，ホテルやレストランからの多量の厨芥や事務所からのコピー紙屑などがある。
3. 事務所ビルのし尿浄化槽から排出される汚泥（し尿を含むもの）は一般廃棄物である。
4. 土地又は建物の占有者は，市町村の行う一般廃棄物の収集，運搬及び処理に協力しなければならない。

ⓓ 廃棄物除外物質

放射性物質，及びこれによって汚染されたものは廃棄物から除外される。

ⓔ 特別管理廃棄物

1. 廃テレビ受信機のPCBを使用する部品は，特別管理一般廃棄物に該当する。

2. 特別管理産業廃棄物とは，産業廃棄物のうち爆発性，毒性，感染性，その他の人の健康又は生活環境に係る被害を生ずるおそれがある性状を有するものとして政令で定めるものをいう。

演習問題 24

廃棄物に関する次の記述のうち，不適当なものはどれか。

(1) 産業廃棄物とは事業活動に伴って排出される廃棄物をいい，一般廃棄物とは産業廃棄物以外の廃棄物をいう。

(2) ホテルやレストランから排出される厨芥は一般廃棄物に該当する。

(3) 廃テレビ受信機の PCB を使用する部品は，特別管理一般廃棄物に該当する。

(4) 放射性物質，及びこれによって汚染されたものは，特別管理産業廃棄物に該当する。

解答 解説

(4) 廃棄物から除外される（前頁，ⓓ参照）。

演習問題 25

廃棄物に関する次の記述のうち，不適当なものはどれか。

(1) 一般廃棄物の収集は，市町村が行うのが原則である。

(2) いわゆるリサイクル法でいう古紙には，製紙工場で発生する損紙は含まれていない。

(3) 浄化槽の汚泥など，人の生理現象に伴って発生する廃棄物は，一般廃棄物として取扱われる。

(4) 事務所ビルから排出される多量の用済みコピー紙等の紙くずは，再生のため回収される物を除き，産業廃棄物として取扱われる。

解答 解説

(4) 事務所ビルからの紙くずごみは，すべて一般廃棄物である。

ⓐ 除害対象項目

1. 除害対象項目と放流限度
   ① 温度（45℃以上のもの）
   ② 水素イオン濃度（pH5以下又は9以上のもの）
   ③ 沃素消費量（1ℓにつき220 mg以上のもの）
   ④ ノルマルヘキサン抽出物質含有量
   （鉱油類含有量 ―――――――――― 1ℓにつき5 mgを超える物）
   （動植物油脂類含有量 ―――――――― 1ℓにつき30 mgを超える物）
2. 除害項目対象外 ――――― 陰イオン界面活性剤

ⓑ 水質関連用語

1. BOD（生物化学的酸素要求量）とは，水中に含まれる有機物質が分解され安定する際に消費する水中の酸素量の数値をいい，水質汚濁の指標として用いられる。
2. COD（化学的酸素要求量）とは，水中に含まれる有機物質または無機性亜酸化物を，化学的に酸化させるのに必要な酸素量の数値をいい，BODと共に水質汚濁の指標として用いられる。
3. 一般にBODは，溶存酸素の存在のもとで検水が20℃で5日間に消費する酸素の量をmg／ℓで表したものを指す。
4. SSとは，粒径2 mm以下の水に溶けない懸濁性の物質のことをいい水の汚濁度を判断する指標として使用され，単位はppmまたはmg／ℓで表す。
5. pH（ピーエッチ）とは，水中の水素イオン濃度を示す指数で，pHの値が7であれば中性，7より小さいときは酸性，7より大きいときはアルカリ性を示す。
6. DOとは，水中に溶解している分子状の溶解酸素をいう。

演習問題 26

排水に関する次の記述のうち，不適当なものはどれか。

(1) BODは，一般に1ℓの水を20℃で24時間放置し，その間に消費される酸素量を表している。

(2) 下水道の排水基準では，pH は 5.8 以上 8.6 以下と定められている。
(3) SS は水に溶けない懸濁性の物質のことをいい，水の汚濁度を判断する指標として使用する。
(4) 窒素及びりんは，河川，湖沼，内海等の富栄養化の原因物質である。

(1) BOD 量の調査のための放置時間は 5 日間である（前頁，ⓑの 3. 参照）。

演習問題 27

水質に関する記述のうち，適当でないものはどれか。

(1) ノルマルヘキサン抽出物質含有量とは，ノルマルヘキサンに可溶性のある油分などのことをいい，主に動植物油脂類と鉱物油などの油状物質量のことである。
(2) COD とは，水中に含まれる有機物及び無機性亜酸化物の量を示す指標として用いられ，微生物によって酸化分解される際に消費する酸素量で表される。
(3) TOC とは，水中に存在する有機物に含まれる炭素の総量で，水中の総炭素量から無機性炭素量を引いて求めたものである。
(4) DO とは，水中に溶けている酸素のことで，水中生物の活動に影響を与えるため水質の重要な測定項目である。

(2) COD とは，化学的酸素要求量のことで選択肢(2)は BOD（生物化学的酸素要求量）の説明になっている。

12. 結露

ⓐ 結露の発生

1. 結露は，室内の湿り空気がその空気の露点以下に冷えた壁面や窓面に触れて温度を下げ，空気中の水蒸気が水滴となって壁面に付着する現象で，室内仕上面における表面結露と，多孔質の壁体内部に結露を生ずる内部結露とがある。
2. 表面結露の原因として，低外気温，断熱層の厚さ，開放形ストーブの使用，壁の室内側表面温度等が影響するが，防湿層の厚さは影響が少ない。

また，壁体の断熱性，仕上面の吸湿性，換気，水蒸気の発生状況なども関係する。

3. 保温された室内では，ガラス面に結露が生じやすいから結露水が壁仕上げ等を汚さないような対策が必要である。
4. 暖房時において室内温度が不均一であると，低温部位に湿度の高い場所や結露が生じやすい。
5. 室外側（低温側，低湿側）に金属箔を貼り付けても室内側から断熱材の中に水蒸気が流入するのを防げない。

ⓑ 結露防止

1. 表面結露は，断熱材を使用して壁体の熱抵抗をふやすことで防ぐことができる。
2. 内部結露は，室内側（高湿側）に防湿層を設けて防止する。
3. 空気調和をしている居室において，物体の表面に結露を生じさせないためには，その物体の表面温度をそれに接する空気の露点温度より高く保つ必要がある。
4. 室内空気の絶対湿度を，物体の表面温度と等しい湿り飽和空気の絶対湿度より低く保つことである。
5. 室内の蒸気発生を抑制し，室内空気の露点温度を下げる。
6. 外壁の断熱性を高める。
7. 壁体内結露防止対策として，断熱材の室内側に防湿層を設ける。
8. 壁の室内側表面温度を上げる。
9. 材料の透湿抵抗は，その材料の両側に接する空気の水蒸気圧と，単位面積を単位時間に通過する水分量により求められる。

演習問題 28

結露に関する次の記述のうち，不適当なものはどれか。

(1) 内部結露は，室内側（高湿側）に防湿層を設けて防止する。

(2) 内外の温度差が大きい場合，壁体の表面結露を防止するには，壁体の熱通過率を大きくする。

(3) 壁面での結露は，室内の壁面温度と室内空気温度との差が大きいほど生じやすい。

(4) 物体の表面に結露を生じさせないためには，その物体の表面温度を，それに接する空気の露点温度より高く保つ必要がある。

解答 解説

(2) 内外の温度差が大きい場合，壁体の表面結露を防止するには，壁体の熱通過率を小さく（壁体の熱貫流抵抗を大きく）する。

13. 飲料水の水質基準

ⓐ 水質基準

1. 水道法で，水質基準は51項目定められている。
2. 主な水質基準は次の通り。

項目	基準	
一般細菌	1 mℓ の検水で形成される集落数が100以下であること	
大腸菌群	検出されないこと	
カドミウム	0.01	mg／ℓ 以下であること
水銀	0.0005	〃
セレン	0.01	〃
鉛	0.05	〃
ヒ素	0.01	〃
六価クロム	0.05	〃
シアン	0.01	〃
硝酸性窒素及び亜硝酸性窒素	10	〃
フッ素	0.8	〃
四塩化炭素	0.002	〃
総トリハロメタン	0.1	〃
亜鉛	1.0	〃
鉄	0.3	〃
銅	1.0	〃
ナトリウム	200	〃
マンガン	0.05	〃
塩素イオン	200	〃
硬度	300	〃

蒸発残留物	500　〃
陰イオン界面活性剤	0.2　〃
フェノール類	0.005　〃
有機物等	10　〃
pH 値	5.8 以上 8.6 以下であること
味	異常でないこと
臭気	異常でないこと
色度	5 度以下であること
濁度	2 度以下であること

ⓑ 残留塩素検査

1. 残留塩素の検査は，飲料水を供給する末端の給水栓で採取した水について行う。
2. 残留塩素の検査は，原則として DPD 法（ジエチル-p-フェニレンジアミン）で行う。
3. 残留塩素の検査は 7 日以内ごとに行う。
4. 残留塩素の検査は月曜日に行うのが望ましい。
5. 残留塩素の検査は，通常，遊離残留塩素について行い，0.1 ppm 以上検出されなければならない。

演習問題 29

飲料水の水質基準で，次のうち誤っているものはどれか。

(1) pH 値が 5.8 以上 8.6 以下であること。
(2) 異常な臭味がないこと。
(3) 大腸菌群が検出されないこと。
(4) 鉄が 0.7 mg／ℓ 以下であること。

(4) 飲料水の水質基準では，鉄は 0.3 mg／ℓ 以下（前頁ⓐ参照）。

演習問題 30

飲料水の水質検査で，次のうち誤っているものはどれか。

(1) 残留塩素の検査は，毎月1回の割合で行う。

(2) 残留塩素の検査は，通常，遊離残留塩素について行う。

(3) 残留塩素の検査は，給水栓末端で行う。

(4) 残留塩素の検査には，試薬としてDPDが使われる。

(1) 残留塩素検査は7日以内ごとに行う（前頁，ⓑの3.参照）。

2　流体工学

1. 流体の諸法則

ⓐ ボイルの法則

1. 気体の温度が一定のとき，気体の体積と気体の圧力を乗じた値は常に一定である。この原理をボイルの法則という。
2. 今，P = 気体の圧力，V = 気体の体積，とすると次の関係が成り立つ。

$$PV = K = 一定 \qquad PV = RT$$

なお，R，K = 定数　T = 温度（一定）とする。

ⓑ シャルルの法則

1. 気体の体積が一定のとき，気体の圧力と気体の温度（絶対温度）との比は一定である。これをシャルルの法則という。
2. いま，P_1 = 変化前の気体の圧力　　P_2 = 変化後の気体の圧力
　　T_1 = 変化前の気体の絶対温度　T_2 = 変化後の気体の絶対温度

　とすると，次の関係式が成り立つ。

$$\frac{P_1}{T_1} = \frac{P_2}{T_2}$$

ⓒ ボイル・シャルルの法則

同一の気体では，次の関係式が成り立つ。これをボイル・シャルルの法則という。

$$\frac{PV}{T} = 一定$$

ⓓ パスカルの原理

密閉された容器内の液体に圧力を加えると，圧力は増減なくいたるところに一様に伝わる。この原理をパスカルの原理という。

ⓔ アルキメデスの原理

液体の中にある物体は，その排除した液体の重量だけ軽くなる。この原理をアルキメデスの原理という。

ⓕ エネルギー保存の法則

1. 物体のもつ圧力のエネルギー及び運動のエネルギー並びに位置のエネルギーの総和は一定である。これをエネルギー保存の法則という。
2. ベルヌーイの定理は，エネルギー保存の法則に基づいている。

ⓖ 質量保存の法則

非圧縮性液体では，平均流速と流路断面積との積は一定である。これを質量保存の法則という。

ⓗ ベルヌーイの定理

1. 流体の圧力（圧力水頭），速度（速度水頭），位置（位置水頭）のエネルギーの総和は一定である。これをベルヌーイの定理と称し次の式で示す。
   圧力水頭（H_1）＋速度水頭（H_2）＋位置水頭（H_3）＝一定
   このうち速度水頭は　$H_2 = v^2/2g$〔m〕で表される。
   v は流速〔m／s〕，g は重力の加速度〔m/s^2〕を示す。
2. ベルヌーイの定理では，流体の圧縮性と粘性は考慮しない。
3. ベルヌーイの定理は，定常流の流線に沿って適用できる。

ⓘ レイノルズ数

1. 流体が円管内を流れるとき，管内の平均速度を v，管径を d，その流体の温度に相当する動粘性係数をν：ニューとすると，レイノルズ数 Re は次式で定義される。
$$Re = \frac{vd}{\nu}$$
2. 一般に Re＜2,000 の場合は層流となる。
3. 一般に Re＞4,000 の場合は乱流となる。
4. 水の温度が上昇すると流体の密度が小さくなるために動粘性係数が小さくなり，そのためにレイノルズ数は大きくなる。
5. ムーディ線図は，レイノルズ数，管内表面の粗さ等から，管摩擦係数を求めるのに用いられる。
6. 層流域における管摩擦係数は，管内面の粗さにほとんど関係しない。
7. 層流域における管摩擦係数は，レイノルズ数に反比例する。
8. 乱流域における管摩擦係数は，レイノルズ数にほとんど関係なくほぼ一定である。

❶ トリチェリーの定理

1. 深さ h の水槽の底に小孔を開けて水を流出させる場合，水槽の断面積に比べて小孔の面積が小さい場合，流出する速さを v，重力の加速度を g とすると次の関係式が成り立つ。これをトリチェリーの定理という。

$$v = \sqrt{2gh}$$

演習問題 31

流体の法則に関する次の記述のうち，不適当なものはどれか。

(1) ベルヌーイの定理は，定常流の流線に沿って適用できる。
(2) 流体におけるエネルギーの保存の法則から導かれる。
(3) ピトー管は，この定理が応用される。
(4) ベルヌーイの定理では，流体の圧縮性と粘性を考慮する。

解答 解説

(4) 流体の圧縮性と粘性がない場合に成立する（前頁，ⓗの 2. 参照）。

演習問題 32

レイノルズ数に関する次の記述のうち，不適当なものはどれか。

(1) レイノルズ数は，層流状態よりも乱流状態のほうが大きくなる。
(2) レイノルズ数は，流れの慣性力と粘性力の比を意味する。
(3) 層流状態では，レイノルズ数が小さくなると，管摩擦係数は大きくなる。
(4) レイノルズ数は，管内の平均流速に反比例する。

解答 解説

(4) レイノルズ数は，管内の平均流速に比例する（前頁，ⓘの 1. の式参照）。

演習問題 33

レイノルズ数に関する次の記述のうち，不適当なものはどれか。

(1) 層流域における管摩擦係数は，レイノルズ数に反比例する。

(2) レイノルズ数が約 2,000 より小さい流れは，層流になる。

(3) レイノルズ数は，流体の動粘性係数に反比例する。

(4) レイノルズ数は，管径に反比例する。

解答 解説

(4) レイノルズ数は，管径に比例する（P.47 ❶の 1. の式参照）。

演習問題 34

底部の側壁に小孔のある水槽の水位が，もとの水位の 3 倍になったとき，側壁の小孔からの噴出速度の変化として，適当なものはどれか。

ただし，小孔に比べて水槽は十分大きく，速度係数は水位の変化に関係なく 1 とする。

(1) $\sqrt{3}$ 倍

(2) 3 倍

(3) 6 倍

(4) 9 倍

解答 解説

(1) トリチェリーの定理　$v = \sqrt{2gh}$ において，h が 3h となるので

$v' = \sqrt{2g \times 3h} = \sqrt{3} \times \sqrt{2gh} = \sqrt{3}\,v$

つまり噴出速度は $\sqrt{3}$ 倍となる。

2. 流体の性質

ⓐ 流体の粘性

1. 流体の粘性係数が u，流体の密度が s のとき，その流体の動粘性係数 r は次式で表される。

$$r = \frac{u}{s}$$

2. 粘性力は速度勾配に比例する。この場合の比例常数を粘性係数という。

3. 流体のうち管に接している部分と，管から離れている部分との間には流速の差が生じ，この流体のある部分の管からの距離と，その部分の流速との関係を関数で表したものを速度勾配という。

❺ 摩擦損失水頭

1. 流体の摩擦損失水頭（H）は，管の長さ（ℓ）と流速（v）の2乗に比例し，管の内径（d）に反比例する。なお，λは流体の摩擦係数を示す。

$$H = \lambda \frac{\ell}{d} \cdot \frac{v^2}{2g}$$

2. 管路における摩擦損失水頭は，流体の流速の2乗に比例する。

❻ 管内流速

1. 配管中を水が満水で流れる場合の圧力損失はダルシー・ワイスバッハの式で，次のように示される。

$$\text{圧力損失} = \text{摩擦係数} \times \frac{\text{管の長さ}}{\text{管の内径}} \times \frac{\text{水の比重量} \times (\text{流速})^2}{2 \times \text{重力の加速度}}$$

2. 管内を流れる液体の流量が一定の場合，流速と管の断面積との積は常に一定である。

演習問題 35

配管中を水が満水で流れる場合の直管部の圧力損失に関する次の記述のうち，不適当なものはどれか。なお，管摩擦係数は一定とする。

(1) 流量が一定で配管径を1／2倍にすると，圧力損失はほぼ2倍になる。
(2) 配管長を2倍にすると，圧力損失は2倍となる。
(3) 流速が一定で配管径を2倍にすると，圧力損失は1／2倍となる。
(4) 流速を2倍にすると，圧力損失は2倍となる。

解答 解説

(4) 流速を2倍にすると，圧力損失は流速の2乗倍で4倍となる（上の❻の1.式）。

演習問題 36

管路を流れる流体の摩擦損失水頭に関する記述で不適当なものはどれか。

(1) 流体の密度に比例する。

(2)　流体の流速の2乗に比例する。
(3)　管路の断面積に比例する。
(4)　管路の長さに比例する。

(3)　流体の摩擦損失水頭は，管路の断面積に反比例する（前頁，ⓑの1.式参照）。

演習問題 37

内径200〔mm〕の配管内を平均流速0.5〔m／分〕で水が流れているときの流量として，次のうち正しいものはどれか。

(1)　12.5〔ℓ／分〕
(2)　15.7〔ℓ／分〕
(3)　18.2〔ℓ／分〕
(4)　21.8〔ℓ／分〕

解答 解説

(2)　$(20/2)^2 \times 3.14 \times 50 \div 1{,}000 = 15.7$〔ℓ／分〕
計算問題で単位が異なるときは，単位を合わせる注意が必要である。
200 mm ＝ 20 cm　0.5 m ＝ 50 cm　1,000 cm^3 ＝ 1 ℓ　など，単位をそろえる。

演習問題 38

流体の性質に関する次の記述のうち，不適当なものはどれか。

(1)　動粘性係数は，密度に反比例し，粘性係数に比例する。
(2)　乱流域における管摩擦係数は，レイノルズ数に比例する。
(3)　層流域における管摩擦係数は管内面の粗さにほとんど関係しない。
(4)　非圧縮性液体では，平均流速と流路断面積との積は一定である。これを質量保存の法則という。

解答 解説

(2)　乱流域における管摩擦係数は，レイノルズ数にほとんど関係なくほぼ一定である（P.48，ⓘの8.参照）。

3. 流体の作用

ⓐ 水撃作用

1. 管路中の水の運動状態が急に変わると大きな圧力変動をひき起こし，これが周期的に繰り返される作用を水撃作用（ウォータハンマ）という。
2. 水撃作用のときに生じる圧力波の伝播速度は，管の内径に関係する。
3. 弁閉止時に生じる水撃作用は，弁閉止前の流速に比例する。
4. 水撃圧力は配管材料の縦弾性係数（ヤング率）が大きいほど大きくなる。
5. 水撃圧力は，圧力波の伝播速度に比例する。
6. 水撃作用による圧力上昇は，流速が同じでも流体の密度や管の材質により異なる。
7. 水撃圧力は，配管材料の管壁の厚さに関係する。

ⓑ 空洞現象

翼のあるポンプや水車などでは，水の圧力と温度との関係から，翼の表面で圧力や流速の変動により空洞が生じ，このため振動や騒音を発し，揚水性能等が低下する現象を生ずる。これを空洞現象（キャビテーション）といい機器を損傷する原因となる。

ⓒ 毛管現象

1. 液体の中に細い管を垂直に入れると，表面張力によって液面は管内を上昇又は下降する。この現象を毛管現象という。
2. 毛管現象による細管中の液面の高さは，表面張力に比例する。

ⓓ 流れの状態

1. 定常流とは，流れの状態が場所によって定まり，時間には無関係であるような流れをいう。
2. 非定常流とは，流れの状態が場所によって，時間と共に変化するような流れをいう。
3. 層流とは，流体が規則正しく層をなして流れる状態をいう。
4. 乱流とは，流体が不規則に混乱して流れる状態をいう。
5. 水は圧縮しにくいので，非圧縮性流体という。
6. ベルヌーイの定理は非圧縮性流体の定常流の流管について適用できる。

❺ 気体の膨張率

気体は，その種類に関係なくすべて，温度が1℃上昇するごとに273分の1ずつ膨張する。

❻ 空気の溶解

一定温度の水に溶解する空気の量は，一般に空気の圧力に比例する。

演習問題 39

流体の作用に関する次の記述のうち，不適当なものはどれか。

(1) 毛管現象による細管中の液面の高さは，表面張力に比例する。
(2) 非定常流とは，流れの状態が場所によって，時間と共に変化するような流れをいう。
(3) 水撃作用のときに生じる圧力波の伝播速度は，管の内径には関係しない。
(4) 水撃作用による圧力上昇は，流速が同じでも流体の密度や管の材質により異なる。

解答 解説

(3) 水撃作用のときに生じる圧力波の伝播速度は，管の内径に関係する（前頁，❶の2.参照）。

演習問題 40

水配管において，弁を急閉鎖した場合の水撃現象に関する次の記述のうち不適当なものはどれか。

(1) 水撃圧力は，急閉鎖前の水の速度に比例する。
(2) 水撃圧力は，配管材料の縦弾性係数（ヤング率）に関係する。
(3) 水撃圧力は，配管材料の管径の厚さには関係しない。
(4) 水撃圧力は，圧力波の伝播速度に比例する。

解答 解説

(3) 水撃圧力は，配管材料の管径の厚さに関係する（前頁，❶の7.参照）。

4. 流体の圧力

ⓐ 圧力の SI 単位

1. 圧力の SI 単位はパスカル（Pa）である。
2. 1 MPa（メガパスカル）= 10.1972 kgf／cm^2 であるが，近似的に 1 MPa = 10 kgf／cm^2 として取扱う例が多い。

ⓑ 大気圧

地球の周囲を取り巻いている空気の重みを大気圧といい，この大気の圧力は，およそ 0.1 MPa（1 kg／cm^2）である。

ⓒ 標準気圧

1. 0 ℃における水銀柱 760 mm の高さに相当する圧力を標準気圧といい，大気圧の基準になるが，圧力に換算すると 0.1013 MPa（1.033 kg／cm^2）となる。
2. 気象用語の気圧は，従来単位のミリバールに置き換えて，数値はそのままで hPa（ヘクトパスカル）が使用されている。

ⓓ ゲージ圧力

圧力計で計った圧力をゲージ圧力といい単位は MPa で表す。

ⓔ 絶対圧力

ゲージ圧力に大気圧を加えた圧力を絶対圧力といい，MPa 絶対，または MPa abs などと表す。この場合，大気圧は 0.1 MPa として扱う。

ⓕ 風圧

1. 送風機の風圧やダクト内の風圧は，通常水頭圧 kPa（mm H_2O）で表す。
2. ダクト内の風圧には，次の関係がある。

   全圧 = 静圧 + 動圧
3. 送風機の風圧やダクト内の風圧は，通常静圧で表す。

ⓖ 送風機の特性

1. 同じ遠心送風機では，送風量は回転数に比例し，静圧は回転数の 2 乗に比例し，軸動力は回転数の3乗に比例する。

送風量　$Q_1/Q_2 = N_1/N_2$

静圧　$P_1/P_2 = (N_1/N_2)^2$

軸動力　$Kw_1/Kw_2 = (N_1/N_2)^3$

2. 上記の関係は，ポンプについても同様である。この場合，送風量は揚水量に，静圧は吐出圧力に置き換える。

演習問題 41

流体に関する記述のうち，適当でないものはどれか。

(1) 空気の粘性係数は，一定の圧力のもとでは，温度の上昇とともに大きくなる。

(2) 流体の粘性により生じるせん断応力は，一般に，流体が接する物体の表面近くで大きくなる。

(3) 水の密度は，1気圧のとき，4℃付近で最大となる。

(4) 管内の流れは，レイノルズ数が小さいときに乱流，大きいときに層流となる。

(4) 管内の流れは，レイノルズ数が小さいときに層流，大きいときに乱流となる。

5. 流体の計測

ⓐ ベンチュリー計

1. ベンチュリー計は，大口径部と小口径部の圧力差から流量を求める計器である。
2. ベンチュリー計は，ベルヌーイの定理を応用した計器である。

ⓑ オリフィス

1. オリフィスは，流れをさえぎる形のところに設けた小孔の両側の圧力の差を求め，これより間接的に流量を求める流量計の一種である。
2. オリフィスによる流量計測は，トリチェリーの定理を応用している。

第1章 一般基礎

Ⓒ ピトー管

1. ピトー管は水圧を測定するものである。
2. ピトー管は，ベルヌーイの定理を応用した計器である。
3. ピトー管は，流体の全圧と静圧との差より動圧を検出する構造になっている。

演習問題 42

管路内の流体に関する文中，［　　　］内に当てはまる数値として，適当なものはどれか。

流体が管路の直管部を流れる場合において，管径が2倍で流速が等しいとき，摩擦による圧力損失は［　　　］倍になる。

ただし，圧力損失はダルシー・ワイスバッハの式によるものとし，管摩擦係数は一定とする。

(1) 1／4
(2) 1／2
(3) 2
(4) 4

解答 解説

(2) 管路を流れる流体の摩擦による圧力損失を求めるには，ダルシー・ワイスバッハの式が用いられる。

$\Delta p = \lambda \cdot L/d \cdot \rho v^2/2$

ここに，⊿p：圧力損失　λ：摩擦係数　L：管の長さ　d：管径
　　　ρ　：流体の密度　v：流速

以上により，管径を2倍にしたとき，圧力損失⊿pは管径dに反比例するため，2倍すなわち，1／2倍となる。

演習問題 43

図に示す管路内を空気が流れる場合において，B点の静圧の値として，適当なものはどれか。

ただし，A点の全圧は80 Pa，B点の風速は10 m／s，A点とB点との間の圧力損失ΔPは10 Pa，空気の密度は1.2 kg／m³とする。

(1) 5 Pa
(2) 10 Pa
(3) 15 Pa
(4) 20 Pa

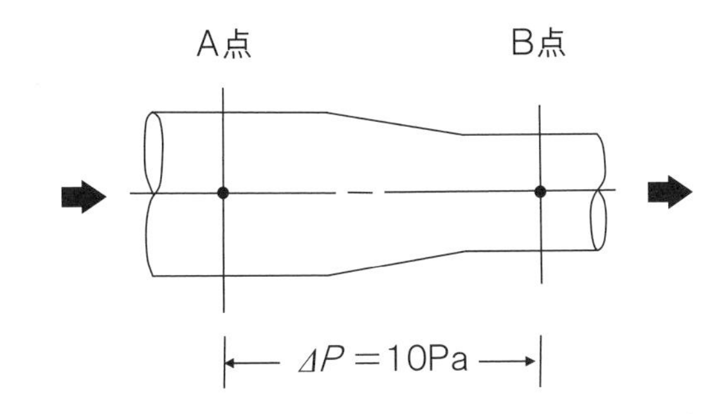

解答 解説

(2) 圧力損失を考慮したベルヌーイの定理から，B 点の静圧 Psb は次式より求めることができる。ベルヌーイの定理を A 点と B 点に適用すると，

A 点の全圧 ＝ B 点の全圧＋圧力損失（ΔP）

全圧 ＝ 動圧＋静圧であり，また，動圧 ＝（密度ρ）×（風速 v）^{2} より，

設問の値を代入すると，

$80 = 1/2 \times 1.2 \times 10^2 + \text{Psb} + 10$

$80 = 0.6 \times 100 + 10 + \text{Psb}$

$80 - 70 = \text{Psb}$

$10 = \text{Psb}$　したがって，B 点の静圧は 10Pa である。

演習問題 44

流体に関する記述のうち，適当でないものはどれか。

(1) 毛管現象は，液体の表面張力によるものである。
(2) 水の粘性係数は，水温の上昇とともに小さくなる。
(3) 水中における水の圧力は，水面からの深さに比例して大きくなる。
(4) ウォーターハンマーは，鋼管より硬質塩化ビニル管の方が発生しやすい。

(4) ウォーターハンマーは，ヤング率に比例するため，硬い管（鋼管）の方が，軟らかい管（硬質塩化ビニル管）より発生しやすい。また，管の内径が大きくなると水撃現象は小になり，ヤング率，管壁の厚さが大きくなると水撃現象は大になる。

演習問題 45

直管路の圧力損失に関する文中，□内に当てはまる用語の組合せとして，適当なものはどれか。

流体が直管路を流れるとき，[A]のために流体摩擦が働き，運動を妨げる抵抗となって圧力損失を生じる。この圧力損失はダルシー・ワイスバッハの式により，[B]に反比例することが知られている。

	(A)		(B)
(1)	粘性	―――	流速
(2)	粘性	―――	管径
(3)	慣性	―――	流速
(4)	慣性	―――	管径

解答 解説

(2) 流体が直管路を流れるとき，粘性のために流体摩擦が働き，運動を妨げる抵抗となって圧力損失を生じる。この圧力損失はダルシー・ワイスバッハの式により，管径に反比例することが知られている。

演習問題 46

流体におけるレイノルズ数に関する文中，□内に当てはまる用語の組合せとして，適当なものはどれか。

レイノルズ数は，流体に作用する慣性力と[A]の比で表され，管内の流れにおいて，その値が大きくなり臨界レイノルズ数を超えると[B]になる。

	(A)		(B)
(1)	粘性力	―――	層流
(2)	粘性力	―――	乱流
(3)	圧縮力	―――	層流
(4)	圧縮力	―――	乱流

解答 解説

(2) (A) は粘性力，(B) は乱流である。

3　熱工学

1. 熱力学の諸法則

ⓐ 熱力学の第一法則

1. 機械的仕事が熱に変わり，又は熱が機械的仕事に変わる場合，機械的仕事と熱量との比は一定である。これを熱力学の第一法則という。
2. 熱力学の第一法則は，エネルギー保存の原理（エネルギー不滅の原理）に基づいている。
3. 仕事量を熱量に換算する場合の換算係数を仕事の熱当量といい，例えば 1 kWh = 3.6 MJ（860 kcal／h）がある。
4. 熱量を仕事量に換算する場合の換算係数を熱の仕事当量といい，例えば 1 kJ = 101.4 kg・m（1 kcal = 427 kg・m）がある。

ⓑ 熱力学の第二法則

1. 熱が低温度の物体から高温度の物体へ自然に移ることはありえない。これを熱力学の第二法則という。
2. 熱を仕事に変えるには，これより低い温度の熱源が別に必要であり，高温熱源の一部は低温熱源に損失として捨てられねばならない。
3. 熱力学の第二法則は，別名「クラウジウスの原理」ともいう。

ⓒ 理想気体

1. 温度，圧力，体積のすべての範囲にわたって，ボイルの法則とシャルルの法則が成立する仮想の気体を理想気体という。
2. ボイル・シャルルの法則では，一定量の気体の体積は，圧力に反比例し，絶対温度に比例する。
3. 理想気体の圧力を P，体積を V，温度を T とすると次の式が成立する。
　　$PV = nRT$　　ここに，n は気体のモル数，R は気体の種類によらない定数で気体定数という。

ⓓ ダルトンの法則

混合気体の圧力は，各成分気体が単独に存在するときの圧力（分圧）の和に等しい。これを「ダルトンの法則」又は「分圧の法則」という。

ⓔ ゼーベック効果

1. ゼーベック効果とは，2種類の金属線で回路を作り，一方の接点を加熱し，他方の接点を冷却すると，両接点間に起電力が生じ，回路の抵抗に反比例した電流が流れる現象をいう。
2. ゼーベック効果により生ずる起電力を熱起電力という。
3. 熱起電力の増加の割合は，両接点間の温度差が大きいほど大きくなる。
4. 熱電対はゼーベック効果の応用である。

ⓕ ペルチェ効果

1. ペルチェ効果とは，異種金属の接触面を通過して弱電流を流すと，一方の接点の温度が下がり，他方の接点の温度が上がる現象をいう。
2. 吸熱作用側と放熱作用側は，電流の方向によって決まる。
3. 吸熱作用を物質の冷却に利用する方法を電子冷凍という。

ⓖ カルノーサイクル

1. 熱機関で熱を連続的に仕事に変換するとき，高温熱源から受け取った熱量の一部は，必ず低温熱源に捨て去らないと連続性は成立しない。
2. 熱の仕事への変換は，等温膨張→断熱膨張→等温圧縮→断熱圧縮の4つの可逆過程からなり，この連続過程をカルノーサイクルという。
3. 外部から仕事を加えることにより，低熱源側から吸熱して高熱源側へ熱量を捨てると，カルノーサイクルとは逆周りの断熱圧縮→等温圧縮→断熱膨張→等温膨張の逆カルノーサイクルとなる。
4. 冷凍サイクルは，逆カルノーサイクルの原理に基づいている。
5. カルノーサイクルは，可逆変化のサイクルである。
6. カルノーサイクルは，熱力学の第二法則に基づいている。
7. 右の図はカルノーサイクルを示す。

a → b　等温膨張
b → c　断熱膨張
c → d　等温圧縮
d → a　断熱圧縮

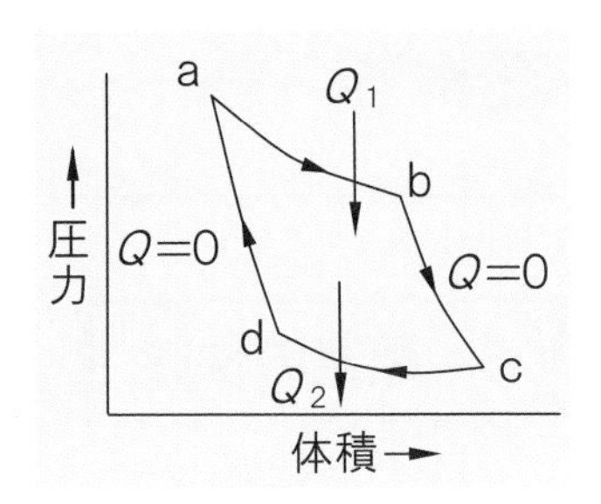

外部に対して仕事をするのは a → c 間の等温膨張過程と断熱膨張過程である。

ⓗ モリエル線図

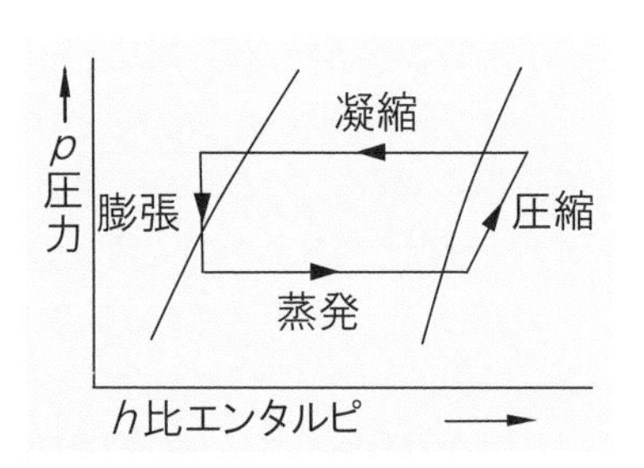

1. 各種物質が液体から気体に状態変化する過程を，横軸に比エンタルピ，縦軸に絶対圧力をとって表現した線図をモリエル線図という。
2. モリエル線図は，冷凍機の冷凍サイクルを表すのに用いられる。
3. 冷凍サイクルは，蒸発→圧縮→凝縮→膨張の過程を繰り返す。

演習問題 47

熱力学の諸法則に関する次の記述のうち，不適当なものはどれか。

(1)　ゼーベック効果による熱起電力は，温度差が大きいほど大きくなる。
(2)　熱電対はゼーベック効果の応用である。
(3)　電子冷凍はペルチェ効果を応用したものである。
(4)　熱力学の第二法則は，エネルギー保存の原理に基づいている。

(4)　エネルギー保存の原理に基づいているのは，熱力学の第一法則である。

演習問題 48

熱力学の諸法則に関する次の記述のうち，不適当なものはどれか。

(1)　カルノーサイクルは不可逆的な変化である。
(2)　冷凍サイクルは，蒸発→圧縮→凝縮→膨張の過程を繰り返す。
(3)　モリエル線図は，冷凍機の冷凍サイクルを表すのに用いられる。
(4)　熱が低温度の物体から高温度の物体へ自然に移ることはありえない。

(1) カルノーサイクルは可逆的な変化である（P.60, ⓖの 5. 参照）。

2. 蒸気の性質

ⓐ 蒸気の状態変化

1. 水の状態変化は圧力によって変わり，たとえば高い圧力では沸点も高くなり圧力が低いと沸点も下がる。
2. このように，蒸気の圧力と温度との間には密接な関係があることから，水が蒸発するときの温度をその圧力の飽和温度といい，水が蒸発するときの圧力を，その温度の飽和圧力と呼んでいる。
3. このほか，水と蒸気に関する用語には次のようなものがある。
   - ① 飽和水――――――飽和温度に達しているときの水。
   - ② 湿り飽和蒸気――水分を含んでいる状態の蒸気。
   - ③ 乾き飽和蒸気――蒸気の中に水分を全く含んでいない状態の蒸気。
   - ④ 乾き度――――――水が沸騰し始めたときを 0 とし，水がすべて蒸気となったときを 100 として，その間の湿り飽和蒸気中に占める蒸気の割合を百分率で表した数値。
   - ⑤ 湿り度――――――100 から乾き度を引いた数値をいい，湿り飽和蒸気中に占める水分の割合を百分率で表した数値。
   - ⑥ 過熱蒸気――――乾き飽和蒸気をさらに加熱して飽和温度以上となった蒸気。

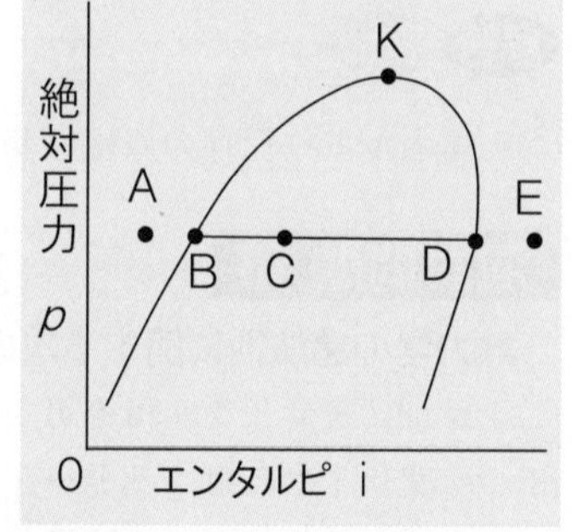

4. 右は蒸気の状態変化を示す図である。
   点 E の状態は過熱蒸気。
   点 A の状態は過冷却液の状態。
   点 E は臨界点を示す。
   点 C の乾き度は BC／BD で表す。
   点 C の湿り度は CD／BD で表す。
5. 等方性を有する物質の体膨張係数は，線膨張係数の 3 倍程度である。
6. 粘性係数は，液体では温度の上昇とともに減少するが，気体では逆に増加する。

7. 温度変化を伴う相変化に用いられる熱を顕熱という。
8. 温度変化を伴わない相変化に用いられる熱を潜熱という。
9. 顕熱と潜熱を合計した熱量を全熱又はエンタルピという。

ⓑ 蒸発熱，融解熱（注：水の比熱を4.18 kJ/kg・Kとする）

1. 100 ℃の水1 kgを100 ℃の蒸気にするのに要する熱量，つまり，水の蒸発の潜熱（略して蒸発熱）は2,257 kJ（539 kcal）である。
2. 一方，0 ℃の氷1 kgを0 ℃の水にするために要する熱量は334 kJ（79.6 kcal）で，これを氷の融解の潜熱（略して融解熱）という。
3. 例えば蒸気温度が100 ℃で乾き度が80 %の湿り飽和蒸気の保有する潜熱は，次のようにして求める。

   乾き度80 %の湿り飽和蒸気の保有する潜熱 $= 2{,}257 \times 0.8 = 1{,}805.6$ kJ（$= 539 \times 0.8 = 431.2$ kcal）

   この湿り飽和蒸気の温度は100 ℃であるので，418 kJ（100 kcal）の顕熱も保有している。そこで，この湿り飽和蒸気の保有する全ての熱量，つまり全熱量（エンタルピ）は次のように計算される。

   乾き度80 %の湿り飽和蒸気の保有する全熱量 $1{,}805.6 + 418 = 2{,}223.6$ kJ（$= 431.2 + 100 = 531.2$ kcal）

演習問題49

熱に関する記述のうち，適当でないものはどれか。

(1) 気体を断熱膨張させても，その温度は変化しない。
(2) 液体の定圧比熱と定容比熱は，ほとんど同じ値である。
(3) 融解熱や気化熱のように，状態変化のみに費やされる熱を潜熱という。
(4) 等方性を有する物質の体膨張係数は，線膨張係数の3倍にほぼ等しい。

解答 解説

(1) 気体を断熱膨張した場合は，温度が下がる。気体を断熱圧縮した場合は，温度が上がる。

演習問題50

蒸気の性質に関する次の記述のうち，不適当なものはどれか。

(1) 等方性を有する物質の体膨張係数は，線膨張係数の3倍程度である。
(2) 気体の粘性係数は，温度が高くなるにしたがって一般に小さくなる。

(3) 潜熱とは，温度変化を伴わない相変化に費やされる熱量である。
(4) 乾き飽和蒸気をさらに加熱して飽和温度以上となった蒸気を過熱蒸気という。

(2) 気体の粘性係数は，温度が高くなるにしたがって一般に大きくなる。

3. 比熱

重要 重要

ⓐ 固体と液体の比熱

1. 重量 1 kg の物質の温度を 1 ℃高めるのに要する熱量をその物質の比熱といい単位記号は〔J／kg・K〕で表す。
2. 水の比熱は約 4.2，鉄の比熱は約 0.4 で，比熱の大きいものほど温まりにくく，冷めにくい性質がある。

ⓑ 気体の比熱

1. 気体の比熱には，定圧比熱と定容比熱とがある。
2. 定圧比熱とは，気体の圧力を一定にした状態における比熱をいう。
3. 定容比熱とは，気体の容積を一定にした状態における比熱をいう。
4. 気体の比熱比とは，定圧比熱を定容比熱で割った値をいう。
5. 定圧比熱は定容比熱よりも常に大きいため，比熱比も常に 1 よりも大きい。
6. 1 気圧 0 ℃における乾き空気の定圧比熱は，約 1 kJ／kg・K である。
7. 同一種類の液体では，加熱による容積変化が小さいので，定圧比熱と定容比熱はほぼ同じ値である。

演習問題 51

比熱に関する次の記述のうち，不適当なものはどれか。

(1) 比熱の大きいものは，温まりにくく，冷めにくい。
(2) 固体や液体の比熱の単位は〔J／K〕で表す。
(3) 気体の比熱には，定圧比熱と定容比熱とがある。
(4) 鉄と水とでは，水のほうが比熱が大きい。

(2) 固体や液体の比熱の単位は〔J／kg・K〕である。

演習問題 52

比熱に関する次の記述のうち，不適当なものはどれか。

(1) 気体の比熱比は，定容比熱を定圧比熱で除したもので 1 より小さい。

(2) 同一種類の液体では，定圧比熱と定容比熱はほぼ同じ値である。

(3) 乾き空気の定圧比熱は，1 気圧 0 ℃では約 1 kJ／kg・K である。

(4) 鉄の比熱は約 448 J／kg・K である。

解答 解説

(1) 気体の比熱比は，定圧比熱を定容比熱で除したもので 1 より大きい。液体では定圧比熱と定容比熱はほぼ同じであるが，気体では定圧比熱の方が定容比熱よりも大きい。

演習問題 53

熱に関する用語の組合せのうち，最も関係の少ないものはどれか。

(1) 熱伝導――――――――ステファン・ボルツマンの法則

(2) 熱機関――――――――カルノーサイクル

(3) 電子冷凍―――――――ペルチェ効果

(4) 気体の状態式―――――ボイル・シャルルの法則

解答 解説

(1) 熱伝導は，フーリエの法則である。熱伝導における基本法則で，物体内に温度差があって，温度の高い方から低い方へ熱が流れるときに，熱の流れに垂直な面を考えると，この面を通過する熱の量（q）は，そこの温度勾配（dt／dx）と面積（A）とに比例する。

$$q = -kAdt/dx$$

ふく射（放射）エネルギーはステファン・ボルツマンの法則に従い，表面絶対温度の 4 乗に比例する。

4. 伝熱

重要 重要

ⓐ 熱移動

1. 熱移動は，高温部より低温部へ熱エネルギーが移動する現象で，不可逆現象の代表的なものである。
2. 固体表面とそれに接する流体との間の熱伝達は，伝導，対流，放射による熱移動である。
3. 鉄棒の一端を熱すると，他端が次第に熱くなるように固体を通して熱が伝わることを熱の伝導という。
4. 火にかけた鍋の水の温度が次第に上昇するのは，水の膨張による比重差によって起こる現象で，これを対流という。
5. 太陽熱が地球に達するように，空間を通して熱の伝わる現象を放射またはふく射という。

ⓑ 伝導

1. 熱伝導とは，異なる温度の固体が互いに接する場合の熱移動現象をいう。
2. 固体間を単位時間に流れる熱量〔q〕は次式で示される。
   $q = \lambda (\triangle\theta / \triangle\chi) A$　ここにλは熱伝導率，Aは熱流に垂直な面積，$\triangle\theta$は温度差，$\triangle\chi$は温度差間の距離。
3. 温度勾配とは，上記の式の（$\triangle\theta / \triangle\chi$）をいう。
4. 固体壁両側の流体間の熱通過（熱貫流）による熱移動量は，両側の流体温度の差に比例する。
5. 固体壁とこれに接する流体間の熱伝達による熱移動量は，固体表面温度と周囲流体温度との差に比例する。

ⓒ 対流

1. 対流による伝熱量は，自然対流より強制対流の方が大きい。
2. 対流は熱が流れるのではなく，物質の移動にしたがって内部エネルギーが移動する現象である。

ⓓ 放射（ふく射）

1. 放射による放熱量は，物体の表面積に比例し，物体の絶対温度の4乗に比例する。これを「ステファン・ボルツマンの法則」という。

2. 放射の強さは，物体の温度と表面の性状により決まる。

演習問題 54

伝熱に関する次の記述のうち，不適当なものはどれか。

(1) 熱は，伝導，対流，放射によって伝えられる。
(2) 加えた熱が，すべて温度変化として現れる熱を顕熱という。
(3) 加えた熱が，すべて物質の状態変化に費やされる熱を潜熱という。
(4) 製鉄所で，真赤に溶けた鉄の周辺にいると熱いのは熱の伝導による。

解答 解説

(4) 溶けた鉄の周辺にいると熱いのは熱の放射による。

演習問題 55

伝熱に関する次の記述のうち，不適当なものはどれか。

(1) 固体内の熱伝導による熱移動現象では，熱移動量は固体内の温度勾配に比例する。
(2) 放射による放熱量は，物体の絶対温度の2乗に比例する。
(3) 固体表面とそれに接する流体との間の熱伝達は，伝導，対流，放射による熱移動である。
(4) 固体内での熱の移動は，熱伝導によるものである。

解答 解説

(2) 放射による放熱量は，物体の絶対温度の4乗に比例する（前頁，ⓓの1.）。

演習問題 56

伝熱に関する記述のうち，適当でないものはどれか。

(1) 熱放射は，物体が電磁波の形で熱エネルギーを放出･吸収する現象である。
(2) 固体壁とこれに接する流体の伝熱を，熱伝達という。
(3) 固体壁両側の流体間の熱通過による熱移動量は，固体壁の厚さに反比例する。
(4) 自然対流は，流体温度の異なる部分の密度の差により，上昇流と下降流が起こることで生じる。

(3) 固体壁両側の流体間の熱通過による熱移動量は，熱通過率，構造体の面積，温度差に比例する。

5. 燃焼

ⓐ 発熱量

1. 高発熱量（真発熱量）とは，燃料中に含まれる水分の持つ潜熱分も含めた燃料の発熱量をいう。
2. 低発熱量とは，高発熱量のうち，燃料中に含まれる水分の持つ潜熱分を除いた発熱量をいう。
3. 単に発熱量といえば，高発熱量を指す。
4. 一般に可燃物の発熱量とは，一定量の可燃物を完全に燃焼して生じる燃焼ガスが，燃焼の初温度まで冷却する間に外部へ出す熱量をいう。

ⓑ 窒素酸化物

1. 窒素と酸素の化合物を総称して窒素酸化物といい，NOx で表す。
2. 大気汚染に関係が深いのは，一酸化窒素（NO）と二酸化窒素（NO_2）および亜酸化窒素（N_2O）の 3 つである。
3. 窒素酸化物の大部分は一酸化窒素（NO）である。
4. 燃焼ガス中の窒素酸化物の量は，高温燃焼時のほうが低温燃焼時よりも多い。

ⓒ 空気量

1. 燃料が完全燃焼するのに必要な理論上の空気量を理論空気量という。
2. 燃料が完全燃焼するのに必要な実際上の空気量を実際空気量という。
3. 実際空気量を理論空気量で割った数値を空気比または空気過剰係数といい，重油では約 1.3 である。
4. 実際空気量から理論空気量を差し引いた値を過剰空気量という。
5. 過剰空気量を理論空気量で割った数値の百分率を過剰空気率という。
6. 過剰空気率は，一般に気体燃料に比べて固体燃料の方が大きい。

演習問題 57

燃焼に関する記述のうち，適当でないものはどれか。

(1) 燃焼ガス中の窒素酸化物の量は，一般に，高温燃焼時よりも低温燃焼時の方が少ない。

(2) ボイラーの燃焼において，熱損失を少なくするためには，空気過剰率は大きいほど望ましい。

(3) 低発熱量とは，高発熱量から潜熱分を引いた熱量をいう。

(4) 理論空気量とは，燃料を完全燃焼させるために理論的に必要な最小の空気量をいう。

(2) ボイラーの燃焼において，熱損失を少なくするためには，完全燃焼する範囲において，空気過剰率は小さい方がよい。大きすぎると排ガスによる熱損失が増大する。

復習問題

問題 1　**光の波長等に関する次の記述のうち，適当でないものはどれか。**

(1)　波長の単位は「nm」（ナノメーター）で表す。
(2)　1 nm は，10 のマイナス 6 乗メーターである。
(3)　可視光線とは波長が 380 nm〜780 nm の電磁波をいい，人間が目で見ることのできる波長の範囲を表す。
(4)　比視感度曲線とは，視感度（最も明るく感じる）が最大な黄緑光の波長 555 nm の明るさ感覚を 1 とし，他の波長の明るさ感覚を比較値で表した曲線図をいう。

問題 2　**音に関する記述のうち，適当でないものはどれか。**

(1)　ロックウールやグラスウールは，一般に，中・高周波数域よりも低周波数域の音をよく吸収する。
(2)　音速は，一定の圧力のもとでは，空気の温度が高いほど速くなる。
(3)　音圧レベル 50 dB の音を 2 つ合成すると，53 dB となる。
(4)　人の耳で聞くことのできる音の周波数は，一般に，20〜20,000 Hz である。

問題 3　**空気に関する次の記述のうち，適当でないものはどれか。**

(1)　湿り空気線図では，空気の性質のうち 2 つの要素がわかれば，他の要素も総て知ることができる。
(2)　蒸気を用いて加湿すると，乾球温度は殆ど変わらないが湿球温度は上昇するので，空気の相対湿度は上がる。また，このときの絶対湿度も上昇する。
(3)　顕熱比とは，空気の保有全熱量のうちの顕熱量の割合をいう。
(4)　乾球温度が同じであれば，湿球温度が高い方が相対湿度は低い。

問題 4　**室内の空気環境に関する記述のうち，適当でないものはどれか。**

(1)　浮遊粉じんは，在室者の活動により，衣類の繊維やほこりなどが原因で発生し，その量は空気の乾燥によって増加する傾向がある。
(2)　ホルムアルデヒド，トルエン，キシレンなどの揮発性有機化合物（VOCs）は，シックハウス症候群の原因物質である。

(3) 空気中の一酸化炭素濃度が2％になると，20分程度で人体に頭痛，目まいが生じる。

(4) 空気中の二酸化炭素濃度が20％程度以上になると，人体に致命的な影響を与える。

問題5 **地球環境問題に関する記述のうち，適当でないものはどれか。**

(1) オゾン層が破壊されると，太陽光に含まれる有害な紫外線がそのまま地表に到達して，生物に悪影響を及ぼす。

(2) 京都議定書では，日本が他国に協力して実施した事業における温室効果ガスの削減量は，日本の削減実績に繰り入れることができる。

(3) 建築物の二酸化炭素排出量を一般的なライフサイクルで見ると，建築物の設計・建設段階，運用段階，改修段階，廃棄段階のうち，設計・建設段階が全体の過半を占めている。

(4) 二酸化炭素，メタン等の温室効果ガスのうち，大気中に存在するガス総量としての地球温暖化への影響度が最も大きいのは，二酸化炭素である。

問題6 **廃棄物に関する次の記述のうち，適当でないものはどれか。**

(1) 事業活動に伴って排出される廃棄物を産業廃棄物といい，事業者は，その事業活動によって生じた廃棄物を自らの責任において，適正に処理しなければならない。

(2) 産業廃棄物以外の廃棄物を一般廃棄物という。

(3) 一般家庭から排出されるごみ，乾電池，紙くず，し尿，ホテルやレストランからの多量の厨芥や，事務所からのコピー紙屑などは，一般廃棄物である。

(4) 事務所ビルのし尿浄化槽から排出される汚泥（し尿を含むもの）は産業廃棄物である。

問題7 **冬期における外壁の結露に関する記述のうち，適当でないものはどれか。**

(1) 外壁に断熱を施すと，熱貫流抵抗が小さくなり，結露を生じにくい。

(2) 外壁の室内側に繊維質の断熱材を設ける場合は，断熱材の室内側に防湿層を設ける。

(3) 室内空気の流動が少なくなると，壁面の表面温度が低下し，結露を生じやすい。

(4) 室内空気の絶対湿度が同じ場合，室内空気の温度の低い方が，表面結露が生じやすい。

問題 8　レイノルズ数に関する次の記述のうち，適当でないものはどれか。

(1) レイノルズ数は，流れの慣性力と粘性力の比を意味する。
(2) レイノルズ数は，管内の平均流速に比例する。
(3) レイノルズ数は，流体の動粘性係数に反比例する。
(4) レイノルズ数は，管径に反比例する。

問題 9　深さｈの水槽の底に小孔を開けて水を流出させる場合，水槽の断面積に比べて小孔の面積が小さい場合，流出する速さをｖ，重力の加速度をｇとすると，次の関係式でトリチェリーの定理を示すものはどれか。

(1) $v = 2gh$
(2) $v = \sqrt{2}gh$
(3) $v = \sqrt{2g}h$
(4) $v = \sqrt{2gh}$

問題 10　流体の性質に関する次の記述のうち，適当でないものはどれか。

(1) 非定常流とは，流れの状態が場所によって，時間と共に変化するような流れをいう。
(2) 層流とは，流体が規則正しく層をなして流れる状態をいう。
(3) 気体は，その種類に関係なくすべて，温度が１℃上昇するごとに 273 分の１ずつ膨張する。
(4) 一定温度の水に溶解する空気の量は，一般に空気の圧力に反比例する。

問題 11　熱力学の諸法則に関する次の記述のうち，適当でないものはどれか。

(1) ゼーベック効果による熱起電力は，温度差が大きいほど大きくなる。
(2) 熱電対はゼーベック効果の応用である。
(3) 電子冷凍はゼーベック効果を応用したものである。
(4) ペルチェ効果とは，異種金属の接触面を通過して弱電流を流すと，一方の接点の温度が下がり，他方の接点の温度が上がる現象をいう。

問題 12　燃焼に関する次の記述のうち，適当でないものはどれか。

(1) 燃料の低発熱量とは，燃焼によって生じる蒸気の潜熱分を含まない熱量である。

(2)　燃焼ガス中の窒素酸化物の量は，低温燃焼時のほうが高温燃焼時よりも多い。

(3)　過剰空気率は，一般に気体燃料に比べて固体燃料のほうが大きい。

(4)　重油を完全燃焼するためには，理論空気量の約 1.3 倍の空気が必要である。

復習問題　解答解説

問題1　(2)　1 nm は，**10のマイナス9乗メーター**である。

問題2　(1)　ロックウールやグラスウールは，一般に，低周波数域よりも**中・高周波数域の音**をよく吸収する。

問題3　(4)　乾球温度が同じであれば，湿球温度が高い方が相対湿度は**高い**。

問題4　(3)　一酸化炭素は1.28％になると1～3分で致死に至る。20分程度で人体に頭痛，目まいが生じるのは，0.16％であり，2時間で致死に至る。

問題5　(3)　建築物の二酸化炭素排出量を一般的なライフサイクルで見ると，**運用段階**が全体の過半を占めている。

問題6　(4)　事務所ビルのし尿浄化槽から排出される汚泥（し尿を含むもの）は**一般廃棄物**である。

問題7　(1)　外壁に断熱材を用いると熱貫流抵抗が**大きく**なり，結露を生じにくい。

①　外壁の室内側に断熱材を設ける場合，防湿層は断熱材の屋外側より室内側に設ける方が，内部結露を生じにくい。(防湿層を断熱材の高温側に設けると，水蒸気の流れが妨げられ，水蒸気圧が抑えられるため結露が進行しにくくなる。

②　室内空気の流動が少なくなると，壁面の表面温度が低下し，結露を生じやすい。(押し入れの中や密着した家具の裏面等に結露が生じやすいのは，このためである。)

③　多層壁の構造体の内部における各点の水蒸気圧を，その点における飽和水蒸気圧より低くすることにより，結露を防止することができる。(構造体内部各点の温度が露点温度以下にならないようにする。)

問題8　(4)　レイノルズ数は，管径に**比例**する。

問題9　(4)　トリチェリーの定理を示す関係式は，$v = \sqrt{2gh}$

問題10　(4)　一定温度の水に溶解する空気の量は，一般に空気の圧力に**比例**する。

問題11　(3)　電子冷凍は**ペルチェ効果**を応用したものである。

問題12　(2)　この記述は逆で，燃焼ガス中の窒素酸化物の量は，高温燃焼時のほうが低温燃焼時よりも多い。

第2章

空調設備

1 空　調

1. 湿り空気線図

ⓐ 湿り空気線図の構成要素

1. 第1章でも述べたように，湿り空気線図とは，乾球温度，湿球温度，相対湿度，絶対湿度，比エンタルピー，水蒸気分圧，顕熱比等の空気の状態を同じ図表中に書き表したものをいう。
2. 湿り空気線図では，2つの要素がわかれば，他の要素も総て知ることができる。
3. 下図は，湿り空気線図の主な構成要素を分解して図示したものである。

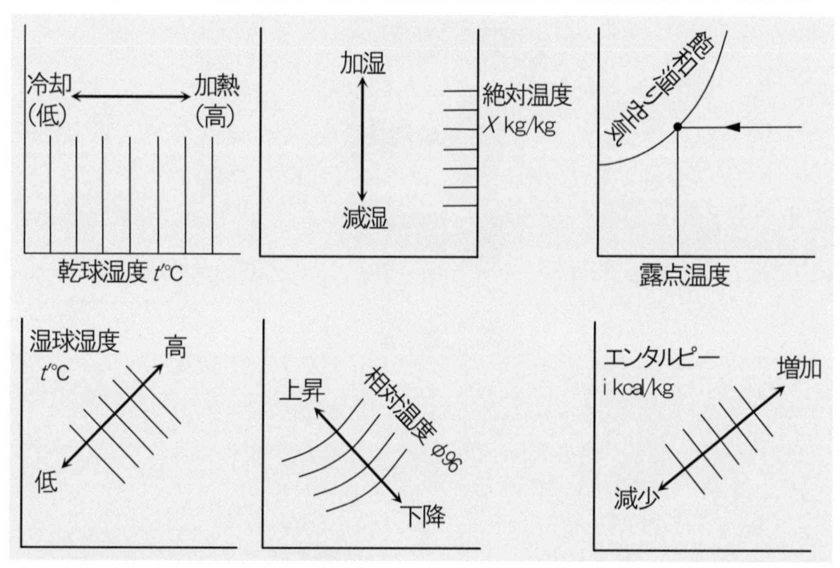

ⓑ 湿り空気線図上の状態変化

1. 空気を加熱すると右に移動し，冷却すると左に移動する。
2. 空気を蒸気で加湿すると，乾球温度の線にほぼ沿って上方に移動する。
3. 空気を水噴霧により加湿すると，湿球温度の線（比エンタルピーの線とほぼ同じ線）にほぼ沿って左上方向に移動する。

4. 空気を冷却し続け，空気の温度が飽和湿り蒸気線に到達すると，その後は飽和湿り空気線図に沿って左下方向に移動する。
5. 冷房時の空気は，右上から左下方向に移動する。
6. 加湿を伴う暖房時の空気は，始点が左下で終点が右上になる。

Ⓒ 湿り空気線図の見方

1. 湿り空気線図の見方を 3 例示す。

〔例 1〕

全圧力 101.325 kPa
乾球温度 t ＝ 22 ℃
湿球温度 t´ ＝ 17 ℃
の空気を電気加熱器で 34 ℃に加熱したときの空気の相対湿度φは 30 %である。

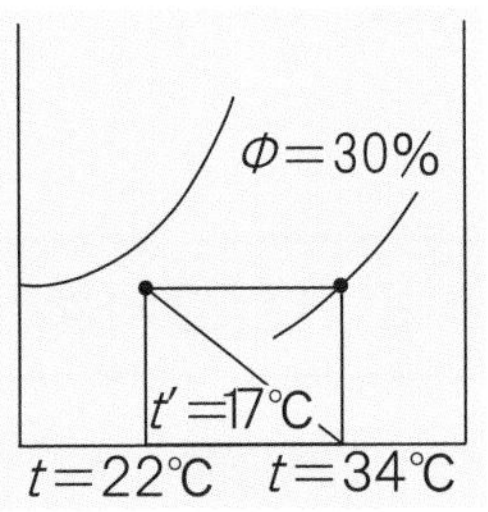

〔例 2〕

全圧力 101.325 kPa
乾球温度 30 ℃
湿球温度 21 ℃
湿り空気の絶対湿度は 0.012 kg／kg（DA）
相対湿度は 45 %
露点温度は 17 ℃である。

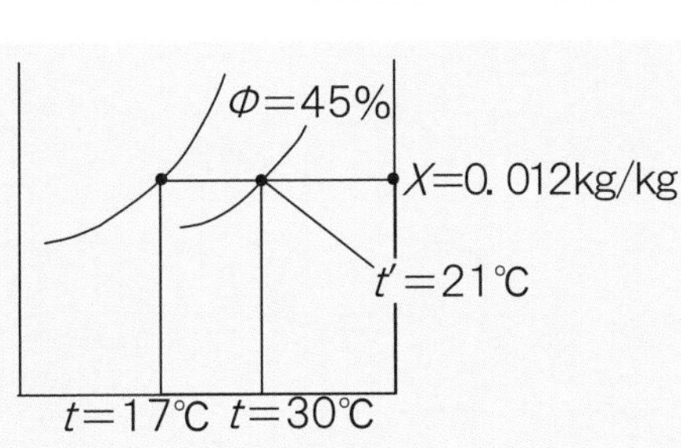

〔例 3〕

全圧力 101.325 kPa
相対湿度 30 %
乾球温度 25 ℃
の空気 40 kg（DA）と，相対湿度 45 %，乾球温度 35 ℃の空気 60 kg（DA）とを混合した空気の乾球温度は 31 ℃で絶対湿度は 0.012 kg/kg（DA）である。

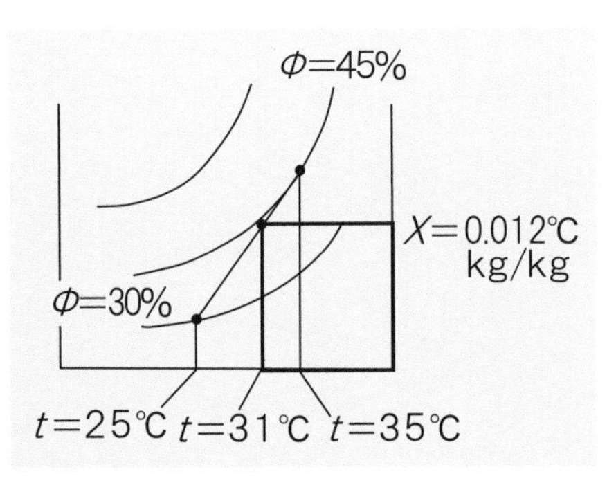

〔混合空気の温度を求める計算式〕

$$\frac{(25\times40)+(35\times60)}{(40+60)}=31〔℃〕$$

演習問題 1

湿り空気の性質に関する記述のうち，適当でないものはどれか。

(1) 湿り空気を露点以下の冷却コイルで冷却すると，絶対湿度は降下する。
(2) 湿り空気を水スプレーで加湿すると，乾球温度は上昇する。
(3) 飽和湿り空気の温度を上げても，絶対湿度は変わらない。
(4) 飽和湿り空気の温度を下げても，相対湿度は変わらない。

解答 解説

(2) 湿り空気を水スプレーで加湿すると，乾球温度は降下する。

2. 空気線図と空調機

ⓐ 空気線図と空調機の位置関係（冷房）

1. 例1

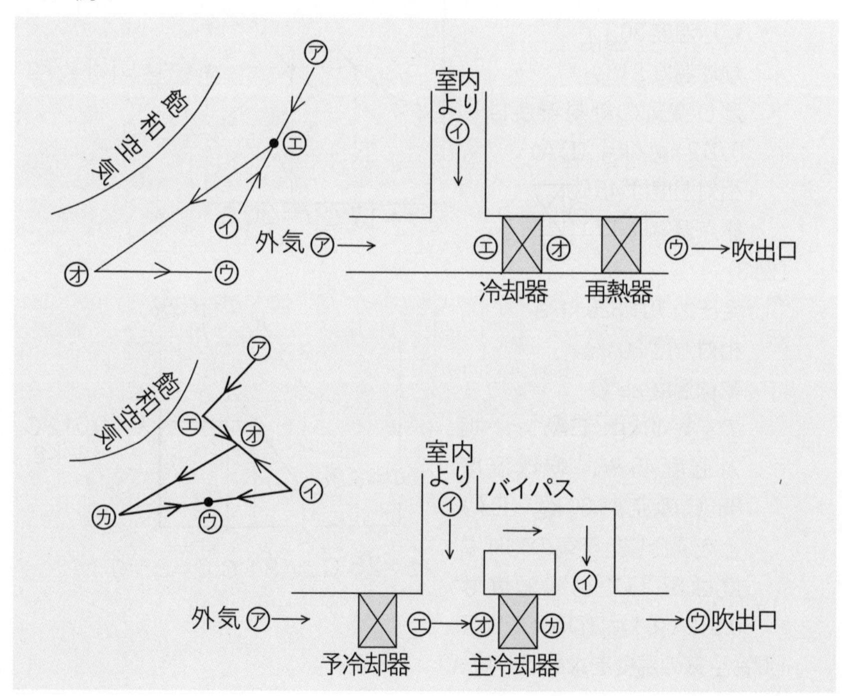

ⓑ 空気線図と空調機の位置関係（暖房）

1. 例1

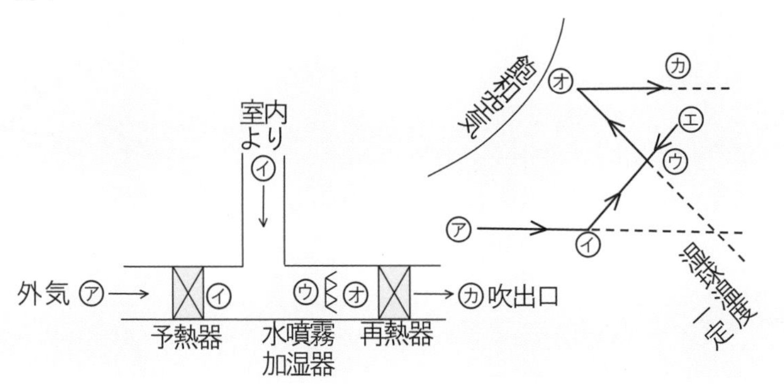

2. 例2

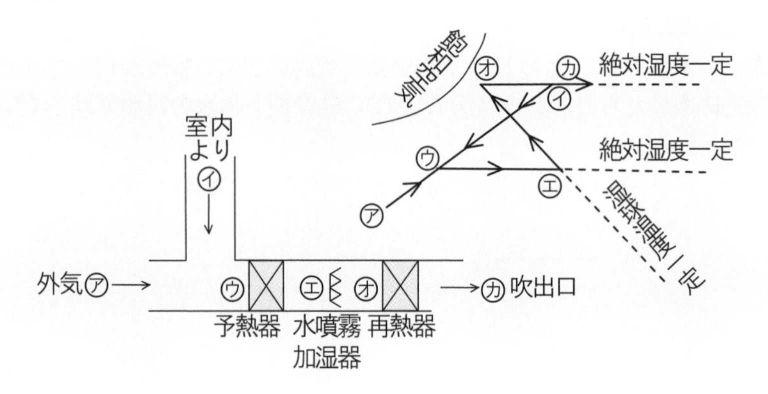

演習問題 2

湿り空気に関する記述のうち，適当でないものはどれか。

(1) 加湿・除湿のない温度変化は，空気線図（h－x 線図）上で横軸と平行な移動で示される。

(2) 乾球温度が一定の場合，絶対湿度が上昇すると相対湿度も上昇する。

(3) 熱水分比とは，比エンタルピーの変化量と絶対湿度の変化量との比をいう。

(4) 水スプレーによる加湿の場合，絶対湿度と乾球温度がともに上昇する。

解答 解説

(4) 水スプレーによる加湿の場合，絶対湿度は上昇するが乾球温度は降下する。

演習問題 3

図に示す空気線図上の記号等の説明で，不適当なものは次のうちどれか。

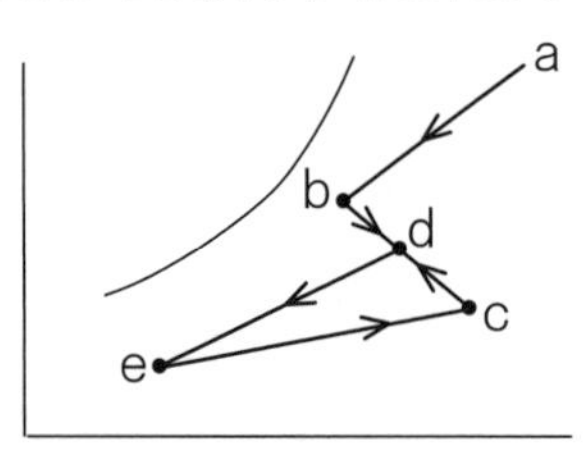

(1)　a は外気の状態を示し，c は室内の空気の状態を示す。

(2)　d は空調機の入口における，外気と再循環空気との混合空気の状態を示す。

(3)　e は空調機の出口の空気の状態を示す。

(4)　d の混合空気のうち外気の割合は，長さ bc に対する長さ bd の割合で示す。

解答 解説

(4)　外気の割合は，長さ bc に対する長さ cd の割合で示す。

演習問題 4

次に示す図 A は，図 B に示す空気調和機内の空気の状態変化を湿り空気線図上に表したものである。図 A 及び図 B に関する次の説明で誤っているものはどれか。

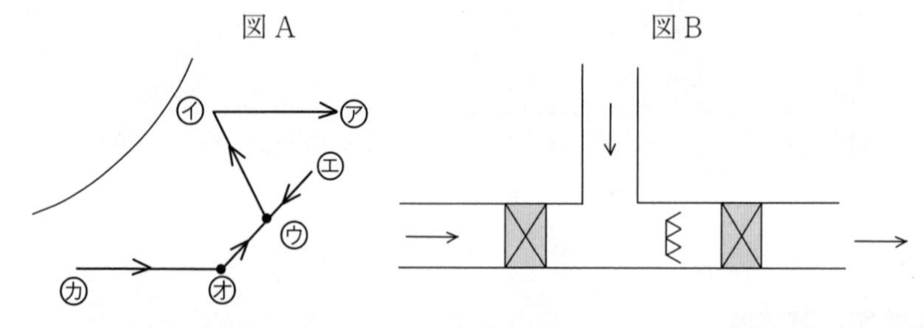

(1)　これは空気調和機で暖房している状態を示す。

(2)　横線の㋕－㋔は外気を予熱している状態を示す。

(3)　ウは外気と再循環空気とが混合した状態を示す。

(4)　この空気調和機は，蒸気で加湿する方式である。

(4)　㋒－㋑が湿球温度の線に沿って左斜め上に変化しているので，水噴霧又は超音波で加湿する方式である。

3. 空気線図より求める計算

ⓐ 冷房時の諸計算

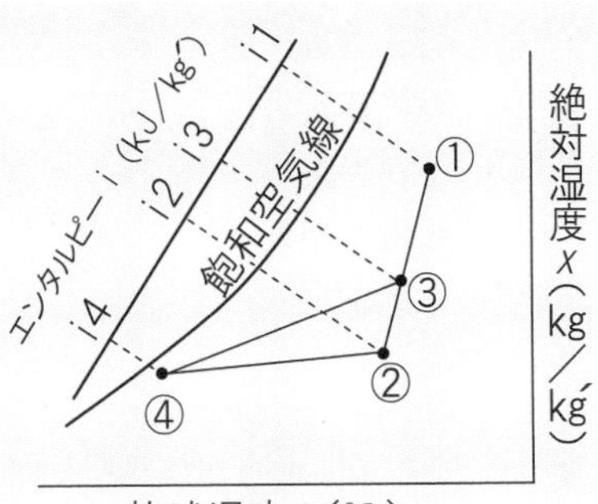

1. 右図の位置関係は次の通り。
   - ① 取入外気
   - ② 室内空気
   - ③ 取入外気と室内空気の混合空気
   - ④ 吹出し空気
2. 計算記号は次の通り。
   - Q_s = 室内送風量（m^3／h）
   - Q_o = 外気取入量（m^3／h）
   - α = 空気の密度 = 1.2（kg／m^3）
   - λ = 空気の比熱 = 1.006 kJ／（kg・K）
3. 外気負荷（H_0）W

   H_0 = (③と②のエンタルピの差)×(室内送風量)×(空気の密度)

   $= (i_3 - i_2) \times Q_s \times a$

   又は H_0 = (①と②のエンタルピの差)×(外気取入れ)×(空気の密度)

   $= (i_1 - i_2) \times Q_o \times a$
4. 室内負荷（Hs）W

   Hs = (②と④のエンタルピの差)×(室内送風量)×(空気の密度)

   $= (i_2 - i_4) \times Q_s \times a$
5. コイル負荷 =（Hc）W

   Hc = (③と④のエンタルピの差)×(室内送風量)×(空気の密度)

   $= (i_3 - i_4) \times Q_s \times \alpha$
6. 凝縮水量（D）kg／h

   D = (③と④の絶対湿度の差)×(室内送風量)×(空気の密度)

   $= (\chi_3 - \chi_4) \times Q_s \times \alpha$
7. 外気取入量（Q_o）m^3／h

   Q_o = (③と②のエンタルピの差)÷(①と②のエンタルピの差)×(室内送風量)

   $= [(i_3 - i_2) / (i_1 - i_2)] \times Q_s$
8. ③～④の勾配は，室内熱負荷の顕熱比の勾配に平行して移動する。
9. 室内吹出温度（t_4）℃は次式より求める。

$$(i_2-i_4) = \lambda \times (t_2-t_4)$$

ⓑ 暖房時の諸計算

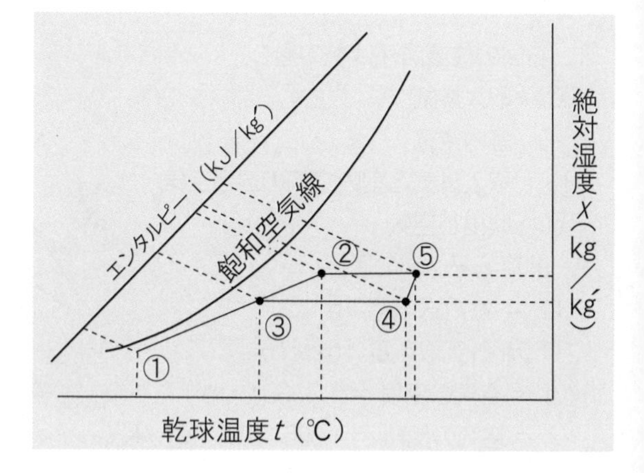

1. 右図の位置関係
   - ① 取入外気
   - ② 室内空気
   - ③ 混合空気
   - ④ 加湿前空気
   - ⑤ 吹出空気
2. 計算記号
   - Q_s = 室内送風量
   - Q_o = 外気取入量
   - α = 空気の密度
   - λ = 空気の比熱

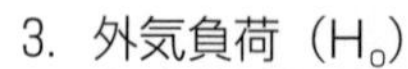

3. 外気負荷（H_o）

   $H_o = (i_2-i_3) \times Q_s \times \alpha$

   又は $H_o = (i_2-i_1) \times Q_o \times \alpha$
4. 室内負荷（H_S）

   $H_s = (i_5-i_2) \times Q_s \times \alpha$
5. コイル負荷 =（H_C）= 室内顕熱負荷＋ダクト熱負荷

   $H_c = (i_4-i_3) \times Q_s \times \alpha$
6. 外気取入量（Q_o）

   $Q_o = [(i_2-i_3) / (i_2-i_1)] \times Q_s$
7. 室内吹出温度（t_5）は次式より求める。

   $(i_5-i_2) = \lambda \times (t_5-t_2)$

演習問題 5

図に示す定風量単一ダクト方式における湿り空気線図上の冷房プロセスに関する記述のうち，適当でないものはどれか。

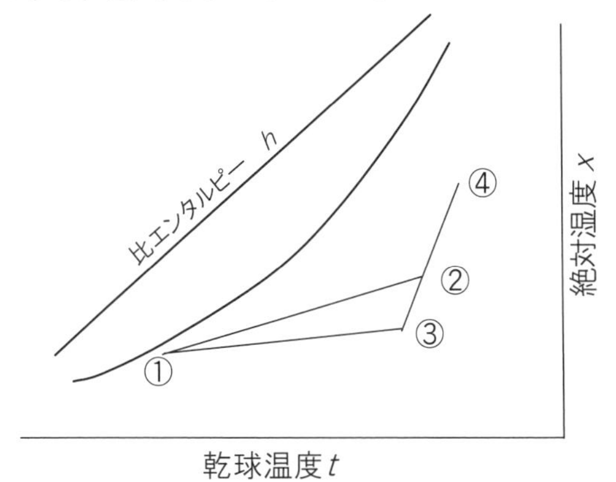

(1)　点②は，コイル入り口の状態点であり，外気量が多くなるほど点②は③に近づく。

(2)　点①は，実用的には相対湿度が 90 %の線上にとる場合が多い。

(3)　室内冷房負荷の顕熱比が小さくなるほど，直線①—③の勾配は大きくなる。

(4)　室内負荷は，点①と点③の比エンタルピー差と送風量から求めることができる。

解答 解説

(1)　点②は，コイル入り口の状態点であり，外気量が多くなるほど点②は④に近づく。

演習問題 6

図に示す暖房時における定風量単一ダクト方式の湿り空気線図に関する記述のうち，適当でないものはどれか。

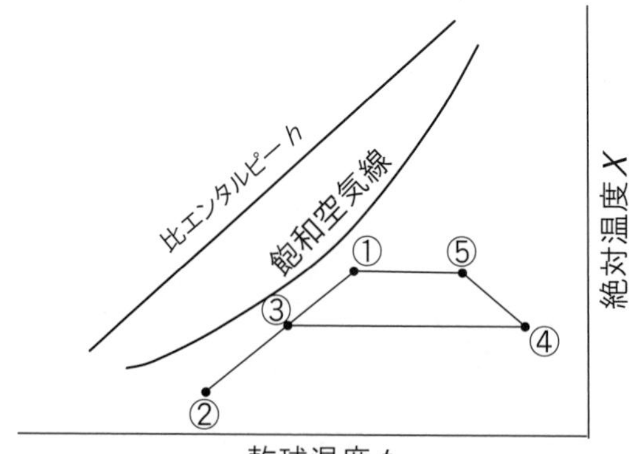

(1) 加湿方式は，水噴霧式又は気化式である。

(2) 点③は，コイル入口の状態点であり，外気量が多くなるほど点③は点①に近づく。

(3) 室内負荷は，点⑤から点①の比エンタルピー差と送風量の積から求めることができる。

(4) 有効加湿量は，点④から点⑤の絶対湿度差と送風量の積から求めることができる。

解答 解説

(2) 点③は，コイル入口の状態点であり，外気量が多くなるほど点③は点②に近づく。

演習問題7

冷房時の湿り空気線図における外気取入れ量の数値として，最も近いものはどれか。ただし，送風量 9,000 m³／h，空気の密度 1.2 kg／m³ とする。

(1) 2,500 m³／h
(2) 3,000 m³／h
(3) 3,600 m³／h
(4) 6,000 m³／h

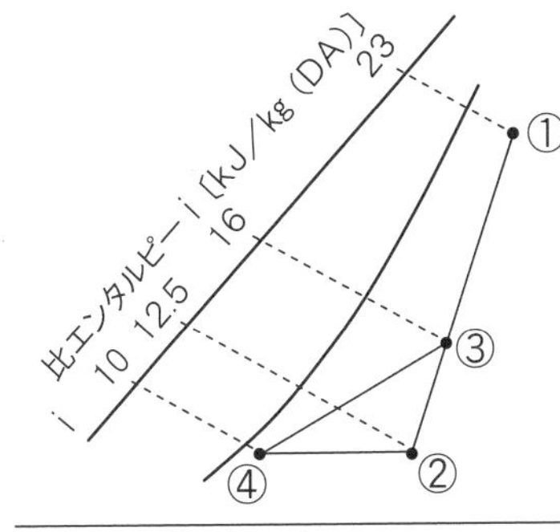

解答 解説

(2) $O_o = [(i_3 - i_2) / (i_1 - i_2)] \times Q_o$ より
$= [(16 - 12.5) / (23 - 12.5)] \times 9{,}000 = 3{,}000$ m³／h

なお，設問にある空気の密度は，計算には関係ない。

演習問題8

暖房時の湿り空気線図における外気取入れ量の数値として，最も近いものはどれか。ただし，送風量 6,000 m³／h，空気の密度 1.2 kg／m³ とする。

(1) 1,000 m³／h
(2) 1,200 m³／h
(3) 1,500 m³／h
(4) 4,000 m³／h

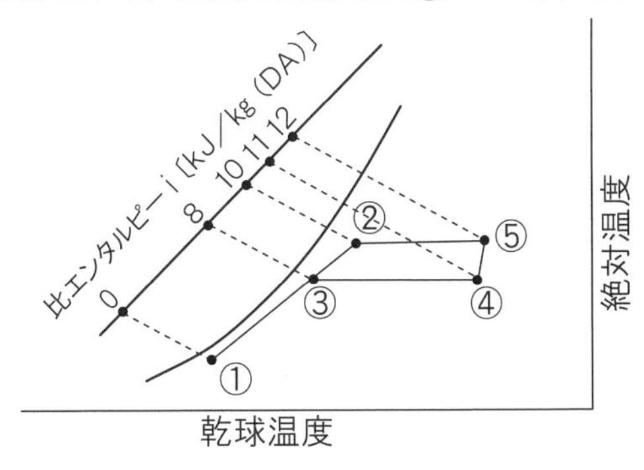

解答 解説

(2) $O_o = [(i_2 - i_3) / (i_2 - i_1)] \times Q_o$ より
$[(10 - 8) / (10 - 0)] \times 6{,}000 = 1{,}200$ m³／h

なお，設問にある空気の密度は，計算には関係ない。

演習問題 9

図に示す湿り空気線図中の矢線①と矢線②の状態変化を示す記述の組合せとして，正しいものはどれか。

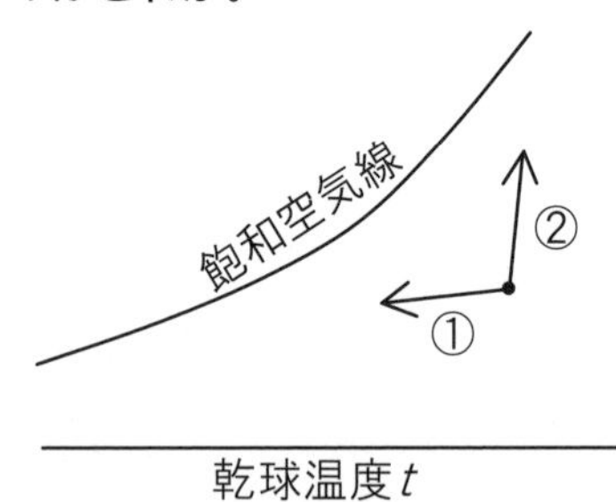

（矢線①）　　　　　　　　（矢線②）

(1)　除湿を伴う冷却 ———— 水スプレーによる加湿

(2)　除湿を伴う冷却 ———— 蒸気スプレーによる加湿

(3)　除湿を伴わない冷却 ——— 水スプレーによる加湿

(4)　除湿を伴わない冷却 ——— 蒸気スプレーによる加湿

解答 解説

(2)　冷却コイルの表面温度が処理空気の露点温度より低い場合には，コイル表面で結露が起こり，空気中の水分が凝縮して減湿され，矢線①の変化となる。実際の空調機の冷却は，このような冷却減湿の変化となる。

蒸気加湿は，熱水分比 u = 2,500 + 1.85 ts（蒸気温度）で求めた直線と平行線上の変化となる。ほぼ真上か多少右に傾いた方向で矢線②のようになる。

4. 空調熱負荷

ⓐ 冷房負荷

1. 冷房負荷の基本は室内負荷（人体負荷，機器負荷），外部負荷（外気負荷，通過熱負荷）等よりなる。
2. 窓ガラスを通過する太陽ふく射熱（顕熱・外部負荷）
3. 室内外の温度差によって伝導する顕熱（外部負荷）
4. 室内において人体から発生する顕熱及び潜熱（室内負荷）
5. 窓サッシのすき間から侵入する外気の潜熱及び顕熱（外部負荷）
6. 照明，機器からの発熱（顕熱・室内負荷）

7. 外気の取入れ（顕熱と潜熱・外部負荷）

ⓑ 暖房負荷

1. 上記冷房負荷の項の 3.5.7. が暖房負荷となる。
2. 2.4.6. はマイナス負荷，つまり暖房負荷を軽減する要素である。

ⓒ 人体発生熱

人体から発生する熱量には顕熱と潜熱があり，周囲温度が上がるほど顕熱の占める割合が小さくなり，潜熱の占める割合が大きくなるが，全発熱量は殆んど変わらない。

ⓓ 空気設計条件

一般事務室の各部空気設計条件（例）

①	夏期室内空気	温度 25 ℃	相対湿度 50 %
②	夏期外気	〃 32 ℃	〃 65 %
③	冬期室内空気	〃 20 ℃	〃 50 %
④	冬期外気	〃 0 ℃	〃 50 %
⑤	夏期吹出し空気	〃 16 ℃	〃 80 %

ⓔ 送風空気量計算

Q（m^3／h）= 送風空気量　t_2℃ = 吹出し空気温度

q（W）= 顕熱負荷　t_1℃ = 室内温度　$\triangle t$（℃）= $t_1 - t_2$

a = 空気の比熱 = 1.006（kJ／kg・K）

β = 空気の比重量 = 1.2（kg／m^3）

$a \times \beta$ = 空気の容積比熱 = 1.21（kJ／m^3・K）

とすると　$Q = \dfrac{q}{\triangle t \times a \times \beta} = \dfrac{q}{1.21 \triangle t}$

冷房時は　$Q = \dfrac{q}{1.21 \times (t_1 - t_2)}$

これより　$t_1 = t_2 + \dfrac{q}{1.21 \times Q}$

演習問題 10

冷房時の室内送風空気量は次式で計算する。この計算式の説明として次のうち不適当なものはどれか。

$$Q = \frac{q}{1.006 \times 1.2 \times \triangle t}$$

(1) q は室内の潜熱負荷を示し，単位は W である。
(2) 1.006 は空気の比熱で，単位は kJ／kg・K である。
(3) △ t は吹出し空気温度と室内温度との温度差で，単位は℃である。
(4) Q は室内送風量，単位は m^3／h である。

解答 解説

(1) 前頁，ⓔより，q は室内の顕熱負荷を示す。

演習問題 11

空気調和の熱負荷に関する次の記述のうち，不適当なものはどれか。

(1) 人体からの顕熱と潜熱の和の全放熱量は，一般に室温に関係なく一定として計算する。
(2) 窓とひさしが同一形状であれば，南面のひさしの方が西側のひさしより真夏時の日射負荷の軽減に有効である。
(3) 全空気方式の場合，冷房負荷の最大時において顕熱比が小さいほど，吹出し温度を大きくすることができる。
(4) 延床面積及び外壁の構造が同じであれば，熱負荷は，建物の平面形状が正方形に近づくほど大きくなる。

解答 解説

(4) 熱負荷は，建物の平面形状が正方形に近づくほど小さくなる。

演習問題 12

空気調和の熱負荷に関する次の記述のうち，不適当なものはどれか。

(1) ブラインド又はルーバーの遮へい効果は，外壁ガラスの外側に設ける方が内側に設けるより大きくなる。
(2) ダクト表面からの熱損失量は，一般に室内顕熱負荷に係数を乗じて求めている。
(3) 壁体の熱通過率は，同じ構造体であっても，一般に夏期に比べて冬期の方が大きな値となる。

(4) 平面材料に挟まれた空気層の熱抵抗の値は，空気層の厚さが大きくなるほど大きくなる。

解答 解説

(4) 平面材料に挟まれた空気層の熱抵抗の値は，空気層の厚さが 2 cm を超えるとほとんど一定となる。

演習問題 13

冷房負荷に関する記述のうち，適当でないものはどれか。

(1) 人体による熱負荷は，室内温度が下がるほど，潜熱が大きくなる。

(2) 北側のガラス窓からの熱負荷には，日射の影響を考慮する。

(3) 設計用外気温度には，一般に，TAC 温度が使用される。

(4) 日射等の影響を受ける外壁からの熱負荷は，時間遅れを考慮して計算する。

解答 解説

(1) 人体による熱負荷は，室内乾球温度が下がるほど，顕熱負荷が大きくなる。

演習問題 14

熱負荷に関する記述のうち，適当でないものはどれか。

(1) 二重サッシの場合，ブラインドは窓ガラスの室内側に設けるより，窓ガラスの中間に設ける方が，遮へい効果が高い。

(2) 冷房計算用の外気温度として TAC 温度を用いる場合は，超過確率を大きく取るほど，設計外気温度は低くなる。

(3) 冷房負荷の計算では，日射などの影響を受ける外壁からの熱負荷は，時間遅れを考慮する。

(4) 暖房負荷計算において，一般に，土間床・地中壁からの熱負荷は無視する。

解答 解説

(4) 土間床，地中壁からの熱負荷は，年中損失側にあるので，暖房負荷計算では考慮する。（冷房負荷では無視する。）

5. 空調方式

ⓐ ゾーニング

1. 用途の異なる室は空調負荷の形態が異なり，また使用時間帯も異なる。
2. 建物の外周部と内部，および方位の異なる面に接する室は，それぞれ空調負荷の形態が異なる。
3. 用途や使用時間帯等で空調を系統別に分けることをゾーニングと言う。
4. 室内の外周部（窓側付近）をペリメータゾーン又は窓側系統などと言う。
5. 室内の中央部をインテリアゾーン又は中央系統あるいはコアとも言う。

ⓑ 空調方式

1. 単一ダクト方式は，主ダクトが一つの空調方式をいい，定風量方式と変風量方式とがある。
2. 二重ダクト方式は，温風と冷風を別々のダクトで供給し，負荷の状況に応じて選択利用する方式である。
3. マルチゾーン方式は，ゾーンごとに冷風と暖風を混合して送る簡略二重ダクト方式をいう。
4. ファンコイルユニット方式は室内空気を再循環させて温度を調節する方式である。
5. 単一ダクト再熱方式は，冷房時に，冷却処理空気を温水等で再熱して相対湿度を下げる方式である。

ⓒ ファンコイルユニット方式

1. この方式は，室内空気を循環使用するだけのため，外気の供給を別に考慮する必要がある。
2. この方式では，暖房時の加湿を別に考慮しなければならない。
3. この方式では冷房時コイルの表面に結露したドレンの排水を考慮する必要がある。
4. この方式を採用する場合，塵挨の発生が少ない部屋が適している。
5. ファンコイルユニットのみによる空調方式ではダクトスペースは殆ど不要である。
6. ファンコイルユニットは，外気温や日射の影響を大きく受ける外周部の熱負荷を処理するのに適している。

7. 室温調節は主として送風の強弱で行うが，冷温水の水量調節が可能なものもある。
8. ファンコイルユニットの配管には 2 管式，3 管式，4 管式がある。

ⓓ インダクションユニット方式（誘引ユニット方式）

1. この方式では，外気により室内空気が誘引されるため，外気の確保は自動的に行われる。
2. この方式は，高速送風を要するため，やや大きな搬送エネルギーを消耗する。
3. この方式では，外気空調機で処理した外気を高速高圧でノズルより噴出させて，その勢いで室内空気を吸引するようになっている。

ⓔ 定風量 CAV 方式

1. 定風量方式（CAV 方式）とは，単一ダクト方式において，負荷の変動に対して風量を常に一定として送風温湿度を調節する方式で従来から広く採用されている。
2. 定風量単一ダクト方式では，他の方式に比べ，必要外気量が最も安定して確保できる。
3. 定風量単一ダクト方式では，空調負荷の異なるゾーン又は室に同一温湿度の空気を送るため，室温調節のバランスがとりにくい。

ⓕ 変風量 VAV 方式

1. 変風量方式（VAV 方式）とは，単一ダクト方式において，負荷の変動に対して送風温度を一定として風量を変えて調節する方式で，省エネルギーの目的で最近多く採用されている。なお，風量を調節する VAV ユニットには必要外気量確保のため，風量のしぼり過ぎを制限する装置を設けている。
2. 風量を変える方法に，送風機の回転数制御方式を採用すると省エネルギーの効果が上がる。
3. 負荷容量の検出方法の一つとして，室内炭酸ガス濃度の検出による方法が行われている。
4. 負荷容量の検出に温度センサーを用いる方式では，熱負荷が小さい時に外気量の不足を来す恐れがある。
5. 変風量方式の採用により，単一ダクト方式でも負荷の異なる室ごとの個別制御が可能となる。

6. 絞り過ぎ防止の最小風量は，最大風量の 30～40 %である。
7. 必要静圧の低い VAV ユニットを選ぶ必要がある。

ⓖ 単一ダクト・ファンコイルユニット併用方式

1. この方式では，ダクトによる安定した外気の供給が可能である。
2. ホテルの客室系統には，一般にこの方式が取り入れられている。

ⓗ 二重ダクト方式（デュアルダクト方式）

1. この方式では，温風と冷風の 2 種類のダクトを併設するため，大きなダクトスペースを要する。
2. この方式は，ゾーンごとの異なった空調負荷に対応した空気を調整して送風することができる。
3. この方式は，熱ロスが多く非省エネルギー的であるため，採用例は少ない。

ⓘ 単一ダクト再熱方式

1. この方式では，冷房時において比較的低湿度の空気を送るのに適している。
2. 絶対湿度は変わらず，相対湿度を下げる手段であるが，非省エネルギー的で，加熱源を別に必要とする難点がある。

ⓙ 中央管理方式

1. この方式の特徴として，室内環境の経済的維持，エネルギー消費量の節減，安全性の増大，総合的な信頼性と経済性の維持などがあげられる。
2. 設備管理要員は必ずしも増加するとはいえず，むしろ省力化，省人員化の傾向がある。

ⓚ パッケージ空調方式

1. この方式は，パッケージに組み込まれた冷凍機，送風機，エアフィルタ等により，局所的な熱負荷を処理するのに適している。
2. 電算室など，人間よりも機械を対象に行うところのほか，喫茶店など小店舗で多く使われている。

ⓛ ターミナルレヒート方式

単一ダクト方式のダクトの末端に再熱器を追加した方式で，個別制御ができるが非省エネルギーとなる。

ⓜ ビルマルチ方式

1. 小型個別空気調和機のことで，加湿器は通常組込まれていない。
2. 加湿器を追加設置する場合，超音波式，自然吸引式等が適する。
3. エアフィルタは，標準品の他に比色法による捕集効率 65%，95%等のエアフィルタがオプション部品として用意されている。
4. 上記エアフィルタには不織布静電荷電型もある。
5. 電熱加熱器はオプション部品として用意されているが，機種により安全上組込に消防法上の規制がある。
6. ユニタリー型（単位個別型でビルマルチのこと）空調機は外気の導入が行われないものがある。

ⓝ 輻射暖房方式

工場や競技場など大きい容積の建物に輻射暖房方式を適用する場合，一次空気ダクトを併用し，外気の導入と加湿に対処する必要がある。

ⓞ 床吹出し空調方式

1. 吹出口を増やすことにより個別空調に有利である。
2. OA 機器の発熱除去対策に有利である。
3. 吹出気流速が過大にならないよう注意が必要である。
4. 机の配置では，吹出口を塞(ふさ)がないよう注意する。
5. 吹出口が近いのでコールドドラフトが起こりやすい。
6. 吹出口付近を清潔に保つ必要がある。
7. 二重床チャンバーとすればダクトレス方式が可能である。
8. 複数の吹出口の間隔が狭いと吹出空気の相互干渉が起こる。

ⓟ アトリウムの空調

人の出入りの多い１階の居住域では，冷房より暖房が外の冷気の侵入が多いためむずかしい。

演習問題 15

空気調和方式に関する記述のうち，適当でないものはどれか。

(1) 床吹出し方式は，吹出口の移動や増設に対応しやすい。
(2) 変風量単一ダクト方式は，室の負荷変動に対応しやすい。
(3) エアフローウィンドウ方式は，窓面の熱負荷軽減に有効である。
(4) ダクト併用ファンコイルユニット方式は，一般に，全空気方式に比べて空気搬送動力が大きい。

解答 解説

(4) ダクト併用ファンコイルユニット方式は，全空気方式に比べて空気搬送動力は小さい。

演習問題 16

空気調和方式に関する記述のうち，適当でないものはどれか。

(1) ダクト併用ファンコイルユニット方式は，全空気方式に比べ，外気冷房の効果を得にくい。
(2) 床吹出し方式は，暖房運転時の居住域における垂直方向の温度差が大きい。
(3) 定風量単一ダクト方式は，各室間の時刻別負荷変動パターンが異なると，各室間で温湿度のアンバランスが生じやすい。
(4) エアフローウィンドウ方式は，日射や外気温度による室内への熱の影響を小さくすることができる。

解答 解説

(2) 床吹出し方式は，暖房時においては，温風が上昇気流を生じやすく，居住域の垂直方向の温度差が小さい。冷房運転時においては，居住域の垂直方向の温度差が大きくなる。

演習問題 17

空気調和計画において，系統を区分すべき室とゾーニングの主たる要因の組合せとして，最も適当でないものはどれか。

（区分すべき室）　　（主たる要因）
(1) 事務室と食堂 ———— 空気清浄度
(2) 事務室とサーバー室 ———— 温湿度条件
(3) 事務室と会議室 ———— 使用時間

(4) 東側事務室と西側事務室 ──── 日射

(1) 事務室と食堂では，熱負荷傾向が異なり，在室人員密度が多い室は，潜熱負荷が多く，顕熱比が小さくなるため，主たる要因は，負荷傾向となる。

演習問題 18

冷房負荷に関する記述のうち，適当でないものはどれか。

(1) 人体による熱負荷は，室内温度が下がるほど，潜熱が大きくなる。
(2) 北側のガラス窓からの熱負荷には，日射の影響を考慮する。
(3) 設計用外気温度には，一般に，TAC 温度が使用される。
(4) 日射等の影響を受ける外壁からの熱負荷は,時間遅れを考慮して計算する。

(1) 人体による熱負荷は，室内温度が上がるほど，潜熱が大きくなる。逆に顕熱は小さくなる。

6. 省エネルギー

ⓐ エネルギー消費量

1. 冷房に際して室内温度を上げるとエネルギー消費量は減少する。
2. 冷房に際して室内の相対湿度を下げるとエネルギー消費量は増大する。
3. 暖房に際して室内温度を下げるとエネルギー消費量は減少する。
4. 暖房に際して室内の相対湿度を下げるとエネルギー消費量は減少する。
5. 暖房に際して南側の窓のブラインドを上げて日射を入れるとエネルギー消費量は減少する。

ⓑ エネルギーの節約

1. 送風動力を節約するため送風量を減らすときは，室内の上下の温度差及び室内の気流分布に注意を要する。
2. 冷凍機の負荷を軽くするため送風温度を上げるときは，室内の乾球温度及び室内の相対湿度が上がる恐れがある。
3. 冷凍機の負荷を軽くするため外気の導入量を減らすときは，室内の炭酸ガス濃度が上がる恐れがある。

ⓒ 省エネルギー対策

1. 省エネルギー対策として在室人員に見合った外気導入量の調整，過剰送風量の抑制，エアフィルタ及び冷温水コイルの清掃等が一般に行われる。
2. 中間期の全外気給気，冷房初期及び終期の外気冷房も省エネルギー対策の一つである。
3. 以上のほか，建物外壁の隙間をなくする，冷暖房運転時間の短縮，ブラインドの使用，太陽熱の利用，ダクトの空気漏れの補修，フィルタを抵抗の少ないものに取り替える，室の温度調節器の設定点を夏は高めに冬は低めに変更する等もあげられる。

ⓓ 省エネ熱負荷係数

1. 空調エネルギー消費係数（CEC）は「エネルギーの使用の合理化に関する法律」に規定されている。

$$\text{CEC／AC} = \frac{\text{年間空気調和消費エネルギー量}}{\text{年間仮想空気調和負荷}}$$

① PAL ———— 建築物の外壁，窓等を通しての年間熱負荷係数
② CEC／AC —— 建築物の（空調用）のエネルギー消費に関する係数
③ CEC／L ——— 建築物の（照明用）のエネルギー消費に関する係数
④ CEC／HW —— 建築物の（給湯用）のエネルギー消費に関する係数
⑤ CEC／V ——— 建築物の（換気用）のエネルギー消費に関する係数
⑥ CEC／EV —— 建築物の（エレベーター用）のエネルギー消費に関する係数

2. PAL 値（年間熱負荷係数）は，ペリメータゾーンの年間熱負荷をペリメータゾーンの床面積で除した値である。
3. 事務所建物では，CEC／AC 値が 1.5 以下となるようにする。
4. 事務所建物では，PAL 値が 80（MJ／m^2 年）に規模補正係数を乗じて得た数値以下にする。

ⓔ コーゼネレーション

1. コーゼネレーションシステムは，一般に電気エネルギーの変換率 30～40 %を有効利用して，総合効率が 70～80 %と高い効率を得ることが可能である。

2. 回収排熱量を発電力で除した値を熱電比という。
3. 一般に，ジーゼルエンジンはガスタービンに比べて熱電比が小さい。
4. ホテルや病院等のように，年間を通して熱需要が電気需要に対して大きい施設に適している。
5. 商用電源系統とコーゼネレーション発電系統との並列運転は，一定の条件がみたされれば認められる。

f 氷蓄熱方式

1. 氷蓄熱方式においては，氷から水への融解潜熱と水の顕熱を利用する。
2. 氷蓄熱方式は水蓄熱方式に比べて，蓄熱槽を小さくすることができる。
3. 氷蓄熱方式では，水蓄熱方式に比べて冷媒の蒸発温度が低いので，冷凍機の成績係数（動作係数）は小さくなる。
4. 冷凍機の運転時間を長くするほど，冷凍機の容量は小さくすることができる。
5. 蓄熱槽を用いた場合，冷凍機は高効率で運転することができる。
6. ダイナミック型は，成長した氷を連続的または間歇(かんけつ)的に剥離させ，オンザロック状のものを作る方式である。
7. スタティック型は，シャーベット状の氷粒を作成する方式である。

g 地域冷暖房

1. 熱媒に高温水を用いた地域暖房は，蒸気に比べて勾配が容易にとれるので，高低差のある広い地域の暖房に適している。
2. 高温水暖房は，蒸気暖房に比べて装置内の熱容量が大きいため，負荷の急変に対してボイラーの運転は安定している。
3. 高温水暖房はシステムが密閉式のため，系内の水や熱の損失が少ない。
4. 高温水配管の加圧用のガスには，窒素，アルゴンなどが使用される。
5. 定流量方式は，三方弁により負荷に応じて水量をバイパスさせる方式で，循環水量は変化しない。
6. 変流量方式は，負荷に応じて水量をしぼる方式で，低負荷時における搬送動力の節減ができる。

h 全熱交換器

1. 全熱交換器は空気対空気の熱交換器で，普通，室内空気の排気と取入外気との間で全熱の交換を行って外気負荷（熱負荷）を低減させる。

2. 冷房時の省エネ対策に風量を減少させると，空間的な温度差が大きくなる，室内炭酸ガス濃度が上昇する，気流分布が悪くなる，室温が上昇するなどの影響を生ずる。

3. 省エネのため風量を減らしたいときは，プーリーを交換して送風機の回転数を下げる方法が良く，ダンパの絞りやダクト断面積の縮小等は得策でない。

演習問題 19

地域冷暖房に関する記述のうち，適当でないものはどれか。

(1) 地域冷暖房は，熱効率の高い熱源機器の採用が可能となることや，発電設備を併設することによる排熱の利用などにより，エネルギーを有効に利用することができる。

(2) 地域冷暖房の利点は，各建物に熱源機器を個別に設置する必要がなくなるので，需要者の建物床面積の利用率が良くなることがある。

(3) 地域冷暖房は，使用時間帯の同じ需要者が多く，熱負荷の負荷傾向が重なる方が熱源設備の年間平均負荷率が高くなり，効率が良くなる。

(4) 地域冷暖房に熱源を集中化するため，各建物に燃焼機器を設置する場合より，ばい煙の管理が容易である。

解答 解説

(3) 地域冷暖房施設の採算が成立するには，熱源機器の負荷率を高くする必要があり，需要者の種別が広く，ピーク負荷の重なりが避けられていることが重要であり，ピーク負荷と平均負荷の差が著しいと，設備容量が非常に大きくなって，年間平均負荷率は低くなり，設備を十分に活用できず，効率は悪くなる。

演習問題 20

蓄熱槽を利用した熱源方式に関する記述のうち，適当でないものはどれか。

(1) 蓄熱槽を利用した熱源方式は，ピークカットによる熱源機器容量の低減が図れる。

(2) 氷蓄熱方式は，氷の融解潜熱を利用するため，水蓄熱方式に比べて蓄熱槽容量を小さくできる。

(3) 氷蓄熱方式は，水蓄熱方式に比べて低い冷水温度で利用できるため，ファンコイルユニットの吹出口などの結露に留意する必要がある。

(4) 氷蓄熱方式は，水蓄熱方式より冷媒の蒸発温度が低くなるため，冷凍機の成績係数（COP）が高くなる。

解答 解説

(4) 蒸発温度が低いほど，凝縮温度が高いほど理論的な成績係数（COP）ε が小さくなる。したがって，氷蓄熱用として冷水を低温にする必要があるので，蒸発温度が低くなるため，成績係数は小さくなる。

(COP) $\varepsilon = T_1 / T_1 - T_2$　ここに，T_1：凝縮温度　T_2：蒸発温度

演習問題 21

コージェネレーションシステムに関する記述のうち，適当でないものはどれか。

(1) 受電並列運転（系統連系）は，コージェネレーションシステムによる電力を商用電力と接続し，一体的に電力を供給する方式である。

(2) ガスタービン，ガスエンジン，ディーゼルエンジンのうち，ガスタービンを内燃機関とする発電機の発電効率が最も高い。

(3) 燃料電池を用いるシステムは，内燃機関のものに比べて騒音・振動が小さく，NO_X の発生量が少ない。

(4) コージェネレーションシステムは，排熱を高温から低温に向けて順次多段階に活用するカスケード利用を行うように計画する。

解答 解説

(2) 内燃機関として，ディーゼルエンジンが，発電機の発電効率が最も高い。ガスタービンは効率が悪いが回収率は一番良い。

7. 自動制御

ⓐ フィードバック制御

1. 次頁の図は，空気調和システムにおけるフィードバック制御のブロック線図である。

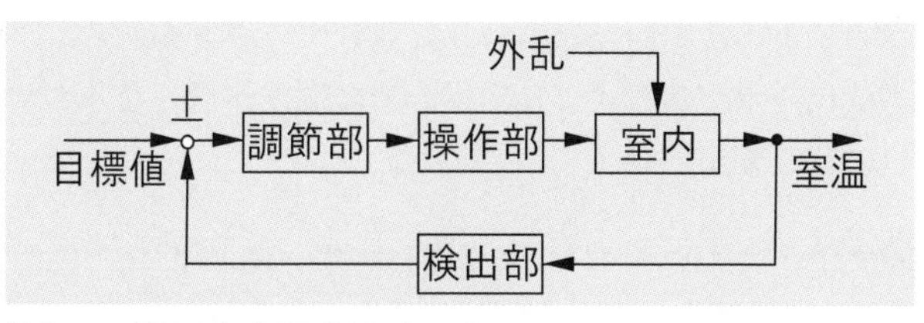

2. 目標値は，一般に室内設定温度である。
3. 操作部には，空気調和機の冷温水コイル用流量調節弁などが該当する。
4. 外乱の１つとして，日射負荷の変動がある。
5. この制御方式は自動制御の基本形式で，電気式制御，電子式制御，空気式制御等に広く使われている。

ⓑ 各種制御方式

1. 電気式制御方式
　検出部にはバイメタルを内臓した温度調節器が用いられ，これから検出した信号を操作部に伝達する。
2. 電子式制御方式
　検出部からの信号を調節機構で増幅して操作信号に変換し，操作器を作動させる。
3. 空気式制御方式
　ベローズやバイメタルなどの検出器で制御量を検出し，ノズルフラッパなどで操作信号に変換し，操作器を作動させる。
4. 電子・空気式制御方式
　検出部及び調節部を電子式とし，操作部を空気式としたもので，応答性が高く，複雑な制御ができる。
5. DDC 方式
　DDC（ダイレクトデジタルコントロール）方式では，調節部にマイクロプロセッサーを有し，信号をデジタルで演算し，プログラムにより制御する。

演習問題 22

変風量単一ダクト方式の自動制御において，制御する機器と検出要素の組合せのうち，関係の少ないものはどれか。

（制御する機器）　　　　　　（検出要素）

(1) 外気・排気用電動ダンパー ――― 還気ダクト内の二酸化炭素濃度

(2)　空気調和機のファン ―――――――― 還気ダクト内の静圧
(3)　変風量（VAV）ユニット ――― 室内の温度
(4)　加湿器 ――――――――――――――― 室内の湿度

解答 解説

(2)　給気風量制御は，給気ダクトに設置した圧力検出器からの検出信号をDDCで受けて，DDCから操作信号により，空気調和機給排気ファンの回転数制御をインバーターにより行う。各VAVユニットは，還気ダクトに接続されていないので，還気ダクトの静圧を検出して，空気調和機給排気ファンを回転数制御することは適切でない。

空気調和機給排気ファンの回転数制御には，各VAVユニットの開度信号により，DDCにて必要風量を演算し，空気調和機給排気ファンの回転数制御をインバーターにより行う方法が一般に用いられている。

ⓒ 検出機構

1. 室温検出には，主にサーモスタットが用いられる。
2. 湿度検出には，主にヒューミディティースタットが用いられる。
3. 冷温水温度の検出には，主に挿入型サーモスタットが用いられる。

ⓓ 操作機構

1. 冷温水流量の制御には，自動2方弁または自動3方弁が用いられる。
2. 水噴霧による加湿量の制御には，自動2方弁が用いられる。
3. 送風量の制御には，モーターダンパが用いられる。

2 冷暖房

1. 冷凍機

ⓐ 冷凍サイクル

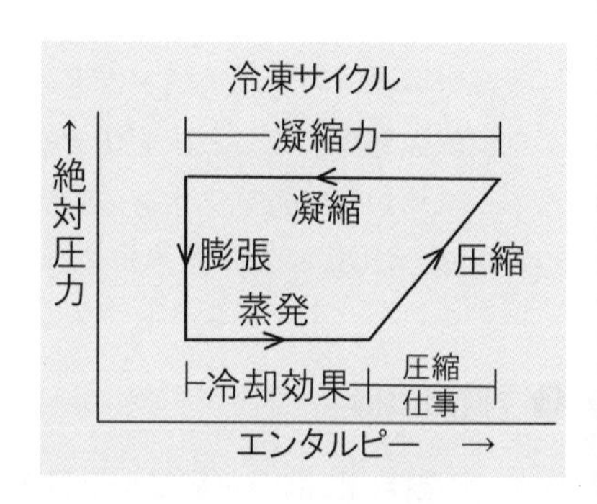

1. 冷凍装置内の高圧側圧力は圧縮機吐出し口で最も高く，油分離器，凝縮器を通るにつれて低くなり，膨張弁入り口で最も低くなる。
2. モリエル線図の概略は右図の通りで，冷凍装置内の冷媒の状態変化を図示したものである。
3. 冷媒の保有する全熱量をエンタルピーという。
4. 低温側より単位時間当りに吸収する熱量（W）を冷凍能力という。
5. 蒸発器出口の冷媒ガスのエンタルピー（kJ／kg）と蒸発器入口の冷媒液のエンタルピー（kJ／kg）との差を冷凍効果（kJ／kg）といい，これに通過冷媒量（kg／h）を乗じた冷却量（W）を冷凍能力という。
6. 膨張弁で冷媒液を減圧すると一部の液が蒸気となるがエンタルピーは変化しない。これを断熱変化という。
7. 圧縮機内の冷媒は断熱圧縮で，エンタルピーは増加する。
8. 冷凍装置内の冷媒ガスが不足すると高圧側圧力が低くなり低圧側圧力も低くなり吸入ガスは過熱蒸気となり冷凍能力は低下する。
9. 蒸発器の伝熱面が汚れると冷媒の蒸発温度は下がる。
10. 凝縮器の伝熱面が汚れると冷媒の凝縮温度は上がる。
11. 蒸発器で冷却する水の温度が上がると蒸発温度は上がる。
12. 凝縮器を冷却する水の温度が上がると凝縮温度は上がる。
13. 蒸発器や凝縮器の伝熱面を掃除し汚れを落とすと，冷凍機の冷却能力は増す。
14. 蒸発器の表面に霜がつくと，熱交換が悪くなり，冷凍能力は低下する。

ⓑ 冷凍トン

1. 1日本冷凍トン（JRt）＝3.87 kW
   (1日本冷凍トンとは，0℃の1トンの水を24時間かけて0℃の1トンの氷にする能力をいう。)
   〔計算例〕300日本冷凍トンは　300×3.87＝1,161 kW
2. 1米国冷凍トン（USRt）＝3.52 kW

ⓒ 冷凍計算公式

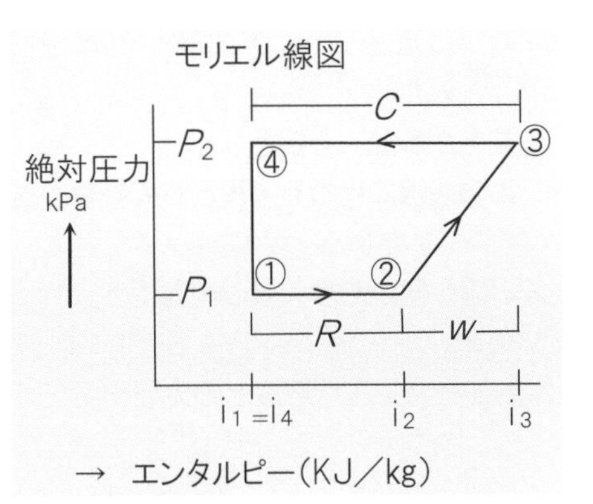

① 冷凍効果　$R = i_2 - i_1$

② 圧縮仕事　$W = i_3 - i_2$

③ 凝縮力　$C = i_3 - i_4 = R + W$

④ 成績係数　$E = \dfrac{冷凍効果}{圧縮仕事} = \dfrac{i_2 - i_1}{i_3 - i_2} = \dfrac{R}{W}$

⑤ 圧縮比　$P = \dfrac{P_2}{P_1}$

ⓓ 成績係数

1. 動作係数（COP）ともいい，冷凍機の経済性を表す。
2. 成績係数＝冷凍効果／圧縮仕事
3. 冷凍機の成績係数は通常4前後で，この数値の大きい冷凍機ほど経済性がよいことを示す。
4. 水冷式冷凍機では，次の場合成績係数が大きい。
   ① 冷水の水温が高いとき（蒸発温度及び蒸発圧力が高いとき）
   ② 冷却水の水温が低いとき
   ③ 凝縮器の伝熱面の汚れの少ないとき
   ④ 蒸発器の伝熱面の汚れの少ないとき
5. 空冷式冷凍機よりも水冷式冷凍機の方が成績係数が大きい。
6. 温度条件が同じなら，負荷の減少とともに低下する。
7. 冷水の水量が同じなら，冷水の温度が高いほど良くなる。
8. 冷却水の水量が同じなら，冷却水の温度が低いほど良くなる。

9. ヒートポンプの動作係数は，熱源温度が高いほどその値は大きい。
10. ヒートポンプ圧縮機の吸い込み冷媒ガスの過熱度が大きいと，動作係数は大きくなるが，加熱能力が増すことはない。
11. 吸収式冷凍機の動作係数は，圧縮式冷凍機よりも低い。

ⓔ 吸収冷凍機

1. 吸収式冷凍機と圧縮冷凍機との違い
   ① 通常用いる冷媒の種類が異なる（吸収式冷凍機の冷媒は水）
   ② 冷凍サイクルにおいて，吸込み過程の代わりに吸収過程がある。
   ③ 冷凍サイクルにおいて，圧縮・吐出し過程の代わりに加熱・分離過程がある。
   ④ 冷却塔容量が約2倍になり，冷却水が多量に必要となる。
   ⑤ 冷凍サイクルにおいて，凝縮・膨張過程に代わる過程として凝縮過程がある。
   ⑥ 圧縮機がなく，代わりに発生器と吸収器があり，吸収剤を使う。
   ⑦ 成績係数が低い。
2. 再生器は，吸収液を加熱して冷媒蒸気を発生させ溶液との分離作用を行う。
3. 吸収剤には一般に臭化リチウム（LiBr，リチウムブロマイドともいう）水溶液が用いられる。
4. 軽負荷時のON－OFF制御は困難である。
5. 吸収冷凍機には，単効用式と高圧蒸気や高温水を熱源とする二重効用式とがある。

ⓕ 吸収冷凍機の作用

下図に吸収冷凍機の作用の概要を示す。

吸収冷凍機の作用の概要

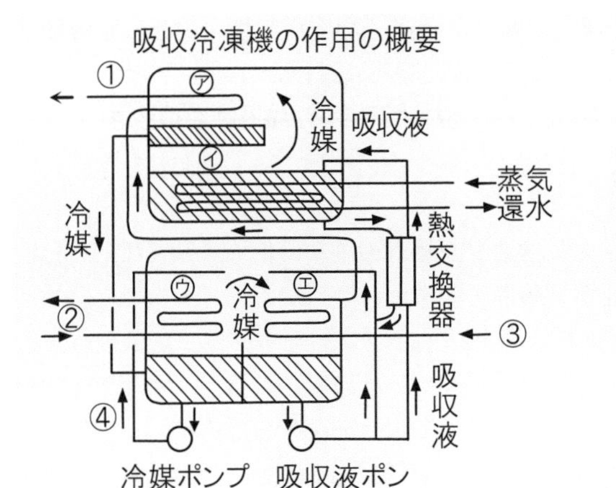

㋐ 凝縮器
㋑ 再生器
㋒ 蒸発器
㋓ 吸収器
① 冷却水
② 冷水
③ 冷却水
④ 冷媒

g 冷媒

1. アンモニア（NH_3）は，地球温暖化係数が小さく，オゾン破壊係数も0の自然冷媒である。冷媒としての歴史は古く，100年以上前から使用されていたが，毒性や可燃性など人体に有害な点もあったため，1970～80年代にフロン系冷媒へと転換されていった。しかしその後，フロンガスによるオゾン層破壊や地球温暖化が世界的な問題となり，アンモニアの自然冷媒としての強みが再評価されている。熱効率もよく省エネルギー化も可能。
2. フロン系冷媒（フルオロカーボン）は，特定フロンガスに指定され全廃となったCFC（クロロフルオロカーボン）やHCFC（ハイドロクロロフルオロカーボン）に代わり，HFC（ハイドロフルオロカーボン）が現在主流である。

   HFCは代替フロンとしてオゾン層の破壊はしないが，HFC－134aやHFC－410Aなど地球温暖化係数の値が高いものも多く，現在は地球温暖化係数の低値やエネルギー効率の点から，HFC－32が広く用いられている。
3. 吸収冷凍機の冷媒は水である。なお，リチウムブロマイドは吸収液で冷媒ではない。
4. リチウムブロマイドは毒性が少なく，大気中でも安定して揮発しない。
5. フロン冷媒は1個以上のフッ素原子Fを持つハロゲン化炭化水素で，化学的に安定していて水に溶けにくいが油と混和しやすい。
6. フロン冷媒使用冷凍機に水分が混入すると，膨張弁などの氷結閉塞などが起こるので，除湿のために膨張弁の前にドライヤを設ける。

7. 蒸気圧縮式冷凍機には容積型と遠心型とがあり，主として容積型には高圧冷媒が，遠心型には低圧冷媒が用いられる。
8. 冷媒が膨張弁を通るとき，圧力は下がるが熱量は変わらない。

ⓗ 特定フロンガス

1. 塩素を含むフロンガスはオゾン層を破壊するため，特定フロンガスとして，製造や使用の禁止等，規制の対象となっている。
2. フロンガスに含まれる塩素が，オゾン層でオゾンに含まれる酸素原子と結合しオゾンが破壊される。オゾンが破壊されると，太陽光線中の紫外線が多量に地球に到達し，紫外線による被害をもたらす。
3. 消火剤のハロン 1301 も，特定フロンガスとして指定されている。
4. オゾン破壊係数は，R－11 を基準（＝1）として定めている。
5. 地球温暖化係数は，二酸化炭素を基準（＝1）として定めている。

演習問題 23

冷媒に関する次の記述のうち，不適当なものはどれか。

(1) 代替フロン HFC-134a は，地球温暖化係数が二酸化炭素より小さい。
(2) HCFC は指定フロンから CFC と同様の特定フロンガスへと移行された。
(3) 地球温暖化係数は二酸化炭素を基準の 1 として定めている。
(4) HFC-32 は地球温暖化係数が他の HFC より低く，エネルギー効率もよい。

解答 解説

(1) 地球温暖化係数　二酸化炭素→ 1，HFC-32 → 675，HFC-134a → 1430。

演習問題 24

図に示す吸収冷凍機の冷凍サイクルのうち，A～D に該当する主要部分の組合せで適当なものはどれか。

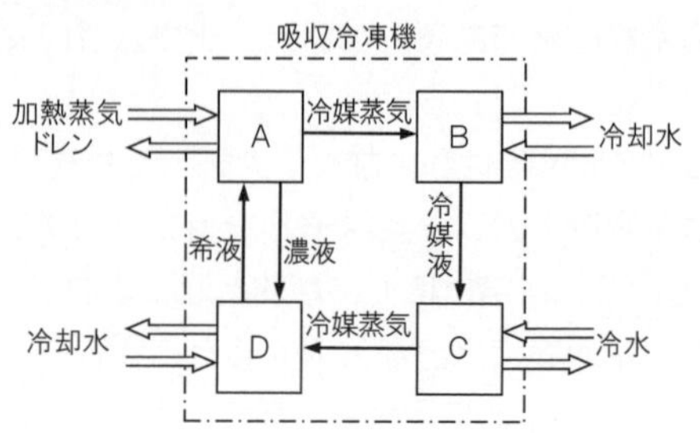

	(A)	(B)	(C)	(D)
(1)	吸収器	凝縮器	蒸発器	再生器
(2)	再生器	蒸発器	凝縮器	吸収器
(3)	吸収器	蒸発器	凝縮器	再生器
(4)	再生器	凝縮器	蒸発器	吸収器

解答 解説

(4) 基本サイクルとしては，冷媒を低温低圧の蒸発器で蒸発させ，冷水・冷液をつくり，蒸発冷媒は吸収器で吸収液に吸収させる（吸収による低圧が発生して，これが蒸発器で冷媒を蒸発させる）。冷媒を吸収した吸収液は再生器で熱を加え冷媒を蒸発分離してその冷媒は再び吸収器に戻す。蒸発分離した冷媒は凝縮器で冷却して液化し，再び蒸発器で使用する。

演習問題 25

モリエル線図上に示した圧縮式冷凍機の冷凍サイクルに関する記述のうち不適当なものはどれか。

(1) 蒸発器での冷却熱量は，$(i_2 - i_1)$ で表される。
(2) 圧縮機の仕事量は，$(i_3 - i_2)$ で表される。
(3) 膨張弁での冷媒の変化は，④→①で表される。
(4) この冷凍サイクルの成績係数（動作係数）は，次式で示される。

$(i_2 - i_1)$ ／ $(i_3 - i_1)$

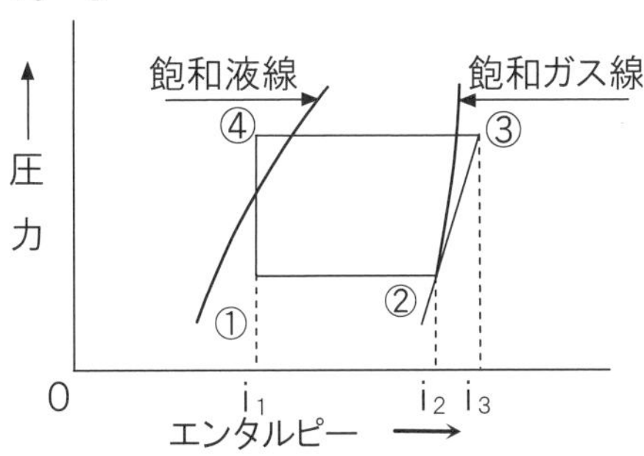

解答 解説

(4) この冷凍サイクルの成績係数（動作係数）は，P.103，Ⓒの④より，次式で示される。 $(i_2 - i_1)$ ／ $(i_3 - i_2)$

ⓐ ヒートポンプのサイクル

1. ヒートポンプは熱ポンプともいい，冷凍サイクルを利用して高温のエネルギーを取り出す装置である。
2. 冷凍機の冷凍サイクルとヒートポンプのサイクルは順序は同じである。（圧縮→液化→膨張→蒸発）
3. 冷凍機もヒートポンプも，蒸発器で冷却する温度が高いほど，成績係数はよい。
4. 冷凍機もヒートポンプも，凝縮器で放熱する温度が低いほど，成績係数はよい。
5. 冷凍機もヒートポンプも温度の低い空気や水から熱を取り温度の高い空気や水へ熱を放出する。
6. 冷凍機は蒸発器の冷却作用を利用し，ヒートポンプは凝縮器の放熱作用を利用する。

ⓑ ヒートポンプの成績係数等

1. ヒートポンプの成績係数をEとすると
   $$E = C/W = (R+W)/W = R/W+1$$
2. ヒートポンプの採熱源として，河川水，大気，下水道水等がある。
3. 空気熱源ヒートポンプは，外気温度が低くなると暖房能力が低下する。
4. ヒートポンプの成績係数は，理論的にはその状態での冷凍サイクルの成績係数より大きい。

演習問題 26

ヒートポンプに関する記述のうち，適当でないものはどれか。

(1) 寒冷地での空気熱源ヒートポンプの使用においては，電気ヒーターなどの補助加熱装置が必要な場合がある。

(2) ガスエンジンヒートポンプは，一般に，エンジンの排気ガスや冷却水からの排熱を回収するために熱交換器を備えている。

(3) 空気熱源ヒートポンプの冷房サイクルと暖房サイクルの切替えは，一般に，配管回路に設置された四方弁により行う。

(4) ヒートポンプの採熱源の適応条件は，平均温度が低く温度変化が大きいことが望ましい。

(4) ヒートポンプの採熱源の適応条件は，平均温度が高く温度変化が小さいことが望ましい。その他には，容易に得られること。量が豊富で時間的変化が少ないこと。主に空気，地下水，排熱などが利用されている。

3. 暖房

ⓐ 蒸気暖房

1. 蒸気暖房は，主として蒸気の持つ潜熱を利用している。
2. 熱交換器のコイルに低圧蒸気を送り，空気と接触させて空気を加熱する方式で，直接暖房の一種である。
3. 蒸気の温度が高いために空気が過熱ぎみで，吹出し温度が 80 ℃にもなり室温調節が困難な面がある。
4. 真空還水式で還水を低所から高所に返す場合は，吸上げ継手（リフトフィッティング）を使用する。
5. 高圧蒸気の還水を定圧還水管に接続する場合は，蒸発タンク（フラッシュタンク）で減圧させてから接続する。
6. 上向き給気では，下向き給気に比べてスチームハンマを起こしやすいので，管径を大きくする必要がある。
7. 蒸気暖房は，加熱源のボイラーを停止すると蒸気の供給が止まるので暖房運転が維持できない。
8. 蒸気暖房は，温水暖房に比べて装置の熱容量が小さいので，一般に間歇（かんけつ）運転に適している。

ⓑ 温水暖房

1. 熱交換器のコイルに 45 ℃程度の温水を送り，空気を加熱する方式で，間接暖房の一種である。
2. 熱交換後の空気の温度が 35 ℃～40 ℃程度のため，室温調節が比較的容易である。
3. 温水暖房は蒸気暖房に比べて負荷変動に対する制御特性が優れている。

ⓒ 放射（ふく射）暖房

1. 古い形式ではラジエーターに蒸気を送って暖房する方式があるが，空気が温まるまでに時間を要する。
2. 床下に配管を埋設し温水を通す床暖房方式では，空気が温まるまでに時間を要するが，家庭の暖房に適している。
3. 高温放射暖房は，天井が高く室容積の大きな工場などの暖房として用いられる。
4. 放射暖房は，温風暖房に比べて室内の温度のむらが少なく，室内気流を生じにくい。
5. 放射暖房は，温風暖房に比べて室内空気温度を低くできるので，建物からの熱損失を少なくすることができる。
6. 温水パネル式の低温放射暖房は，熱容量が大きく予熱時間が長いので，間歇運転には適していない。
7. 対流暖房は，一般に放射暖房に比べて室内の上下の温度差が大きくなりやすい。

ⓓ 暖房負荷計算例

1. 蒸気ボイラーの換算蒸発量は，100 ℃飽和水と 100 ℃の乾き飽和蒸気の比エンタルピー差を基準として算出する。
2. 暖房用ボイラーで消費された A 重油の 1 時間当りの消費量を 30 ℓ，この建物の延べ床面積を 3,000 m^2，A 重油の発熱量を 42,000 kJ／ℓ とすると，この建物の暖房負荷は 117 W となる。

ⓔ 膨張タンク，膨張管

1. 加熱により膨張する温水の逃げのために，膨張管を経て膨張タンクを設ける。
2. 注意事項
   ① 膨張管には絶対に弁類を設けてはならない。
   ② 膨張管は加熱装置より単独の配管として立ち上げる。
   ③ 膨張タンクは単独のものを設置し，膨張管を飲料水用高置水槽に接続してはならない。

ⓕ リバースリターン方式

1. 温水循環配管において，温水の温度を均一にするために往路と返路の長さの合計を等しくする方式をいう。
2. リバースリターン方式は，冷温水配管のほか給湯配管にも使用される。

ⓖ 膨張管立ち上げ高さ

高置水槽の高水位面よりの加熱装置の膨張管の必要立ち上げ高さ（Hm）は次の方法で求める。

高置水槽の高水位面より加熱装置の低位までの静水頭 （h）＝ 30 m

水温（t）＝ 10 ℃

湯の温度（T）＝ 60 ℃

水の密度（a）＝ 0.99973 kg／ℓ

湯の密度（b）＝ 0.9832 kg／ℓ

とすると

$$H = \left(\frac{a}{b} - 1\right) h = \left(\frac{0.99973}{0.9832} - 1\right) \times 30 = 0.5\ \mathrm{m}$$

高置水槽
膨張水槽
H
h
給湯装置

暖房に関する次の記述のうち，不適当なものはどれか。

(1) 蒸気暖房では，蒸気が凝縮水に相変化する際に放出する潜熱が主として利用される。

(2) 放射暖房は，温風暖房に比べて，室温を低く設定できる。

(3) 蒸気暖房は，温水暖房に比べて，負荷変動に対する制御特性が優れている。

(4) ヒートポンプ暖房は冷凍機の放熱装置を暖房に利用する方式である。

解答 解説

(3) 温水暖房は，蒸気暖房に比べて負荷変動に対する制御特性が優れている。

演習問題 28

暖房関連用語の組合せで，次のうち不適当なものはどれか。

(1) フラッシュタンク ―――――― 高圧蒸気暖房

(2) インゼクタ ―――――――― 鋳鉄製ボイラー
(3) 還水タンク ―――――――― 高圧蒸気ボイラー
(4) 真空給水ポンプ ―――――― 低圧蒸気暖房

解答 解説

(2) インゼクタは，高圧蒸気ボイラーの給水装置の予備として設けられる手動式給水装置で，低圧ボイラーである鋳鉄製ボイラーには使用されない。

演習問題 29

温水循環式セントラルヒーティングに関する次の記述のうち，不適当なものはどれか。

(1) 膨張管には弁を取付けてはならない。
(2) 膨張水槽を設けなければならない。
(3) リバースリターン配管としなければならない。
(4) 温水の返り管は，往き管よりも口径を細くしなければならない。

解答 解説

(4) 温水の返り管は，往き管と同じ口径のこと。

演習問題 30

高置水槽の高水位面より加熱装置の低位までの膨張管の必要立ち上げ高さ（Hm）として最も近い値はどれか。

なお，静水頭（h）＝ 20 m　水温（t）＝ 10 ℃　湯の温度（T）＝ 60 ℃　水の密度（a）＝ 0.99973 kg／ℓ　湯の密度（b）＝ 0.9832 kg／ℓ とする。

(1) 0.17 m
(2) 0.34 m
(3) 0.50 m
(4) 0.67 m

解答 解説

(2) 〔(0.99973 ÷ 0.9832) − 1〕× 20 ≒ 0.34

演習問題 31

熱源機器のボイラーで消費された，A 重油の 1 時間当りの消費量を 50 ℓ，この建物の延床面積を 4,200 m^2, A 重油の発熱量を 42,000 kJ／ℓ とすると，この建物の単位面積当り暖房負荷として正しいものは次のうちどれか。

(1)　42 kJ／m^2・h
(2)　100 kJ／m^2・h
(3)　420 kJ／m^2・h
(4)　500 kJ／m^2・h

解答 解説

(4)　1 時間当りの暖房負荷 ＝ A 重油の発熱量×A 重油の消費量
単位面積当りの暖房負荷 ＝ 1 時間当りの暖房負荷÷床面積
従って，50×42,000÷4,200 ＝ 500 kJ／m^2・h

演習問題 32

下記の条件における熱交換器の出口水温のうち，適当なものはどれか。
加熱蒸気の流量（S）＝ 200 kg／h　加熱蒸気の凝縮潜熱（L）＝ 2,268 kJ／kg　温水流量（Q）＝ 5.4 m^3／h　温水入口温度（t）＝ 40 ℃　温水出口温度（T）温水の比重（α）＝ 1 kg／ℓ　温水の比熱（β）＝ 4.2 kJ／kg・K　熱効率 ＝ 1

(1)　50 ℃
(2)　60 ℃
(3)　70 ℃
(4)　80 ℃

解答 解説

(2)　熱効率が 1 であるから，加熱蒸気の凝縮潜熱がすべて温水の温度上昇に使われたことになり，この両者の熱量が等しい計算式から成り立つ。

$S \times L = Q \times (T - t) \times \alpha \times \beta$　これに設問の数値を代入する。

$200 \times 2{,}268 = (5.4 \times 1{,}000) \times (T - 40) \times 1 \times 4.2$

$453{,}600 = 5{,}400\ (T - 40) \times 4.2 = 22{,}680\ (T - 40)$

$T - 40 = 453{,}600 \div 22{,}680$

$= 20$

$T = 60$ ℃

3 換 気

1. 機械換気方式

ⓐ 機械換気方式

1. 機械換気方式には次の 3 通りがある。
   ① 第 1 種換気方式（給気機＋排気機）
   ② 第 2 種換気方式（給気機＋自然排気）
   ③ 第 3 種換気方式（自然給気＋排気機）
2. 第 1 種機械換気
   換気は外気導入が目的で，一般的には外気を空調機を通して導き，室内空気の排出は排気ファンを用いて排気する方式を取っている。これを第 1 種機械換気といい，一般の居室や事務室はこの方式を採用する。
3. 第 2 種機械換気
   送風機により外気を室に導き，開口部を設けて室内空気を排出する方法を第 2 種機械換気といい，室内をプラス圧にして室内への空気の洩入を防ぐ目的で病院の手術室などに採用される。
   IC 工場等のクリーンルームは，室内空気圧力が外部より高いことが望ましい。
4. 第 3 種機械換気
   送風機により室内空気を排出し，開口部を設けて外気を室内に吸い込む方法を第 3 種機械換気といい，室内をマイナス圧にして室外への空気の洩出を防ぐ目的で便所や湯沸室などに採用される。
   バイオハザード関係施設は，室内空気圧力が外部より低いことが望ましい。

ⓑ 自然換気方式

1. 開口部を壁の上下に設け，室内空気の上下温度差を利用して外気の導入及び排気を行うのが自然換気方式である。
2. 自然換気の駆動力は，風圧と内外温度差によるものである。
3. 風圧係数は実験的に求める。

4. 換気量は流入口から流出口までを考えた等価的な開口面積に比例する。
5. 内外温度差や動力による駆動力がないときは，換気量は風速に比例する。

Ⓒ 換気方法

1. 冷暖房時は，通常，外気を空気調和機に導き，循環空気（還気）と混合して室内へ供給し，室内空気の一部を排出させる方式をとっている。
2. 外気の導入量を増したときは，その分だけ再循環空気量を減らし，全体として送風量は同じに保つ。
3. 外気導入量は一般には室内炭酸ガス濃度によって決められる。
4. 換気設備のない居室では，床面積の 1／20 以上の換気のための窓その他の換気に有効な開口部を設ける。
5. 外気取入れ口は，近隣建物の煙突や車の交通量を考慮して設けなければならない。
6. 中間期に外気冷房を行う場合は，ダクトが大きい方が都合がよい。
7. CO_2 基準による必要換気量は，一般に O_2 基準による必要換気量よりも大きくなる。（CO_2 の増加が多くても O_2 の減少は少ない）
8. 温度基準による必要送風量は，外気の CO_2 濃度には関係しない。
9. 体臭制御のための必要換気量は，一般にヤグローの臭気強度に関する実験結果が利用される。
10. VAV 方式による送風量制御は，CO_2 基準必要換気量を満足しない場合がある。
11. 燃焼器具の完全燃焼の判定は，一般に器具から発生する CO_2 と H_2O の比率で表される。
（ガスが完全燃焼すると CO_2 と H_2O となる）
12. 局部的に炭酸ガスの濃度が高いときは，吹出口の風量と風向を調節する。
13. 室内の燃焼器具に必要な空気量は，燃料消費量とその燃料の理論空気量との積に比例する。
14. 室内に発生する熱を除去するための必要換気量は，許容室内温度と取り入れ外気の温度との差に反比例し，発生熱量に比例する。
15. 地下駐車場は，第 1 種機械換気が義務付けられている。
16. 病院手術室の排気口は，手術室で発生した細菌が舞い上がらないように，床面近くに設ける。

ⓓ 換気回数

1. 換気回数は，1時間に室内空気が外気と入れ替わる回数をいう。
2. 建築基準法（告1826号）では，有効換気量を次のように定めている。

$V = KQ$

V = 有効換気量（m^3／h）

K = 開放型燃焼器具の場合，燃料の単位燃焼量あたりの理論排ガス量に40を乗じて得た量（m^3）

Q = 火を使用する設備又は器具の実況に応じた燃料消費量（m^3／h，又はkg／h）

3. バランス形器具は密閉式燃焼器具の扱いを受け法規制対象外とされる。
4. 燃焼器具を有する室に対する換気量（Kの値）は建築基準法上次のように決められている。

開放式器具 ―――― 理論排ガス量の40倍
フード付器具 ――― 理論排ガス量の20倍
排気筒直結の器具 ―― 理論排ガス量の2倍
密閉式器具 ―――― 対象外
バランス形器具 ―― 対象外

5. ガスレンジ上の排気フードの高さは，ガスレンジから1m以下とする。

演習問題33

換気設備に関する記述のうち，適当でないものはどれか。

(1) 床面積の1／30以上の窓その他の有効な開口部を有する一般建築物の居室には，換気設備は不要である。

(2) 排気フードは，できるだけ汚染源に近接して，汚染源を囲むように設ける。

(3) 自然換気設備の給気口の上端は，天井高さの1／2以下に設けなければならない。

(4) 大規模な地下駐車場などの換気には，誘引誘導換気方式が用いられる場合がある。

解答 解説

(1) 居室の換気用の窓あるいは開口部の面積は，その室の床面積の1／20以上としなければならない。

演習問題 34

エレベーターの機械室において，発生した熱を換気設備によって排除するのに必要な最小換気量として，適当なものはどれか。

ただし，エレベーター機器の発熱量は 10 kW，エレベーター機械室の許容温度は 40 ℃で，外気温度は 35 ℃，空気の定圧比熱は 1.0 kJ／（kg·K），空気の密度は 1.2 kg／m^3 とする。

(1) 3,000 m^3／h

(2) 6,000 m^3／h

(3) 9,000 m^3／h

(4) 12,000 m^3／h

解答 解説

(2) エレベーター機械室の換気量の計算式は，次式で表される。

$Q = 3.6 \times q_s / C_P \times \rho \times (t_i - t_o) \fallingdotseq q_s / 0.33 (t_i - t_o)$

ここに，Q：換気量［m^3／h］

q_s：エレベーター機器の発熱量［W］

C_P：空気の定圧比熱［kJ／（kg・K）

ρ：空気の密度［kg／m^3］

t_i：許容温度［℃］

t_O：外気温度［℃］

上記式に数値を入れて計算すると，

$Q = 3.6 \times 10{,}000\ W / 1.2 \times (40\ ℃ - 35\ ℃) = 6{,}000\ m^3/h$

演習問題 35

換気設備に関する記述のうち，適当でないものはどれか。

(1) 密閉式燃焼器具のみを設けた室には，火気を使用する室としての換気設備を設けなくてもよい。

(2) 換気上有効な第 3 種換気設備を設けた調理室では，給気口は適当な位置に，火を使用する設備又は器具の燃焼を妨げないように設ける必要がある。

(3) 換気用小窓付きサッシがある居室（調理室を除く）に，発熱量 12kW の火を使用する器具を設けた場合は，火気を使用する室としての換気設備を設けなくてもよい。

(4) 床面積の 1／20 以上の換気上有効な開口がない居室には，換気設備を設ける必要がある。

解答 解説

(3) 建築基準法施行令第20条の3（火を使用する室に設けなければならない換気設備等）第1項第三号の規定により，発熱量の合計が6kW以下の火を使用する調理室以外の室は，換気上有効な換気用の小窓等を設けた場合，火気を使用する室としての換気を必要としない。と規定されていて，設問は，12kWであるので換気設備を設ける必要がある。

また，同令第20条の3第1項第二号に，換気設備を要しない火気使用室は，床面積の合計が100 m^2 以内の住宅または住戸に設けられた調理室（発熱量の合計が12kW以下の火を使用する設備または器具を設けたものに限る。）で，当該調理室の床面積の1／10（0.8 m^2 未満のときは0.8 m^2 とする。）以上の有効開口面積を有する窓その他の開口部を換気上有効に設けたものと規定されている。

2. 換気量計算

ⓐ 換気量計算式1

外気の導入により汚染物質の濃度を希釈する場合の換気量の計算は，次の式を使って計算する。

① 公式 Q ＝必要換気量（m^3／h）…1人20 m^3／h以上（機械換気）
M ＝室内汚染物質（たとえば CO_2，粉塵等）発生量（m^3／h）
K ＝室内汚染物質（たとえば CO_2，粉塵等）許容濃度（m^3／m^3）
K_0＝室内汚染物質（たとえば CO_2，粉塵等）濃度（m^3／m^3）
とすると　$Q = M / (K - K_0)$

② 換気量計算例1
汚染物質を CO_2 とした場合
規定で K＝1,000 ppm＝0.001〔m^3／m^3〕＝0.1％
Kと K_0 は％でなく整数を代入する
いま　K_0＝400 ppm＝0.0004〔m^3／m^3〕＝0.04％
M ＝0.015〔m^3／h・人〕　とすると

$$Q = \frac{0.015}{0.001 - 0.0004} = 25 \text{〔}m^3\text{／h・人〕}$$　通常30前後

③ 換気量計算例2

室容積 $V = 300\ m^3$　　給気量 $S = 2{,}000\ m^3/h$
外気／還気 ＝ O／R ＝ 3／7 のときの換気回数 N（回／h）を求む。

$O = 2{,}000 \times 0.3 = 600\ (m^3/h)$

$N = O/V = 600/300 = 2$（回／h）

ⓑ 換気量計算式 2

発生熱量の排除を目的とした場合の換気量の計算は，次の式を使って計算する。

① 公式

$Q\ (m^3/h)$ ＝ 送風空気量　t_2℃ ＝ 吹出し空気温度
$q\ (W)$ ＝ 顕熱負荷　t_1℃ ＝ 室内温度　　$\triangle t(℃) = t_1 - t_2$
α ＝ 空気の比熱 ＝ 1.006 kJ／（kg・K）
β ＝ 空気の比重量 ＝ 1.2(kg／m^3)
$\alpha \times \beta$ ＝ 空気の容積比熱 ＝ 1.21 kJ／（m^3・K）

とすると　$Q = \dfrac{3.6 \times q}{\triangle t \times \alpha \times \beta} = \dfrac{q}{0.336 \times \triangle t}$

冷房時は　$Q = \dfrac{q}{0.336 \times (t_1 - t_2)}$

これより　$t_1 = t_2 + \dfrac{q}{0.336 \times Q}$

② 換気量計算例

$q = 1{,}163$（W）＝ 機械から発生する顕熱負荷
$t_1 = 27$ ℃ ＝ 室内温度　　$t_2 = 22$ ℃ ＝ 外気温度
空気の容積比熱 ＝ 1.21(kJ／（m^3・K)）とすると

$$Q = \frac{q}{0.336 \times (t_1 - t_2)} = \frac{1{,}163}{0.336 \times (27 - 22)} = 692 \fallingdotseq 700 (m^3/h)$$

換気量の計算に当たっては，発生する顕熱負荷のみを対象とし，潜熱負荷を加算してはならない。

ⓒ 換気量計算式 3

建築基準法では，機械換気の有効換気量を求める計算式を次式のように定めている。対象室が複数の場合は，各室の有効換気量を合計する。

① 公式

V ＝ 有効換気量（m^3／h）　A ＝ 居室の床面積（m^2）

N＝1人当たりの占有面積（m^2）

なお，Nが10を超えるときは10とする。

また，演芸場など特殊建築物ではNを3として計算する。

$$V=\frac{20\times A}{N}$$（注：数値20はP.118下ⓐ①の1人当りの必要換気量）

② 換気量計算例（上式を用いて計算する）

イ室の床面積＝60 m^2，在室人員＝5人，

ロ室の床面積＝120 m^2，在室人員＝15人　の場合

イ室の換気量＝（20×60）／（60÷5＝12→10）

＝1,200÷10＝120 m^3／h

ロ室の換気量＝（20×120）／（120÷15＝8）

＝2,400÷8＝300 m^3／h

合計換気量　＝120＋300＝420 m^3／h

ⓓ 換気量計算式4

建築基準法では，排気フードの高さ，及び火気使用室の換気設備の有効換気量を求める計算式を次式のように定めている。

① 排気フードの高さは1m以下とすること。

② 有効換気量計算式　K＝燃料の理論排ガス量（m^3／kW・h）

Q＝実況に応じた燃料消費量（kg／h）

換気設備の構造	煙突等	換気扇等	排気フード付排気筒＋換気扇等	
			Ⅰ型	Ⅱ型
最小有効換気量	2KQ	40KQ	30KQ	20KQ

なお，排気フードⅡ型は，集気部分が10度以上傾斜していて5cm以上の垂れ下がりを有し，火源又は火を使用する設備の開口部を全面的に覆うことができるものをいい，排気フードⅠ型は，前記条件を満たしていないものをいう。

演習問題 36

図に示す換気上有効な開口部を有しない2室に機械換気を行う場合，最小有効換気量 V［m^3／h］として，「建築基準法」上，正しいものはどれか。

ただし，居室(1)・(2)の最小有効換気量は，居室の床面積と実況に応じて1人当たりの占有面積から決まるものとし，居室(1)・(2)は特殊建築物にお

ける居室でないものとする。

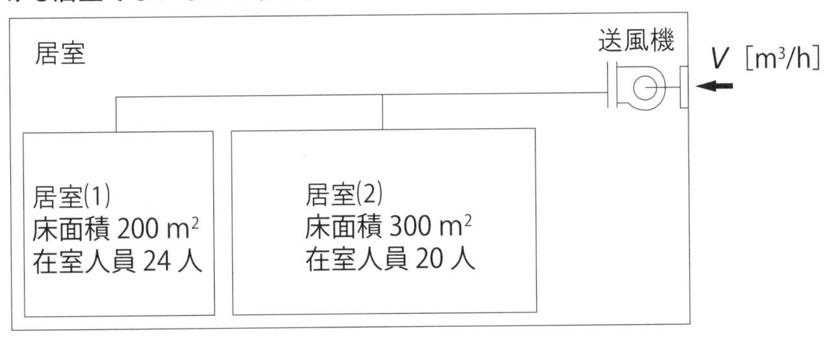

(1)　880 m^3／h
(2)　1,080 m^3／h
(3)　1,320 m^3／h
(4)　1,620 m^3／h

解答 解説

(2)　$V = 20 \times A / N$　ここに V：有効換気量［m^3］
N：1 人当たりの占有面積［m^2］
なお，N が 10 を超えるときは 10 とする。

以上より，居室(1)の換気量は，$(20 \times 200) / (200 \div 24) \fallingdotseq 8.3$
$= 4{,}000 / 8.3 \fallingdotseq 482 \fallingdotseq 480$
居室(2)の換気量は，$(20 \times 300) / (300 \div 20) = 15 \rightarrow 10$
$= 6{,}000 / 10 = 600$

したがって，居室(1)の 480 m^3＋居室(2)の 600 m^3 ＝ 1,080 m^3／h

演習問題 37

事務所建物の下記の 3 つの居室の有効換気量の最小値として正しいものはどれか。なお，いずれの居室も換気上有効な開口部を有しないものとする。

A 室：床面積 40 m^2，在室人員 5 人
B 室：床面積 60 m^2，在室人員 6 人
C 室：床面積 150 m^2，在室人員 10 人

(1)　420 m^3／h
(2)　500 m^3／h
(3)　520 m^3／h

第2章 空調設備

(4)　780 m^3／h

解答　解説

(3)　P.119 Ⓒの①の公式を用いる。

A 室 ＝ (20×40) ／ (40÷5 ＝ 8) ＝ 800÷8 ＝ 100

B 室 ＝ (20×60) ／ (60÷6 ＝ 10) ＝ 1,200÷10 ＝ 120

C 室 ＝ (20×150) ／ (150÷10 ＝ 15 → 10) ＝ 3,000÷10 ＝ 300

合計 ＝ 100＋120＋300 ＝ 520 m^3／h

演習問題 38

図のように空気清浄装置を介して外気で室の換気を行う場合，定常状態における換気量の計算式として，適当なものはどれか。

ここに，V：換気量＝外気量[m^3／h]　M：室内の汚染物質発生量[mg／h]

C：室内の汚染物質濃度 [mg／m^3]　C_o：外気の汚染物質濃度 [mg／m^3]

η：空気清浄装置の汚染物質の捕集率

(1)　$V = \dfrac{M}{C-(1+\eta)C_o}$

(2)　$V = \dfrac{M}{C+(1+\eta)C_o}$

(3)　$V = \dfrac{M}{C-(1-\eta)C_o}$

(4)　$V = \dfrac{M}{C+(1-\eta)C_o}$

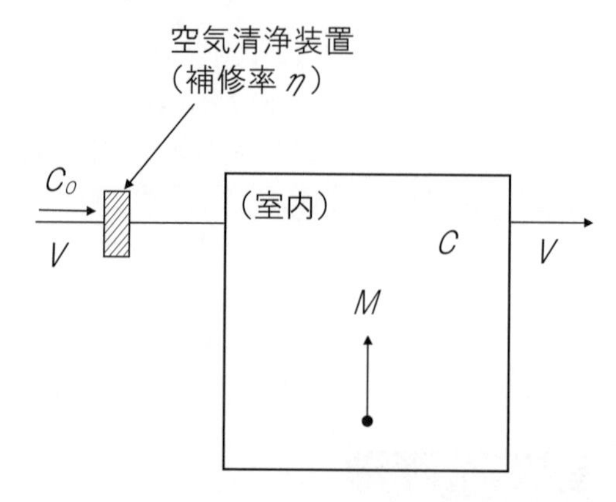

解答　解説

(3)　外気を汚染物質の捕集率（η）の空気清浄装置により，浄化する場合，外気による汚染物質量は $(1-\eta)VC_o$ となる。室内の汚染物質量は，外気による汚染物質量と室内の汚染物質発生量の和であり，汚染物質の収支は，$VC = (1-\eta)VC_o+M$ となる。

この式より，換気量（V）は次式で表される。

$V = M/C-(1-\eta)C_o$ となる。

3. 室内空気汚染

ⓐ 室内空気汚染防止

1. 室内のCO_2濃度を低下させるには，外気導入量の増加，喫煙の制限，人員過密の改善，開放型燃焼器具の使用禁止，間仕切の制限などの対策を講ずる。
2. 室内のCO濃度を低下させるには，喫煙の制限，開放型燃焼器具の使用禁止，地下駐車場の車の排ガスの流入防止などの対策を講ずる。
3. 室内の浮遊粉じん量を減らすには，高集塵率フィルタの設置，喫煙の制限，などの対策を講ずる。
4. 室内の空気のよどみをなくすには，各吹出口風量の調節，間仕切りの制限，などの対策を講ずる。

ⓑ たばこの含有物質

① ニコチン，タール，ホルムアルデヒド，窒素酸化物，カドミウム，ベンツピレン，CO，CO_2，アンモニア，シアン，アクロレイン。
② なお，CO_2は受動喫煙では健康上それほど問題にはならない。
③ ホルムアルデヒドは眼やのどを刺激する物質である。
④ ニコチン，カドミウム，及びタール等は発がん物質である。

ⓒ カビ，浮遊微生物

1. カビはアレルギーの原因となることがある。
2. カビ粒子は，清掃などの作業により飛散しやすい。
3. カビ粒子は，浮遊するため沈積しにくい。
4. カビの害は年間を通して発生する。
5. 加湿用水中のカビなどが加湿器病の原因となることがある。
6. 空気中の浮遊微生物には細菌や真菌（カビ）がある。
7. 細菌は，一般に粉塵に付着して浮遊している。
8. 真菌は，一般に粉塵に付着しないで単独で浮遊している。
9. 空気中に浮遊する真菌はアレルギー性呼吸器疾患の原因となりやすい。
10. 細菌粒子の大きさは，一般にタバコの煙粒子（平均0.25ミクロン）より大きく0.2～80ミクロンといわれる。
11. カビの発育に好適な温度は20～30℃である。

ⓓ 浮遊粉塵

1. 室内の浮遊粉塵については，相対沈降径が 10 μm（ミクロン）より大きい粒子を除いて重量濃度を測定することになっている。
2. 相対沈降径とは，粉塵の直径を空気中において当該粉塵と等しい沈降速度を示す比重 1 の球体の直径で表したものである。

ⓔ 浮遊粒子状物質

1. たばこの副流煙の一次粒子はきわめて拡散作用が大きく，互いに凝集して大きな粒子に成長する。
2. くしゃみの際に口から吐き出された唾液の粒子は，水分を蒸散させながら床などに沈降する。
3. ディーゼル機関の排気ガス中の粒子は，中性能フィルタを通過してビル内に侵入することがある。
4. 靴に付着して室内に侵入した土砂の粉塵は，粒径が 10 ミクロンを超えるものが多い。
5. 羊毛製の衣類から離脱した繊維は粒径が大きいので，浮遊せず沈降する。

ⓕ アスベスト

1. 耐熱性，保温性，耐久性，吸音性等に優れている。
2. 吸入 15～20 年後に肺癌が発生する。
3. 吹き付けアスベストは，劣化すると剥離飛散しやすくなる。
4. 空気中の濃度規制値として，10 本／ℓ が示されている。
5. 除去にはセメントによる固化で飛散を防止する。
6. 汚染防止対策として，囲いこみ，封じ込み，除去等がある。
7. 封じ込みで薬液により表面に固い層を作ると，多孔質の孔が塞がれ，吸音特性はほとんど失われる。
8. 室内の粉塵濃度の測定に用いるローボリウムエアサンプラーでは，相対沈降径がおおむね 10 μm 以上の粒子を沈降分離するセパレータのあとに 0.3 μm の粒子を 99.9 %以上捕集するガラス繊維ろ紙を装置した状態で試料の吸引が行われる。
9. 浮遊粉塵，CO_2，CO の測定は始業後，終業前，その中間の 3 回行い，その時の測定値を算術平均した値で判定する。
10. 室内粉塵は，温度の高い場所よりも低い場所の方が付着しやすい。

演習問題 39

在室人員が 26 人の居室の二酸化炭素濃度を，1,000 ppm 以下に保つために必要な最小換気量として，適当なものはどれか。

ただし，外気の二酸化炭素濃度は 350 ppm，人体からの二酸化炭素発生量は 0.02 m^3／（h・人）とする。

(1) 520 m^3／h
(2) 650 m^3／h
(3) 800 m^3／h
(4) 1,200 m^3／h

解答 解説

(3) $V = M / C - C_o$　ここに，V：有効換気量[m^3／h]　M：有毒ガス発生量[m^3／h]
C：許容濃度[m^3／m^3]　C_o：導入外気のガス濃度［m^3／m^3］

$$V = 26 \times 0.02 / 0.001 - 0.00035$$
$$= 0.52 / 0.00065$$
$$= 800\ m^3/h$$

演習問題 40

換気設備に関する記述のうち，適当でないものはどれか。

(1) 開放式燃焼器具を使用する台所は，燃焼空気を必要とするので，周囲の室より正圧となる第 2 種機械換気を採用した。
(2) 書庫は，書庫内の湿気・臭気を除去するため，周囲の室より負圧となる第 3 種機械換気を採用した。
(3) ドラフトチャンバーを設置する室は，隣接する他の室より負圧に保つようにした。
(4) 業務用厨房には，第 1 種機械換気を採用し，室内を負圧に保つようにした。

解答 解説

(1) 開放式燃焼器具を使用する台所は，空気が汚染され，水蒸気が発生し，臭気も出るので，拡散しないように周囲の室より負圧となる第 3 種機械換気を採用する。

第2章 空調設備

4. エアフィルタ

ⓐ エアフィルタの種類，材質

1. 電気集塵機には，その風上に通常粗塵フィルタを設ける。
2. 超高性能のエアフィルタのろ材には，ガラス繊維が使用される場合が多い。
3. ろ材繊維の間の隙間よりも小さい粒子まで捕集される。
4. エアフィルタユニットの圧力損失を低くするためにろ材をジグザグに折り曲げて使用するものもある。
5. HEPA フィルタとは超高性能フィルタのことで，クリーンルームなどに使われる。
6. エアフィルタには集塵方式により布フィルタ，不織布フィルタ，電気集塵機などがある。
7. ろ過式フィルタにはユニット型とオートロール型とがある。

ⓑ エアフィルタ性能

1. エアフィルタの性能表示は，定格処理風量における次の項目について行われる。
   ① 圧力損失
   ② 汚染除去率（粉塵の場合は粉塵捕集率，有害ガスの場合はガス除去率）
   ③ 汚染除去容量（粉塵の場合は粉塵保持容量，有害ガスの場合はガス除去容量）
   ④ 処理風量
2. 一般にエアフィルタの粉塵捕集率は粉塵粒子の大きさによって異なり，粉塵の粒径が小さいほど捕集率が低い。
3. 一般にエアフィルタの汚れの程度は，フィルタ前後の圧力差によって判断される。
4. エアフィルタは CO，CO_2 等のガスに対する吸着効果は期待できない。
5. 活性炭フィルタは脱臭目的に使われ CO_2 や CO 及び粉じんの除去には効果がない。
6. エアフィルタを通過する空気の速度は，1～3 m／s が最適である。
7. 粒径の小さい粉塵に対するエアフィルタの捕集率はフィルタの通過風量に反比例する。

8. 高性能フィルタはろ材が緻密になり通気抵抗が増すので，ろ材面積を大きくして空気のろ材通過速度を小さく選ぶ。
9. 一般に粉塵捕集効率の高いものほど，圧力損失が大きい。
10. 一般に面風速を遅くした方が粉塵捕集効率が高い。
11. 一般にろ材面積を大きくした方が粉塵捕集効率が高い。
12. エアフィルタを通過する空気は，通過風速の2乗に比例する抵抗を受ける。($V^2/2g$)

演習問題 41

エアフィルタに関する次の記述のうち，不適当なものはどれか。

(1) エアフィルタの性能を表すものとして，圧力損失，処理風量，粉塵捕集率などがある。
(2) エアフィルタは物理的除塵装置であり，COやCO_2などのガスに対する吸着効果は期待できない。
(3) エアフィルタの汚れの判断資料として，フィルタ前後の圧力差を利用することが多い。
(4) 濾過式エアフィルタは，一般に粉塵捕集率の高いものほど圧力損失は小さい。

解答 解説

(4) 粉塵捕集率の高いものほど圧力損失は大きい（上記ⓑの9.）。

演習問題 42

エアフィルタに関する次の記述のうち，不適当なものはどれか。

(1) 高性能（HEPA）フィルタは，二酸化炭素の除去に有効である。
(2) 衝突粘着式フィルタは，厨房のグリスフィルタとして使用される。
(3) ろ材誘電形集塵機は静電気を利用するもので，1ミクロン程度の粒子を捕集することができる。
(4) 活性炭フィルタは，塩素ガスや亜硫酸ガスを吸着することができる。

解答 解説

(1) 高性能（HEPA）フィルタは，二酸化炭素や一酸化炭素の除去や吸着はできない（P.126ⓑの4.）。

演習問題 43

エアフィルタに関する次の記述のうち，不適当なものはどれか。

(1) 高性能フィルタ（HEPA）は，細菌やウィルスの付着したミストや放射性粉塵を除去することができる。

(2) 電気集塵機は，たばこの煙を捕集することができる。

(3) 活性炭フィルタは，分子量の小さいガスの除去には効果がある。

(4) 不織布フィルタは，洗浄すれば再利用できる。

解答 解説

(3) 活性炭フィルタは，分子量の大きい塩素ガスや亜硫酸ガスの吸着には効果があるが，分子量の小さい二酸化炭素や一酸化炭素の除去や吸着はできない。

演習問題 44

空気清浄装置に関する記述のうち，適当でないものはどれか。

(1) 自動巻取形フィルターは，ロール状に巻いたろ材をタイマーや前後の差圧により電動機で自動的に移動させる機構となっている。

(2) 静電式の空気清浄装置は，高圧電界による荷電及び吸引付着力により粉じんを除去するもので，比較的微細な粉じんの除去に使用される。

(3) 活性炭フィルターは，活性炭を吸着材として用いるもので，主に臭気の除去に使用される。

(4) HEPA フィルターは，ろ材面積を狭くすることにより，ろ材の通過風速をはやくしており，クリーンルームなどの超高度の空気清浄用に使用される。

解答 解説

(4) HEPA フィルターは，特殊加工したガラス繊維をろ材として使用し，圧力損失を少なくするために通過風速を非常に遅くした構造で，ろ材を折りたたんでその間に金属箔のセパレータを入れ，ろ材とろ材の間隔を保ち，ろ過面積を広くしている。放射性ダストの除去，クリーンルームなどの超高度の空気浄化用に使用される。

4 排 煙

1. 排煙量計算

ⓐ 排煙機排煙量

1. 防火区画が単独の場合

　単独の防煙区画を受け持つ排煙機の排煙量は，防煙区画の床面積 1 m^2 当たり 1 m^3／分として求める。ただし最低 120 m^3／分以上とする。

2. 防火区画が複数の場合

　2 以上の防煙区画を受け持つ排煙機の排煙量は次式で求める。

　$Q = 2 \times A$　　ここに

　　Q ＝ 排煙機の排煙量（m^3／分）

　　A ＝ 当該排煙機が受け持つ最も大きい防煙区画の床面積（m^2）

　ただし最低 120 m^3／分以上とする。

ⓑ 排煙ダクト風量

1. 排煙ダクトの風量計算は，次のようにして行う。
   ① 排煙口は，上下階の同時開放はしない。
   ② 同一階においては，隣接する 2 防煙区画の同時開放で算定する。
   ③ 縦ダクトは，各階ごとに算定される排煙風量の最大のものを選択する。
2. 各室の排煙ダクトの風量は，床面積 1 m^2 当たり 1 m^3／分として求める。

演習問題 45

区画面積が 300 m^2，250 m^2 及び 150 m^2 の 3 つの防煙区画を受け持つ排煙機の必要最小風量として正しいものはどれか。

(1) 550 m^3／時

(2) 600 m^3／時

(3) 36,000 m^3／時

(4) 72,000 m^3／時

第2章 空調設備

(3) 防煙区画が複数であるから，区画面積が最大の300に2を乗じた600 m^3／分であるが，解答肢は時間単位になっているので，これを60倍して36,000 m^3／時となる。

演習問題 46

図のような排煙設備において，排煙機風量の最小値〔Q〕と，ダクトA部の算定風量〔D〕の最小値との組合せとして，適当なものはどれか。

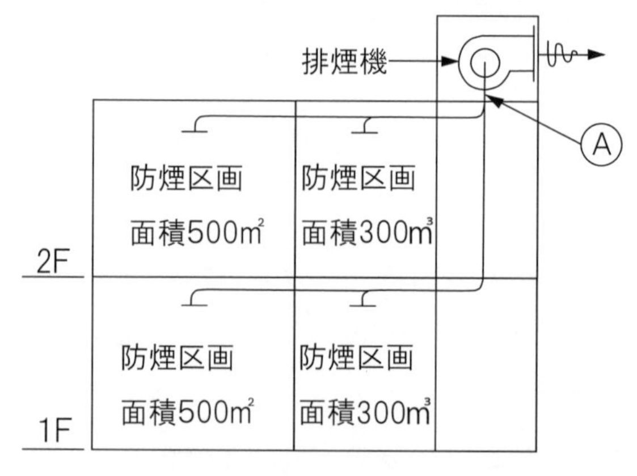

	Q（m^3／分）		D（m^3／分）
(1)	800	——	500
(2)	1,000	——	800
(3)	1,600	——	1,000
(4)	3,200	——	1,600

解答 解説

(2) 防煙区画が複数であるから，排煙機の排煙風量は，最大区画の500に2を乗じた1,000 m^3／分となる（前頁，ⓐの2.）。また，ダクトA部の算定風量は，各階の合計床面積800に1を乗じた800 m^3／分となる。

2. 防・排煙方式，構造

ⓐ 排煙方式

1. 自然排煙方式は，直接外気に面する窓や排煙口より煙を排出させる方式で，煙の浮力を利用するため，給気口を下部に設けると効果的である。
2. 機械排煙方式は，排煙機により強制的に煙を排出する方式で，一定量の煙を確実に排出でき，また，火災室を減圧するため，煙の拡散防止も可能である。
3. 加圧防煙方式は，空間の内圧を高めて煙の侵入を防ぐ方式で，避難計画上重要な階段などの防煙に有効である。

ⓑ 建築基準法規定

1. 排煙設備の設置を要する建築物又は建築物の部分。
   ① 特殊建築物で，延べ面積が 500 m^2 を超えるもの。
   ② 階数が 3 以上で延べ面積が 500 m^2 を超える建築物。
2. 設置を要しないもの，学校等，階段室，昇降機の昇降路。
3. 排煙口は，防煙区画の各部分から水平距離で 30 m 以下の位置に設ける。
4. 天井高が 3 m 未満の場合の排煙口は，天井又は天井から 80 cm 以内で，かつ，防煙壁下端より上方の部分に設ける。
5. 天井高が 3 m 以上の場合の排煙口は，床面から 2.1 m 以上，天井の高さの 1／2 以上，かつ，防煙壁下端より上方の部分に設ける。
6. 排煙口の手動開放装置の手で操作する部分は，壁に設ける場合，床面から 80 cm 以上 150 cm 以下の高さの位置に設ける。
7. 排煙口が防煙区画部分の床面積の 1／50 以上の開口面積を有し，かつ，直接外気に接する場合を除き，排煙機を設ける。
8. 防煙垂れ壁は，天井からの下がりが 50 cm 以上のものを設ける。
9. 排煙機は，一の排煙口の開放に伴い自動的に作動する構造とする。
10. 排煙口は，主要材料を不燃材料で造ること。
11. 排煙風道で小屋裏，天井裏，床裏等にある部分は，金属以外の不燃材料で覆うこと。
12. 非常用昇降機の設置を要する建築物に設ける排煙設備の制御及び作動状態の監視は，中央管理室においてできること。
13. 排煙風道が防煙壁を貫通する場合は，排煙風道と防煙壁とのすき間をモルタルその他の不燃材料で埋めること。

14. 特別避難階段の付室に設ける排煙設備の給気風道の断面積は，2 m^2 以上とすること。
15. 非常用エレベーターの乗降ロロビーに設ける排煙設備
   ① 直接外気に向かって開けることのできる窓又は機械排煙設備を設ける。
   ② 給気口は，付室と兼用する乗降ロロビーの場合を除き開口面積 1 m^2 以上とすること。
   ③ 排煙口は，乗降ロロビーの天井（天井のない場合においては屋根）又は壁の上部（床面からの高さが天井高さの 2 分の 1 以上の部分をいう）に設けること。
   ④ 排煙口は，直接外気と接する場合を除き，排煙風道と直結すること。
16. 排煙口は，手動開放装置を設けること。
17. 自動式のスプリンクラー設備を設けた建築物の部分にあっては，排煙設備を設置すれば，内装制限の規定は適用されない。
18. 特別避難階段の付室を機械排煙する場合の給気口の開口面積は 1 m^2 以上とし，排煙機の排煙能力は 4 m^3／s 以上とすること。

Ⓒ 留意事項

1. 一つの排煙区画に自然排煙と機械排煙を併用しない方がよい。
2. 廊下排煙のための排煙口は，廊下幅いっぱいにわたるスリット状のものが良い。

演習問題 47

排煙設備に関する記述のうち，適当でないものはどれか。

ただし，本設備は「建築基準法」上の「階及び全館避難安全検証法」及び「特殊な構造」によらないものとする。

(1) 排煙機に接続されるたてダクトの排煙機室の床貫通部には，防火ダンパーを設けなければならない。

(2) 手動開放装置を壁に設ける場合，手で操作する部分の高さは，床面から 80 cm 以上 150 cm 以下とする。

(3) 同一防煙区画に複数の排煙口を設ける場合，排煙口の 1 つを開放することで他の排煙口を同時に開放する連動機構付とする。

(4) 排煙ダクトは，可燃物から 150 mm 以上離すか，又は厚さ 100 mm 以上の金属以外の不燃材料で覆うものとする。

解答 解説

(1) メインダクト（たてダクト）には，原則として防火ダンパーを設けない。排煙機に接続される，たてダクトの竪穴区画の貫通部及び排煙機出口側の排煙出口部分には，防火ダンパーを設けない。

演習問題 48

排煙設備に関する記述のうち，適当でないものはどれか。

ただし，本設備は「建築基準法」上の「階及び全館避難安全検証法」及び「特殊な構造」によらないものとする。

(1) 自然排煙口は，防煙区画部分の床面積の 1／50 以上の排煙上有効な開口面積を有する必要がある。

(2) 排煙口の設置高さは，天井高さが 3 m 以上のときは，床面からの高さが 2.1 m 以上でかつ天井高さの 1／2 以上の部分に設置する。

(3) 一般の事務室の各防煙区画の床面積は，500 m^2 以下とする。

(4) 2 以上の防煙区画を対象とする場合の排煙風量は, 1 分間に 120 m^3 以上で，かつ最大防煙区画の床面積 1 m^2 につき 1 m^3 以上とする。

解答 解説

(4) 2 以上の防煙区画を 1 台の排煙機で受け持つ場合の排煙機の必要最小風量は，120 m^3／min 以上で，かつ，当該防煙区画部分のうち床面積の最大のものの床面積 1 m^2 につき 2 m^3／min 以上とすることと規定されている。

復習問題

問題1　湿り空気に関する記述のうち，適当でないものはどれか。

(1)　飽和湿り空気の水蒸気分圧は，その温度における飽和蒸気圧と等しい。

(2)　露点温度とは，その空気中の水蒸気分圧に等しい水蒸気分圧を持つ飽和湿り空気の温度をいう。

(3)　比エンタルピーを一定に保ちながら相対湿度を上げると，乾球温度も上がる。

(4)　絶対湿度とは湿り空気中の乾き空気の単位重量に対応する水蒸気の重量をいう。

問題2　冷房負荷計算に関する記述のうち，適当でないものはどれか。

(1)　ガラス面からの熱負荷は，室内外の温度差によるガラス面通過熱負荷と，透過する太陽放射によるガラス面日射熱負荷に区分して計算する。

(2)　北側のガラス窓からの熱負荷には，日射の影響は考慮しない。

(3)　設計用外気温度には，一般に，TAC 温度が使用される。

(4)　地中からの熱負荷は，一般に，考慮しない。

問題3　空気調和計画において，空気調和系統の区分とそのゾーニングの組合せのうち，適当でないものはどれか。

	（空気調和系統の区分）	（ゾーニング）
(1)	事務室系統と会議室系統	使用時間別ゾーニング
(2)	事務室系統と電算機室系統	温湿度条件別ゾーニング
(3)	ペリメーターゾーン系統とインテリアゾーン系統	方位別ゾーニング
(4)	事務室系統と食堂系統	負荷傾向別ゾーニング

問題4　地域冷暖房に関する記述のうち，適当でないものはどれか。

(1)　地下鉄の排熱，ゴミ焼却熱などの未利用排熱を有効利用することが可能である。

(2)　最大熱需要の発生時刻が重なっているなど，需要者間の負荷変動の傾向が似かよっている方が採算上有利である。

(3)　建物ごとに熱源機器を設置する必要がなくなるので，床面積の利用率がよくなる。

(4)　熱源の集中化により熱効率の高い熱源機器の採用が可能であり，発電機と併設することでその排熱を利用することができるなど，エネルギーの有効利用が可能となる。

問題 5　**冷凍機の性能に関する次の記述のうち，適当でないものはどれか。**

(1)　蒸発器の伝熱面が汚れると冷媒の蒸発温度は上がる。
(2)　凝縮器の伝熱面が汚れると冷媒の凝縮温度は上がる。
(3)　蒸発器で冷却する水の温度が上がると蒸発温度は上がる。
(4)　凝縮器を冷却する水の温度が上がると凝縮温度は上がる。

問題 6　**吸収冷凍機と圧縮冷凍機との違いに関する次の記述のうち，適当でないものはどれか。**

(1)　吸収冷凍機では，冷凍サイクルにおいて，吸込み過程の代わりに吸収過程がある。
(2)　吸収冷凍機では，冷凍サイクルにおいて，圧縮・吐出し過程の代わりに加熱・分離過程がある。
(3)　吸収冷凍機では，冷凍サイクルにおいて，凝縮・膨張過程に代わる過程として凝縮過程がある。
(4)　吸収冷凍機では圧縮機はなく，代わりに発生器と吸収器があり，冷媒にはリチウムブロマイドを使う。

問題 7　**コージェネレーションシステム（CGS）に関する記述のうち，適当でないものはどれか。**

(1)　ガスタービンは，ディーゼルエンジン，ガスエンジンより発電効率が低い。
(2)　燃料電池を用いるシステムは，総合効率が高く，騒音・振動が小さいうえ NO_X の発生量が少ない。
(3)　ガスエンジンから回収できる排熱は，ジャケット冷却水のみである。
(4)　発電機の受電並列運転（系統連系）とは，発電による電力と商用電力を一体的に供給する方式である。

問題 8　**ヒートポンプに関する記述のうち，適当でないものはどれか。**

(1)　ヒートポンプの採熱源の適応条件としては，容易に得られること，平均温度が高く温度変化の小さいことがあげられる。

(2) ヒートポンプのCOP（成績係数）は，加熱能力を投入したエネルギーで除したものである。
(3) ヒートポンプの除霜運転は，一般に，四方弁を冷房サイクルに切り替えて行う。
(4) ヒートポンプでは，室温の設定温度を上げると，冷媒の蒸発圧力が高くなる。

問題9 **換気に関する次の記述のうち，適当でないものはどれか。**
(1) 外気導入量は，一般には室内酸素濃度によって決められる。
(2) 換気回数とは，1時間に室内空気が外気と入れ替わる回数をいう。
(3) 換気設備のない居室では，床面積の1／20以上の換気のための窓その他の換気に有効な開口部を設ける。
(4) 室内に発生する熱を除去するための必要換気量は，許容室内温度と取り入れ外気の温度との差に反比例し，発生熱量に比例する。

問題10 **エアフィルタに関する次の記述のうち，適当でないものはどれか。**
(1) 活性炭フィルタは脱臭目的に使われCO_2やCO及び粉じんの除去には効果がない。
(2) 一般に粉塵捕集効率の高いものほど，圧力損失が大きい。
(3) 一般に面風速を速くした方が粉塵捕集効率が高い。
(4) 一般にろ材面積を大きくした方が粉塵捕集効率が高い。

問題11 **排煙設備に関する記述のうち，適当でないものはどれか。**
ただし，本設備は「建築基準法」上の「階及び全館避難安全検証法」及び「特殊な構造」によらないものとする。
(1) 排煙たてダクトの風量は，最遠の階から順次比較し，各階ごとの排煙風量のうち，最も大きい風量とする。
(2) 同一防煙区画に複数の排煙口を設ける場合，排煙口の1つを開放することで他の排煙口を同時に開放する連動機構付きとした。
(3) 同一防煙区画において，自然排煙と機械排煙を併用した。
(4) 排煙口が防煙区画部分の床面積の1／50以上の開口面積を有し，かつ，直接外気に接する場合は，排煙機は不要である。

問題12 **排煙設備に関する記述のうち，適当でないものはどれか。**

ただし，本設備は，「建築基準法」上の「階及び全館避難安全検証法」及び「特殊な構造」によらないものとする。

(1) 排煙口のサイズは吸込み風速 20 m／s 以下，排煙ダクトサイズはダクト内風速 10 m／s 以下となるようにする。

(2) 自然排煙口は，防煙区画部分の床面積の 1／50 以上の排煙上有効な開口面積を有する必要がある。

(3) 排煙口は，防煙区画の各部分から水平距離で 30 m 以下になるように設ける。

(4) 同一防煙区画に可動間仕切りがある場合には，それぞれに排煙口を設け連動させる。

復習問題　解答解説

問題 1　(3)　比エンタルピーを一定に保ちながら相対湿度を上げると乾球温度は**下がる**。

問題 2　(2)　北側などの日陰のガラス窓の場合は，直達日射が当たらなくても，43 W／（m^2・h）程度の天空放射による日射を考慮している。

問題 3　(3)　外周部ペリメーターゾーンと内周部インテリアゾーンでは，方位別ゾーニングではなく，負荷傾向別ゾーニングになる。

問題 4　(2)　ピーク負荷と平均負荷の差が大きいと，設備容量が大きくなり年間平均負荷率が低くなる。ピーク負荷の重なりが小さい方が採算上有利である。

問題 5　(1)　蒸発器の伝熱面が汚れると冷媒の蒸発温度は**下がる**。

問題 6　(4)　吸収冷凍機の冷媒は**水**である。

問題 7　(3)　ガスエンジンから回収できる排熱は，ジャケット冷却水だけでなく，排ガス温度 600 ℃程度，出口 120 ℃程度まで排熱回収可能である。

問題 8　(4)　ヒートポンプでは，室温の設定温度にかかわりなく，冷媒の蒸発圧力は一定である。

問題 9　(1)　外気導入量は，一般には**室内炭酸ガス濃度**によって決められる。

問題 10　(3)　一般に面風速を**遅く**した方が粉塵捕集効率が高い。

問題 11　(3)　同一防煙区画において，自然排煙と機械排煙を併用すると，自然排煙の排気口が給気口の働きをしてしまい排煙効果が上がらないため，併用はしてはならない。

問題 12　(1)　排煙口のサイズは吸込み風速 **10 m**／s 以下，排煙ダクトサイズはダクト内風速を **20 m**／s 以下となるようにする。

第3章

衛生設備

1　上水施設

1. 水道施設の構成

ⓐ 水道法関連用語

1. 水道とは，導管及びその他の工作物により，水を人の飲用に適する水として供給する施設の総体を言う。但し臨時に施設されたものを除く。
2. 水道事業とは，一般の需要に応じて，水道により水を供給する事業を言う。但し，給水人口が 100 人以下である水道によるものを除く。
3. 簡易水道事業とは，給水人口が 5,000 人以下である水道により，水を供給する水道事業をいう。
4. 簡易専用水道とは，水道事業の用に供する水道及び専用水道以外の水道であって，水道事業の用に供する水道から供給を受ける水のみを水源とするものをいい，具体的には市水道より水の供給を受けるビルの給水施設等をいう。

   なお，受水槽の有効容量の合計が 10 m^3 をこえるものに適用される。
5. 専用水道とは，寄宿舎，社宅，療養所等における自家用の水道，その他水道事業の用に供する水道以外の水道であって，100 人をこえる者にその居住に必要な水を供給するものをいう。
6. 給水装置とは，需要者に水を供給するために水道事業者の施設した配水管から分岐して設けられた給水管及びこれに直結する給水用具をいう。

ⓑ 取水浄水施設

1. 浄水施設は，薬品混和池（微小成分の粗大化）→凝集沈澱池（分離除去）→急速濾過池（濾過除去）→殺菌井（消毒）→配水池→給水，の処理順序を取っている。
2. 上水道施設のフローチャートを次に示す。

   取水施設→貯水施設→導水施設→浄水施設→送水施設→配水施設→給水装置
3. 浄水施設は，原水を水質基準に適合させるために沈澱，濾過，消毒などを行う施設である。

4. 取水施設は，河川，湖沼，地下水等から粗いごみや砂を取り除いて水を取り入れる施設である。
5. 配水施設は，浄化した水を給水区域内の需要者に必要な圧力で必要な量を配水するための施設である。
6. 導水施設は，原水を取水地点より浄水施設まで送る水路をいい，自然流下式とポンプ加圧式とがある。
7. 送水施設は，浄水施設から配水池まで水を送る施設で，管水路式と暗きょ式とがある。

Ⓒ 上水道計画

1. 計画取水量は，計画1日最大給水量を基準とする。
2. 計画浄水量は，計画1日最大給水量を基準とする。
3. 平時における計画配水量は，計画時間最大給水量とする。
4. 配水池の有効容量は，計画1日最大給水量の8～12時間分を標準とする。

演習問題 1

上水道に関する記述のうち，適当でないものはどれか。

(1) 浄水施設のうち凝集池は，凝集剤と原水を混和させる混和池と微小フロックを成長させるフロック形成池で構成される。
(2) 送水施設は，浄水施設から配水池までの施設であり，ポンプ，送水管などで構成される。
(3) 取水施設は，取水された原水を浄水施設まで導く施設であり，その方法には自然流下式，ポンプ加圧式及び併用式がある。
(4) 配水施設は，浄化した水を給水区域の需要者にその必要とする水圧で所要量を供給するための施設で，配水池，ポンプ，配水管などで構成される。

解答 解説

(3) 取水施設は，河川，湖沼，または地下水源より水を取り入れ，粗いゴミ等を取り除いて導水施設へ送り込む施設である。

2. 給水方式

重要 重要

ⓐ 高置水槽方式

1. いったん受水槽に貯水し，これをポンプで高置水槽に揚水し，これより各給水器具へは重力で給水する方式をいう。
2. 最も設置例が多い。圧力変動は殆どなく短時間の停電にも対応できる。
3. 高置水槽は，最上階の大型瞬間湯沸器や大便器洗浄弁より 10 m 上方の位置に設置することが望ましい。なお，洗浄弁の水圧は 70 kPa 以上必要である。
4. 揚水ポンプと高置水槽の平面的な位置が離れている場合には，ホンプの吐出管の横走配管はなるべく低いところで行う方がウォータハンマを生じにくいので，横走は下層階で行う。

ⓑ 圧力水槽方式

1. 高置水槽では十分な落差が得られない低層建物で，密閉タンクに貯水し圧縮空気を送入して給水圧力を作り給水する方式をいう。
2. 圧力水槽方式は一般のビルで使用されることは極めて少なく，地下街，地下駐車場などで使用される。
3. 貯水量は，通常，給水ポンプの容量の 1～2 分間分である。
4. 給水に利用できる有効容量は，圧力水槽の容量の 10 %程度である。
5. 水圧の変動の幅は高置水槽方式よりも大きく　98 kPa～147 kPa 程度変化する。
6. 給水ポンプの吐出圧力は，一般にタンクレス方式よりも高くする必要がある。
7. 給水ポンプ揚水量は，瞬時最大予想給水量以上とする。
8. 空気補給のため空気圧縮機を必要とする。
9. 隔膜式圧力水槽は，隔膜で水と空気を分離しているので，水槽内の空気が水に溶け込まないので，空気の補給は不要である。

ⓒ 水道直結方式

1. 水道事業者の給水管から直接給水栓末端まで配管で給水する方式で，低層の一般家庭は殆どこの方式である。
2. 水道直結方式は給水が途中で大気に触れることがないため，水が汚染される機会は殆どない。

3. 水道本管の水圧が低いところでは，水道直結方式は適当でなく，いったん受水槽に貯水の後高置水槽方式又は圧力タンク方式を採用しなければならない。

ⓓ タンクレス方式

1. ポンプ加圧直送方式とも言い，高置水槽を設けずに受水槽の水を常時ポンプで加圧して給水可能状態にしておく方法をいう。
2. 給水ポンプの吸込み管を直接水道引込管に接続すると，近隣の建物の水が出なくなる恐れがあるので必ず受水槽を設ける。
3. ポンプ過熱防止用締切運転防止装置（バイパス配管）が必要である。
4. 夜間など要求水量が少ない場合，小容量の可変速ホンプを設けることがある。

ⓔ 増圧直結給水方式

1. 給水管に増圧ポンプを直結し，受水槽を経由せずに直接中高層階へ給水する方式をいう。
2. 衛生上の問題が発生しやすい小規模受水槽を設置せずに末端の給水栓まで直接給水するため，給水環境の質的向上が図られる。
3. 増圧ポンプ，逆流防止用機器等から構成され，個々の建物ごとに設置される。

演習問題 2

給水方式に関する次の記述のうち，不適当なものはどれか。

(1) 圧力水槽方式は，停電時の給水のために一般に発電機を設置する。
(2) 水道直結方式では，水道事業者の規定に適合した給水装置としなければならない。
(3) 圧力水槽方式では，タンクレス方式より給水ポンプの揚程を小さくできる。
(4) 高置水槽方式で，高置水槽の設置高さは，高置水槽から水栓，器具までの配管摩擦損失及び最低必要圧力を考慮して求める。

解答 解説

(3) 圧力水槽方式の給水ポンプの吐出圧力は，一般にタンクレス方式よりも高くする必要がある（P.142，Ⓑの 6. 参照）。

演習問題 3

給水方式に関する次の記述のうち，不適当なものはどれか。

(1) 下階の機械室スペースは，圧力水槽方式より高置水槽方式の方が小さくできる。

(2) 給水圧力の変動は，圧力水槽方式より高置水槽方式の方が小さい。

(3) ポンプ最大吐出量は，タンクレス方式より高置水槽方式の方が小さくできる。

(4) 高置水槽方式において，同一特性の揚水ポンプを 2 台並列運転したときの揚水量は，1 台単独運転のときの 2 倍となる。

解答 解説

(4) 摩擦損失を無視すれば 2 倍となるが，揚水管の径が変わらないので流量増加で流速が増加し摩擦損失も増加するので，2 倍にはならない。

3. 貯水槽

ⓐ 貯水槽の構造要件

1. 貯水槽は断水させないでも掃除ができる構造とする。
2. 貯水槽の天井又は蓋には 1／100 程度の勾配を設ける。
3. 貯水槽には通気装置を設ける。
   但し有効容量が 2 m^3 未満の場合は設けなくてもよい。
4. 貯水槽の通気装置として排風機を使用する場合は，外気に直接開放しなければならない。ダクトに接続してはならない。
5. 貯水槽内に死水が発生しないよう，流入口と給水口の位置に留意する。
6. 貯水槽のオーバーフロー管の排水空間は管径の 2 倍以上とする。ただし最小 150 mm とする。
7. 貯水槽の天井がふたを兼ねる場合には，貯水槽にマンホールを設けなくてもよい。
8. 貯水槽内に隔壁を設けて 2 区画に分割する場合，その隔壁間の空間は，保守点検のための空間とはみなされない。
9. 高置水槽は耐震を考慮して建築物の構造耐力上主要な部分に緊結するこ

と。

ⓑ 貯水槽の汚染防止

1. 給水タンクの天井，底または周壁は，建築物の他の部分と兼用してはならない。
2. 飲料水槽内には，飲料水配管以外の配管を通してはならない。
3. 槽内面の塗料には水質に悪い影響を与えるものを使用してはならない。
4. 貯水槽のマンホールは内径 60 cm 以上とし，ほこりや雨水が侵入しないよう，その取付け面より 10 cm 以上立ち上げ，防水，密閉形とする。
5. 受水槽の材質は，鋼板製，FRP 製又は木製とする。
6. 上水タンクと井水タンクを逆止め弁を有する非常用バイパス管で接続するとクロスコネクションとなるので，絶対行ってはならない。
7. 貯水槽のマンホールは点検や清掃時以外は施錠できる構造とし，貯水槽が大きい場合は 2 個以上設ける。
8. 貯水槽に設ける通気管やオーバーフロー管の管端には防虫網を設置する。

ⓒ 貯水槽留意事項

1. 貯水槽の上に，ポンプその他の機器類を設置してはならない。ただし貯水槽の上部に床又は受け皿を設ける場合はこの限りでない。なお，マンホールの上部は避けて設けること。
2. 貯水槽の底及びその周壁の周囲には 60 cm 以上の空間を設ける。また上部には 100 cm 以上の空間を設ける。
3. FRP 製貯水槽は，H 形鋼などで作った架台の上に乗せて設置する。
4. 高置水槽を塔屋上に設置する場合には，転落防止用のさくを設ける。また塔屋屋上への昇降路は簡易なタラップは危険なため階段とする。
5. 高さが 1 m 程度の貯水槽には内はしごを設けなくてもよい。なお，内ばしごは部材内部に水がたまるパイプ状のものは使用しないこと。
6. 給湯設備の膨張管は貯水槽に接続してはならない。
7. 貯水槽と消火用水槽との兼用はなるべく避けること。
8. 鋼板製の高置水槽の内部に隔壁を設けて水槽を二分割する場合には，清掃時に結露を生ずることを防ぐため，隔壁を 2 枚入れ，中間に空気層を設ける。
9. 鋼板製貯水槽の鉄材を錆びるにまかせておけば，木材より早く傷みその厚さの 1 %が減れば強度において 5～10 %も減る。

ⓓ 貯水槽の貯水量

1. 貯水槽の有効容量は，通常，オーバーフロー管の下端と，吸水弁（フートバルブ）の上端との間を有効深さとして算出する。
2. 貯水槽の適量貯水量
   受水槽――1日使用水量の1／2又は4時間分
   高置水槽――1日使用水量の1／10又は1時間分

ⓔ 給水量

1. 1時間当たりの平均予想給水量は，1日当たりの予想給水量と1日当たりの水の使用時間から求められる。
2. 1時間当たりの最大予想給水量は1時間当たりの平均予想給水量の1.5～2倍とする。
3. 1時間当たりの平均予想給水量に対する瞬時最大予想給水量の割合は，学校，工場，映画館等では，水使用が短時間に集中するので，一般に事務所に比べて大きくとる。
4. 給水設備の機器類の容量決定には，1日当たりの予想給水量，1時間当たりの平均予想給水量，瞬時最大予想給水量等が利用される。

ⓕ 給水圧力

器具に必要な給水水圧は次のとおりである。(1 kgf／cm^2 = 0.1 MPa)

① ホテル，共同住宅――0.25～0.35 MPa
② 一般水栓―― 30 kPa
③ 4～5号ガス瞬間式湯沸器―― 40 kPa
④ 壁掛けストール型小便器―― 50 kPa
⑤ シャワー―― 70 kPa
⑥ 大便器洗浄弁―― 70 kPa
⑦ 小便器洗浄弁―― 40 kPa

演習問題 4

貯水槽に関する次の記述のうち，不適当なものはどれか。

(1) 内部の保守点検を容易かつ安全に行うことができる位置に，直径45 cm以上の円が内接するマンホールを設ける。
(2) オーバーフロー管及び水抜き管の管端は間接排水とする。

(3) FRP製水槽と配管の接続には可とう継手を使用し，配管の重量が直接水槽にかからないように支持する。

(4) 貯水槽の底及びその周壁の周囲には60 cm以上の空間を設け，保守点検が容易にできるようにする。

(1) 貯水槽のマンホールは内径60 cm以上とする。

演習問題5

次のうち，飲料水の汚染防止に直接関係のないものはどれか。

(1) クロスコネクションの禁止

(2) バキュームブレーカの設置

(3) 吐水口空間の保持及び間接排水の維持

(4) ウォータハンマの防止

(4) ウォータハンマは，蒸気が配管中で凝縮するときに起きる衝撃現象で，飲料水の汚染防止とは直接関係はない。

4. 給配水管

ⓐ 配水管

1. 配水管とは，配水池又は配水ポンプを起点として配水するために布設する管をいう。
2. 公道に配水管を布設する場合の土かぶりは，120 cm以上を標準とする。
3. 配水管を他の地下埋設物と交差又は近接して布設するときは，30 cm以上の間隔を保つものとする。
4. 口径800 mm以上の管路については，施工，維持管理上の要所に人孔を設けるものとする。
5. 給水装置の配水管への取付け口の位置は，他の給水装置取付け口から30 cm以上離す。
6. 配水管の管径は，配水池，配水塔及び高架水槽等の水位を最低水位として算定する。

7. 配水管の最大動水圧は，最高 392 kPa 程度とする。
8. 配水管の最小動水圧は，直結給水範囲などの地域特性に応じて必要な水圧とし，147 kPa～196 kPa を標準として定めている。
9. 配水管は，他の水道事業者が経営する水道の配水管と接続して相互に水の供給を行い，又は事故時などに備え連絡管を配置することは差し支えない。
10. 伸縮自在でない継手を用いた管路の露出部には，20～30 m の間隔に伸縮継手を設ける。
11. 埋設管には誤認を避けるため，原則として企業者名，布設年次，業種別名等を明示するテープを貼り付ける。
12. 水圧が高く管径の大きい配水管にバルブを設ける場合は，上下流の圧力差を軽減してバルブの開閉を容易にするためにバイパス管及びバイパス弁を設ける。
13. 硬質塩化ビニル管に分水栓を取り付ける場合は，配水管の折損防止のためにサドルを使用する。

ⓑ 導水きょ

1. 平均流速の最小限度は，3.0 m／s とする。
2. 分岐点，合流点，その他必要な箇所には，接合井，人孔及び角落としなどを設ける。
3. なるべく暗きょとし，十分な水密性，耐久性のあるものとする。
4. 平均流速の最大限度は，水路内面がモルタル又はコンクリートの場合は 3.0 程度とする。

ⓒ 上水汚染防止

大気圧式バキュームブレーカは，逆サイホン作用を防止するため容器のあふれ縁より高い位置に設ける。

飲料水系統の配管に，止水弁と逆止弁を介して井水系統の配管と接続するとクロスコネクションとなるので，絶対に行ってはならない。

水栓などの開口部は，水受け容器のあふれ縁との間に適切な吐水口空間を設ける。

浴用のハンドシャワには浴槽や洗面器等のあふれ縁より上方にバキュームブレーカを設ける。

地中に埋設する給水管は，排水管と交差する場合，排水管の上方に配管する。

ⓓ ウォータハンマ

1. ウォータハンマ防止対策
   ① 配管中に凹凸配管を設けない。
   ② 常用圧力を 98 kPa～196 kPa 程度にする。
   ③ 管内流速を極力遅くする。（衝撃圧は流速に比例する）
   ④ 配管長に比して配管の曲折箇所を極力少なくする。
   ⑤ エアーチャンバ又はウォータハンマ防止器を取り付ける。
   ⑥ ポンプ吐出側に衝撃吸収式逆止弁を設ける。
2. ウォータハンマの生じやすい条件
   ① 配管中の圧力が常に著しく高い場合。
   ② 配管中の流速が常に著しく速い場合。
   ③ 配管中に凹凸配管のある場合。
   ④ 水栓類を瞬間的に開閉する場合。
   ⑤ 揚水ポンプと高置タンクの設置場所が平面的に離れていて揚水管を高い位置で横走りさせる場合。（最下階で横引きすること）
3. ウォータハンマの水撃圧の大きさは，管内流速に比例する。
4. 流量が同一であれば，管径の大きい水撃圧は小さくなる。
5. 流速が同一の場合，水撃圧は硬質塩化ビニル管より鋼管の方が大きい。

ⓔ 配管接合法

給水管に使用する管類の接合法は次の通りである。

① 水道用ポリエチレン管――――――――――熱溶着式スリーブ接合又はメカニカル接合
② 水道用ステンレス鋼鋼管―――――――――溶接接合
③ 水道用硬質塩化ビニルライニング鋼管―――ねじ接合
④ 銅管――――――――――――――――――ろう付けによる接合

演習問題 6

配水管に関する次の記述のうち，不適当なものはどれか。

(1) 管径 800 mm 以上の管路には，点検及び修理用の人孔を設ける。
(2) 最小動水圧は，59 kPa～118 kPa を標準とする。
(3) 公道に布設する場合の土かぶりは，120 cm 以上を標準としている。

⑷　配水本管と他の地下埋設物との間隔は，30 cm 以上とする。

解答 解説

⑵ P.148，ⓐの 8. より，最小動水圧は，147 kPa～196 kPa を標準とする。

演習問題 7

給水設備に関する次の記述のうち，不適当なものはどれか。

⑴　揚水ポンプの全揚程は，ポンプ実揚程と吐出し速度水頭の合計によって決める。

⑵　水栓の給水圧力は，事務所などでは 392 kPa～490 kPa 程度に抑える。

⑶　給水圧力の変動は，圧力水槽方式より高置水槽方式の方が小さい。

⑷　受水槽の容量は，一般に 1 日予想使用量の半分程度を目安とする。

解答 解説

⑴　揚水ポンプの全揚程は，ポンプ実揚程と吐出し速度水頭，及び吸込側と吐出側における摩擦損失水頭の合計によって決める。

演習問題 8

給水設備に関する次の記述のうち不適当なものはどれか。

⑴　給水配管のウォータハンマを防止するには，管内流速を遅くする。

⑵　揚水管における水柱分離を防止するには，横引き配管はなるべく上階で行う方がよい。

⑶　大気圧式のバキュームブレーカは，常時圧力のかかっている配管に設けてはならない。

⑷　ウォータハンマ防止器は，ウォータハンマ発生の原因となる弁などのできるだけ近くに設ける。

解答 解説

⑵　横引き配管は最下階で行う。

5. 水質基準

ⓐ 水質基準

水道法で定めている水質基準 51 項目のうち，主なものは次の通りである。

項目	基準	
一般細菌	1 mℓ の検水で形成される集落数が 100 以下であること	
大腸菌群	検出されないこと	
カドミウム	0.003 mg／ℓ 以下であること	
水銀	0.0005	〃
セレン	0.01	〃
鉛	0.01	〃
ヒ素	0.01	〃
六価クロム	0.02	〃
シアン	0.01	〃
硝酸態窒素及び亜硝酸態窒素	10	〃
フッ素	0.8	〃
四塩化炭素	0.002	〃
総トリハロメタン	0.1	〃
亜鉛	1.0	〃
鉄	0.3	〃
銅	1.0	〃
ナトリウム	200	〃
マンガン	0.05	〃
塩化物イオン	200	〃
カルシウム・マグネシウム等（硬度）	300	〃
蒸発残留物	500	〃
陰イオン界面活性剤	0.02	〃
フェノール類	0.005	〃
有機物（全有機炭素（TOC）の量）	3	〃
pH 値	5.8 以上 8.6 以下であること	
味	異常でないこと	
臭気	異常でないこと	

色度 ―――――――――――― 5度以下であること
濁度 ―――――――――――― 2度以下であること

ⓑ 残留塩素検査

1. 残留塩素の検査は，飲料水を供給する末端の給水栓で採取した水について行う。
2. 残留塩素の検査は，原則としてDPD法によって行う。
3. 残留塩素の検査は7日以内ごとに行う。
4. 残留塩素の検査は月曜日に行うのが望ましい。
5. 水道により供給される水においては，いかなる場合においても遊離残留塩素の場合は0.1 mg／ℓ以上，結合残留塩素の場合は0.4 mg／ℓ以上検出されなければならない。

演習問題 9

水道法で定める飲料水の水質基準で，次のうち誤っているものはどれか。

(1) pH値が5.8以上8.6以下であること。
(2) 異常な臭味がないこと。
(3) 大腸菌群が検出されないこと。
(4) 鉄が0.7 mg／ℓ以下であること。

解答 解説

(4) 飲料水の水質基準では，鉄は0.3 mg／ℓ以下。

演習問題 10

残留塩素検査に関する次の記述のうち，不適当なものはどれか。

(1) 残留塩素の検査は，毎月1回の割合で行う。
(2) 残留塩素の検査は，通常，遊離残留塩素について行う。
(3) 残留塩素の検査は，給水栓末端で行う。
(4) 試薬には，DPD（ジエチル－p－フェニレンジアミン）が使われる。

解答 解説

(1) 残留塩素の検査は，7日以内ごとに行う（上のⓑの3.）。

演習問題 11

給水設備に関する記述のうち，適当でないものはどれか。

(1) 受水タンクの容量は，一般に，1日予想給水量の1／2程度である。

(2) 受水タンクにおける吐水口空間とは，給水口端からオーバーフロー管のあふれ縁までの垂直距離をいう。

(3) 水道直結増圧方式のポンプは，高置タンク方式に比べて，一般に，吐出量は小さくできる。

(4) 逆サイホン作用とは，水受け容器中に吐き出された水などが，給水管内に生じた負圧により管内に逆流することである。

解答 解説

(3) 水道直結増圧方式のポンプの吐出し量は，瞬時最大予想給水量（Q_P）に基づいて決定する。高置タンク方式の揚水ポンプの吐出し量は，時間最大予想給水量（Q_{hm}）に基づいて決定する。$Q_P > Q_{hm}$ により，直結増圧方式のポンプの吐出し量が大きい値になる。

2 下水道

1. 下水道法

ⓐ 排水設備の範囲

1. 排水設備とは，ある土地内で発生する下水を公共下水道に流入させるために必要な排水路，排水きょ，その他の排水設備をいう。
2. 具体的には，家屋より敷地内の汚水ますまでをいう。

ⓑ 下水道の種類

1. 流域下水道とは，もっぱら地方公共団体が管理する下水道により排除される下水を受けてこれを排除し，及び処理するために地方公共団体が管理する下水道で二以上の市町村の区域における下水を排除するものであり，かつ，終末処理場を有するものをいう。
2. 公共下水道とは，主として市街地における下水を排除し，又は処理するために地方公共団体が管理する下水道で，終末処理場を有するもの，又は流域下水道に接続するものであり，かつ，汚水を排除すべき排水施設の相当部分が暗きょである構造のものをいう。
3. 都市下水路とは，主として市街地における下水を排除するために地方公共団体が管理している下水道で，その規模が一定以上で，かつ，地方公共団体が指定したものをいう。

ⓒ 下水の排除方式

1. 分流式とは，雨水と雨水以外の全ての排水（家庭下水・工場排水等）を別々の管きょ系統で集水し排除する方式をいう。
2. 合流式とは，雨水と雨水以外の全ての排水を同一の管きょ系統で排除する方式をいう。

演習問題 12

下水道に関する記述のうち，適当でないものはどれか。

(1) 雨水管きょの最小管径は，250 mm を標準とする。

(2) 下水道本管に接続する取付管の勾配は，1／100 以上とする。
(3) 取付管は，下水道本管の中心線から上方に取り付ける。
(4) 管きょ径が変化する場合の接合方法は，原則として，管底接合とする。

解答 解説

(4) 管きょ径が変化する場合又は２本の管きょが合流する場合の接合方法は，原則として，水理学的に優位な水面接合又は管頂接合とする。

2. 管きょ（管渠）

（※試験には「管きょ」と出題されますが念のため「管渠」も覚えておきましょう）

ⓐ 分流式管きょ

1. 分流式下水道の汚水管渠は，合流式下水道の管渠に比べ管径が小さくなるため，管きょの勾配は急になる。
2. 分流式の汚水管きょの最小流速は計画下水量に対し最小 0.6 m／s とする。
3. 分流式の汚水管きょの計画下水量は，計画時間最大汚水量とする。
4. 分流式下水道の汚水中継ポンプ場の能力は，計画時間最大汚水量により決定する。
5. 分流式下水道の処理場のエアレーションタンクの容量は，計画１日最大汚水量により決定する。

ⓑ 合流式管きょ

1. 合流式管きょにおける計画下水量は，計画雨水量と計画時間最大汚水量とを加えた量とする。
2. 計画雨水量は，計画時間最大汚水量に比べて極めて多量であるため，合流式管きょの決定に際しては，計画雨水量が重要な要素となる。
3. ２本の管きょが合流する場合の中心交角は，原則として 60 度以下とし，曲線をもって合流する場合の曲線の半径は，内径の５倍以上とする。
4. 合流式管きょの計画下水量に対する流速は，原則として最小 0.8 m／s，最大 3.0 m／s とする。

ⓒ 雨水管きょ

1. 雨水管きょの計画下水量は，計画雨水量とする。
2. 雨水管きょの最小管径は，250 mm とする。

ⓓ 汚水管きょ

1. 汚水管きょの計画下水量は，計画時間最大汚水量とする。
2. 汚水管きょの最小管径は，200 mm とする。

ⓔ 伏越し管きょ

1. 伏越し管きょの流入口及び流出口は，損失水頭を少なくするためヘルマウス形とする。
2. 伏越し管きょは，一般に複数とする。
3. 伏越し管きょの両端には垂直の伏越し室を設け，ゲート又は角落としを設置する。
4. 伏越し管きょは，水の流れをよくするため，一般に伏越しの上流側の管きょより管径を小さくする。

ⓕ 共通事項

1. 卵形管は，円形管に比べて流量が減っても水深及び流速を十分に確保できる。
2. 管渠は用途に応じて，内圧及び外圧に対して十分耐える構造及び材質のものを使用する。
3. 流速は一般に下流に行くにしたがい漸増させ，勾配は下流に行くにしたがい緩くなるようにする。
4. 段差接合の場合で，段差が 60 cm 以上生ずるときは，流下量に応じた副管付きマンホールを考慮する。
5. マンホールは管きょの起点及び方向，勾配，管きょ径等の変化する箇所，段差の生ずる箇所，管渠の会合する箇所，並びに維持管理の上で必要な箇所に必ず設ける。
6. 硬質塩化ビニル管，ダクタイル鋳鉄管等の可とう性管渠は，原則として自由支承の砂基礎とする。
7. 管きょの最小土かぶりは，原則として 1 m とする。
8. 遠心力鉄筋コンクリート管（ヒューム管）は，外圧強さによって A 形

（カラー継手），B 形（ソケット継手），C 形（いんろう継手），NC 形の 4 種に区分される。

9. 汚水ますの底部には，インバートを設ける。
10. 汚水ますの底部には，深さ 15 cm 以上の泥だめを設ける。
11. 取付け管の取付け位置は，本管の水平中心線より上方とする。
12. 取付け管の勾配は，1／100 以上とする。

g 除害物質

1. 下水道に除害施設の設置を必要とする対象項目が定められており，これらの物質を下水道に流してはならない。
2. 除害対象項目と放流限度
   ① 温度（45 ℃以上のもの）
   ② 水素イオン濃度（pH5 以下又は 9 以上のもの）
   ③ 沃素消費量（1 ℓ につき 220 mg 以上のもの）
   ④ ノルマルヘキサン抽出物質含有量
   （鉱油類含有量――――1 ℓ につき 5 mg を超える物）
   （動植物油脂類含有量――1 ℓ につき 30 mg を超える物）

第3章 衛生設備

演習問題 13

下水道に関する記述のうち，適当でないものはどれか。

(1) 汚水ますの形状は，円形又は角形とし，材質は，鉄筋コンクリート製，プラスチック製などとする。

(2) 管きょ底部に沈殿物が堆積しないように，原則として，汚水管きょの最小流速は，0.6 m／s 以上とする。

(3) 処理区域内においてくみ取便所が設けられている建築物を所有する者は，公示された下水の処理を開始すべき日から 5 年以内に，その便所を水洗便所に改造しなければならない。

(4) 可とう性の管きょを布設する場合の基礎は，原則として，自由支承の砂又は砕石基礎とする。

解答 解説

(3) 3 年以内に，水洗便所に改造しなければならない。

演習問題 14

下水道に関する記述のうち，適当でないものはどれか。

(1) 管きょの最小管径は，雨水管きょでは 150 mm，汚水管きょでは 250 mm を標準とする。

(2) 下水道本管に取付管を接続する場合は，他の取付管から 1 m 以上離した位置とする。

(3) ポンプ場は，下水を自然流下によって放流できない場合などに設ける揚水施設である。

(4) 水処理施設は，一般に，最初沈殿池，反応タンク，最終沈殿池などで構成される。

解答 解説

(1) 管きょの最小管径は汚水管きょでは 200 mm，雨水管きょ及び合流管きょでは 250 mm である。

演習問題 15

下水道の管きょに関する記述のうち，適当でないものはどれか。

(1) 管きょ底部に沈殿物が堆積しないように，原則として，汚水管きょの最小流速は，0.6 m／s 以上とする。

(2) 管きょやマンホールに損傷を与えないように，原則として，汚水管きょの最大流速は，3 m／s 以下とする。

(3) 管きょ径が変化する場合の接合方法は，原則として，管底接合とする。

(4) 管きょ周辺が液状化するおそれがある場合は，良質土，砕石又は固化改良土で埋め戻すなどの対策を施す。

解答 解説

(3) 管きょ径が変化する場合の接合方法は，原則，水面接合又は管頂接合である。(管頂接合が一般的である。)

3　排水施設

1. 排水管

ⓐ 間接排水

1. 間接排水とは，排水系統をいったん大気中で縁を切り，一般の排水系統へ直結している水受け容器又は排水器具の中へ排水することをいう。
2. 間接排水の目的は，汚水の逆流防止と下水ガス，臭気，害虫などの侵入防止である。
3. 水受け容器とは，使用する水，若しくは使用した水を一時貯留し，またはこれを排水系統に導くために用いられる器具または容器をいう。
4. 間接排水としなければならないのは，洗濯機や脱水機など洗濯用機器からの排水（洗濯流しの排水は不要）営業用調理流しの排水など飲食物の供給に関係する器具の排水，などである。
5. 汚れていない排水の間接排水は，屋根又は機械室などの排水開溝に所要の排水口空間をとって排水してもよい。
6. 排水管を開口させてはならないものとして，洗面器手洗器，料理場流し，手術用手洗器，ビデ，洗髪器，洗濯流し等の排水がある。
7. 間接排水とすべき器具の間接排水管に各個通気管を設けても，間接排水としなければならない。
8. 蒸気系統や温水系統からの排水は間接排水とし，十分冷却したのち排水する。
9. 飲料用給水槽の排水口空間の最小寸法は，150 mm とする。
10. 間接排水管の配管長が 500 mm を超える場合には，その水受け容器に近接してトラップを設ける。

ⓑ 雨水排水管

1. 雨水排水立て管には排水トラップを設けなくてもよいが，雨水排水立て管以外のすべての雨水排水管を汚水管や雑排水管に連結する場合は，その雨水排水管に排水トラップを設けなければならない。
2. 雨水排水管（雨水排水立て管を除く）を汚水排水のための配管設備に連

結する場合においては，当該雨水排水管に排水トラップを設けること。
3. 雨水排水管に設ける排水トラップは，雨水排水管ごとに設けるか，または雨水排水管のみを集めてからまとめて一箇所に設ける。
4. 雨水排水管に設ける排水トラップは，屋内用はUトラップ，屋外用はUトラップあるいはトラップますとする。
5. 雨水排水立て管は，汚水排水管や通気管と兼用してはならない。また，雨水排水立て管の途中に，雑排水管を連結してはならない。

ⓒ 排水管施工

1. 敷地排水管は下水本管に向かって下り勾配とする。
2. 適当な排水管の勾配は，管径65 mm以下は1／50，75 mm以上はおよそ管径の逆数程度である。
   （75と100は1／100，125は1／150，150以上は1／200）
3. 排水横管の勾配は，通常1／25より急な勾配はとるべきではない。
4. 管径150 mm以上の排水横主管の勾配は最小1／200が標準とされている。
5. 動水勾配とは，水が土中を流れるときの土の単位長さあたりの損失水頭のことをいう。
6. 排水立て管の管径は一定とし，立て管に接続される器具の排水負荷の合計により決定する。
7. 排水立て管に接続している各階の排水横枝管又は排水横主管の間の垂直距離が2.5 m以下の場合は，ブランチ間隔数に数えない。
8. ブランチ間隔とは，排水立て管に接続している各階の排水横枝管，又は排水横主管の間の垂直距離が2.5 mを超える排水立て管の区間をいう。
9. オフセットとは，排水立て管の位置を横に移行する場合に，エルボやベンドで構成される移行部分をいう。

ⓓ 掃除口

1. 排水横管の掃除口取付け間隔は，排水管の内径が100 mm以下の場合は15 m以内，100 mmを超える場合は30 m以内とする。
2. 隠蔽配管の掃除口は，壁又は床の仕上げ面と同一面で開口するように設ける。
3. 管径が75 mm以上の排水管の掃除口は，周囲にある壁，梁などから450 mm以上離して設ける。

4. 掃除口は，排水の流れと反対又は直角の方向に開口するように設ける。

ⓔ 排水槽

1. 排水槽の底には，吸い込みピットを設け，かつ当該吸い込みピットに向かって1／15以上1／10以下の勾配をつける。
2. 排水槽の通気管は，単独で立ち上げて直接屋外に開放する。
3. 排水槽の容量は，槽への流入量が時間的に平均している場合は，流入量の15〜30分間分位にし，流入量の変動が大きい場合は最大排水時流量の15〜60分間分位にする。
4. 排水槽には，内部の保守点検のために内径60 cm以上の防臭形マンホールを設ける。
5. 吸込みピットは，流入管に近接しない位置に設ける。
6. 吸込みピットの大きさは，フート弁や水中ポンプの吸込み部の周囲及び下部に200 mm以上の間隔をもたせる。

ⓕ 排水管の接続

1. 排水管に使用する管類の接合法は次のとおりである。
   ① 遠心力鉄筋コンクリート管 ―― ゴムリング接合
   ② メカニカル排水用鋳鉄管 ――― メカニカル接合
   ③ 排水用鋳鉄管 ――――――― コーキング接合
   ④ 硬質塩化ビニル管（VP）――― 接着剤による接合
   ⑤ 排水・通気用鉛管 ―――――― はんだ接合又はプラスタン接合
2. 鉛管の曲げ加工は，砂詰めなどをして行う。

ⓖ 配管試験

1. 排水・通気配管工事においては，次の順序で洩れ試験を行う。
2. 配管の防露工事及び衛生器具の取付け前に行う試験
   満水試験又は気圧試験
3. 衛生器具の取付け後に行う試験（トラップは水封）
   煙試験又はハッカ試験
4. 配管の防露工事等，すべての配管工事完了後に行う試験
   通水試験及び機能試験

演習問題 16

排水設備に関する記述のうち，適当でないものはどれか。

(1) 公共下水道に下水を流入させるための排水管の管径が 100 mm であるため，排水ますは 15 m ごとに設置した。

(2) トラップますは，100 mm の封水深を確保できるものとした。

(3) 排水立て管の垂直に対して 60 度のオフセット部の管径は，排水横主管として決定した。

(4) 排水立て管の管径は，いずれの階においても立て管最下部の管径と同一とした。

解答 解説

(1) 排水ますは，管径の 120 倍を超えない範囲内において，排水管の維持管理上適切な箇所に設ける。12 m を超えない範囲内に設ける。

演習問題 17

排水設備の排水槽に関する記述のうち，適当でないものはどれか。

(1) 排水槽の通気管を単独で立ち上げ，最上階で他の排水系統の伸頂通気管に接続して大気に開放した。

(2) 排水槽の吸込みピットは，水中ポンプの吸込み部の周囲に 200 mm の間隔をあけた大きさとした。

(3) 排水槽の底部には，吸込みピットに向かって 1／10 の勾配をつけた。

(4) 排水槽の容量は，最大排水量又は排水ポンプの能力を考慮して決定する。

解答 解説

(1) 通気管は，単独で立ち上げ，大気に開放する。一般の通気管と連結してはならない。

2. 通気管

重要 重要 重要

ⓐ 通気管の目的

1. 排水管内の流れの円滑化
2. 誘導サイホン作用（吸出し作用）やはね出し作用等による破封からのトラップの封水の保護

3. 排水管系統内の換気

ⓑ 通気管の種類

1. だいたい名称から連想する。
2. 逃がし通気管とは，排水，通気両系統間の空気の流通を円滑にするために設ける通気管をいう。
3. ループ通気管とは，通気管と排水立て管とがループ状につながっている通気管をいう。
4. 器具通気管とは，器具排水管から垂直線と 45°以内の角度で分岐し立ち上げる通気管で，それから他の通気管までの間の管をいう。
5. 伸頂通気管とは，排水立て管の頂部を延長し大気中に開口したものをいう。
6. 湿り通気管とは，大便器以外の器具からの排水が流れることがある通気管をいう。
7. 結合通気管とは，2 本の通気立て管を横管でつないだ通気管をいう。
8. 共用通気管とは，2 つの便器の通気管を途中で結合して通気横管に接続する通気管をいう。
9. 各個通気管とは器具ごとに立ち上げる通気管をいう。

ⓒ 通気管の概要

通気管の概要図を次に示す。

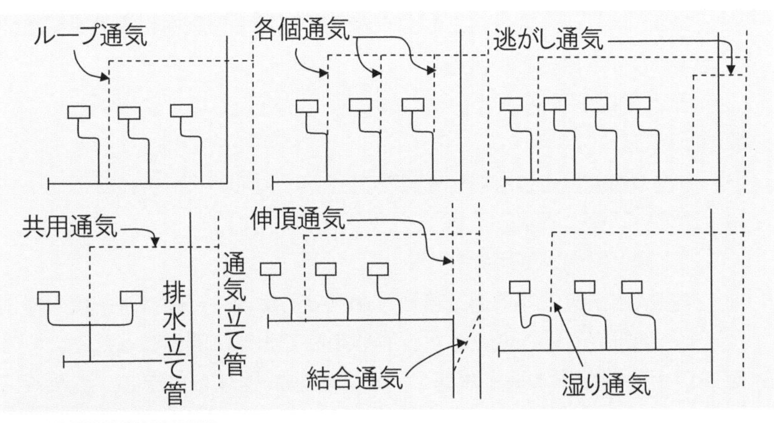

ⓓ 通気管の開口部

1. 屋上を貫通する通気管は屋上から 0.15 m 以上立ち上げて大気中に開口

する。

2. 屋上を庭園，運動場，物干し場などに使用する場合は，屋上から2m以上立ち上げて大気中に開口する。
3. 建築物の外気取入口の上端から0.6m以上立ち上げて大気中に開口する。
4. 上記施工が困難なときは外気取入口の端から水平に3m以上離す。
5. 積雪地方では積雪深度以上の高さとする。

ⓔ 通気管の施工

1. すべての通気管は，管内の水滴が自然落下によって流れるように注意し逆こう配にならないように排水管に接続しなければならない。
2. 排水横管から取り出す通気管は，排水横管の直上部から垂直に取り出すか，又は排水横管の中心線上部から45°以内の角度で取り出す。
3. 排水横管より取り出した通気管は，まっすぐ天井まで立ち上げて横走りさせること。
4. 床下で通気管同士を接続してはならない。
5. 屋上より立ち上がっている通気管の立ち上がり部分を旗竿，テレビ用アンテナなどの目的のために使用してはならない。
6. 間接排水系統の通気管は，他の通気系統に接続することなく単独で大気に開放する。
7. 排水系統の通気管で，ほかの通気系統と接続することなく，単独に大気中に開口しなければならないものとして，排水槽の通気管，特殊排水系統，間接排水系統，気圧式エゼクタからの通気，し尿浄化槽の排気管オイル阻集器の排気管などがある。
8. 通気管と他の配管を接続することは禁止されており，具体例として次の事項がある。
   ① 一般の通気管とし尿浄化槽の排気管
   ② 通気立て管と雨水立て管
   ③ 通気管と室内換気用のダクト
   ④ 間接排水系統の伸頂通気管及び通気立て管と，一般排水系統の伸頂通気管・通気立て管・通気ヘッダ等は単独で大気に開口すること。
9. 2つ以上の間接排水系統があり，その種類が異なるときは，別系統にしなければならない。
10. 原則として床下通気配管は禁止されている。なお，やむを得ずあふれ縁より低位で通気管を横走りする場合は，通気立て管に接続する前にあふれ縁より 150 mm 以上立ち上げて接続する。

11. 通気管は，排水管に接続されている器具のあふれ縁のうち最も高い位置にあるものより少なくとも 15 cm 立ち上げてから横走りさせる。
12. ループ通気管は，排水横枝管の最上流の器具排水管を接続した直後の下流側より取り出す。
13. 逃がし通気管は，最下流の器具排水管を排水横枝管に接続した直後の下流側より取り出す。
14. 通気管の最小管径は，30 mm とする。

演習問題 18

排水・通気設備に関する記述のうち，適当でないものはどれか。

(1) ループ通気管の取出し管径は，排水横枝管の管径と，接続する通気立て管の管径のいずれか小さい方の 1／2 以上とした。

(2) 通気管の管径は，通気管の長さと接続される器具排水負荷単位の合計から決定した。

(3) 通気管の末端を窓などの開口部から 600 mm 以上立ち上げて開放できないので，その開口部から水平に 2 m 離して開放した。

(4) 通気立て管の下部は，最低位の排水横枝管より低い位置で排水立て管に接続した。

解答 解説

(3) 開口部から 600 mm 以上立ち上げられない場合は，その開口部から水平に 3 m 以上離す。

演習問題 19

排水・通気設備に関する記述のうち，適当でないものはどれか。

(1) 各個通気管の取出し位置は，トラップウェアから管径の 2 倍以上離れた位置とする。

(2) 通気管の末端は，窓の端から水平に 3 m 離した位置で大気に開放した。

(3) 排水槽の通気管は，管径を 30 mm とし，単独に立ち上げ大気に開放した。

(4) ループ通気管の管径は，その排水横枝管と通気立て管の管径のうち，いずれか小さい方の 1／2 以上とする。

(3) 排水槽の通気管は，管径を 50 mm 以上とし，槽内の排水を排出するポンプの吐出量に見合う空気を流入させるに十分な管径とする。

3. トラップ

ⓐ トラップの目的

排水管・下水管などからの臭気・下水ガス・ねずみ・衛生害虫などが室内に侵入するのを防止するために，液体で封ずることを水封といい，この水封部分をトラップという。

ⓑ トラップの破封

1. トラップの封水が減少し，空気が流通し得るようになる状態をいう。
2. トラップの封水が破封する原因には次のものがある。
   - ① 自己サイホン作用
   - ② 誘導サイホン作用（吸出し作用）
   - ③ はね出し作用
   - ④ 蒸発
   - ⑤ 毛細管現象
   - ⑥ 封水の運動による慣性
3. 上記①②③は通気管を設けることで防止できるが，④⑤⑥は通気管を設けても，その現象を防ぐことはできない。

ⓒ トラップの封水深

1. トラップの下流のあふれ部の下端（トラップウェア）と，トラップ底部の上端（ディプ）との間の垂直距離を言う。
2. トラップの封水深は 50 mm 以上 100 mm 以下とする。
3. 排水トラップの封水深は 5 cm 以上 10 cm 以下（阻集器を兼ねる排水トラップについては 5 cm 以上）とする。

ⓓ トラップの種類

トラップの種類と構造概要。

① Uトラップ――主として雨水排水管の横管など横走配管の途中に設ける。

② Pトラップ――一般に広く使用されており，各個通気管を設ければ最も理想的なトラップである。

③ Sトラップ――サイホン作用を起こし破封しやすいので使用しない方がよい。

④ ボトルトラップ――掃除口を設けておく。

⑤ 台付きトラップ――掃除用流しに用いられる。

⑥ ドラムトラップ――胴の内径は排水管径の2.5倍。

e トラップ施工上の留意事項

1. トラップを二重に設けてはならない。（これを二重トラップという）
2. 床排水トラップからの排水管の管末を，さらにトラップますに水没させると二重トラップとなるのでしてはならない。
3. 雨水排水管を分流式の排水横主管又は敷地排水管に接続する場合には，家屋トラップ（Uトラップ）又はトラップますを設けなければならない。
4. 排水トラップは，汚水に含まれる汚物等が付着し又は沈殿しない構造とする。ただし阻集器を兼ねる排水トラップについてはこの限りでない。
5. 隔壁トラップは，隠された内部の隔壁によって水封を形成しており，隔壁に穴があいても発見しにくいので使用してはならない。
6. 連合流しの場合や浴室のバスタブと床排水の場合のように，排水管の延長が極めて短い場合には，器具各個にトラップを設けなくてもよい。
7. 流しのトラップとしてビニールホースを用いてトラップを形成させた，いわゆるホーストラップはトラップとは認められない。
8. 間接排水を受ける水受け容器には，直接又は近接して排水トラップを設ける。
9. 器具排水口からトラップウェアまでの垂直距離は600 mm以下とする。

演習問題 20

トラップの破封原因として，次のうち最も不適当なものはどれか。

(1) 蒸発
(2) 吸い出し作用
(3) ウォータハンマ
(4) 毛細管現象

解答 解説

(3) ウォータハンマは破封原因とは無関係（P.166，ⓑの 2. 参照）。

演習問題 21

トラップに関する次の記述のうち，不適当なものはどれか。

(1) トラップの封水深は 100 mm 以上 150 mm 以下とする。
(2) S トラップはサイホン作用で破封しやすい。
(3) トラップを二重に設けてはならない。
(4) 可動部分のあるトラップや隔壁によるトラップは，使用しないこと。

(1) トラップの封水深は 50 mm 以上 100 mm 以下（P.166，ⓒの 2. 参照）。

演習問題 22

通気管に関する次の記述の（　　）の中に当てはまる数値の組合せとして適当なものはどれか。

屋上を庭園，運動場，物干し場などに使用する場合，屋上を貫通する通気管は，屋上の床から少なくとも（　A　）以上立ち上げて大気中に開口しなければならない。また，空調設備の外気取り入れ口からは，水平距離で（　B　）以上離さなければならない。

　　A　　　B
(1) 1 m —— 1 m
(2) 2 m —— 3 m
(3) 3 m —— 5 m
(4) 4 m —— 7 m

解答 解説

(2) A は 2 m，B は 3 m（P.164，ⓓ参照）。

4. 阻集器

ⓐ 阻集器の構造機能

1. 阻集器とは，排水中に含まれる有害で危険な物質，または再利用できる物質の流下を阻止し分離し収集して，残りの水液のみを自然流下により排水できる形状又は構造を持った器具や装置である。
2. 阻集器は，構造上トラップを形成しているものが多いが，そうでないものには別にトラップを設けなければならない。
3. 排水トラップの機能を合わせ持っている阻集器に別個に排水トラップを接続すると二重トラップとなるのでしてはならない。
4. 阻集器を清掃するためにふたを開けたとき，排水管中の臭気が室内に逆流してこない構造とする。
5. 阻集器のトラップの封水深は 50 mm 以上としなければならない。

ⓑ 阻集器の種類

1. ランドリー阻集器は，大きさ 13 mm 以上の不溶性物質（糸切れ，ボタン等）が排水系統に流入することを防止できる構造とし，取外し可能なメッシュ 13 mm 以下の金網のバスケットを入れてあり，通常，営業用の洗濯場に設ける。
2. グリース阻集器は容量を十分に取り，かつ内部に間仕切り壁を設けて排水の流速を遅くし，脂肪を凝固分離させる構造となっている。グリース阻集器は営業用厨房の皿洗い流しに設ける。
3. オイル阻集器は，排水中の油が器内で浮上分離される構造になっておりふたを気密にする必要があり，また，専用の通気管を設けて戸外に開口する。なお，オイル阻集器の通気管は，ふたが気密になっている場合他の通気管と兼用してもよい。オイル阻集器はガソリンスタンド等に設ける。
4. 砂阻集器は，土砂などの比重が大であることを利用して，これらが器内で沈殿，滞留されるような構造となっている。
5. なお，泥溜め深さは 150 mm 以上としなければならない。
6. 自動車が泥を付着してくるおそれがある駐車場には砂阻集器を設けなければならない。
7. プラスタ阻集器は，歯科医や外科医のギブス室の流しなどに取付けられ貴金属やプラスタ（石膏）などの流出を阻止する。

8. ヘヤー阻集器は理容所の洗髪流しに取り付ける。

演習問題 23

阻集器に関する次の記述のうち，不適当なものはどれか。

(1) プラスタトラップは，歯科医や整形外科医の治療器に設ける。

(2) 阻集器が構造上トラップを形成していないものには，別にトラップを設けなければならない。

(3) 自動車の洗車場には，砂阻集器を設ける。

(4) 営業用厨房に設けるグリーストラップには，排水の流速を速くする工夫がなされている。

(4) グリーストラップには，排水の流速を遅くする工夫がなされている。

5. 衛生器具

ⓐ 衛生陶器の品質

衛生陶器の品質には，次の要件が求められる。

① 酸・アルカリなどに侵されにくいこと。
② 汚物が付着しにくく，清掃が容易であること。
③ 強度が大で，耐久力があること。
④ 吸水性がないこと。
⑤ 複雑な構造のものを一体にして造りうること。
⑥ 耐摩耗性があること。
⑦ 構造が簡単で機能的であること。
⑧ 取付けが容易であること。

ⓑ 衛生陶器の材質

1. 衛生陶器の材質は溶化素地質が最良で硬質陶器質はやや劣る。
2. インキ試験とは，陶器の破断面にインキを滴下して陶器の吸水性を調べる検査方法である。

ⓒ 大便器の種類と構造機能

1. サイホン式は，便器の排水路を少し複雑にし，流水を遅滞させてサイホン作用を起こしやすくしたもので，封水を失いにくい構造である。
2. サイホンゼット式は，排水路の起点に噴水口を設けて噴射水を送り，確実にサイホン作用を起こさせるようにしたもので，大便器の形式のうち，乾燥面が最も少なく機能が優れている。なお，トラップの封水深も深く優れているが，洗浄水量及び噴水量割合についての条件が厳しく，必然的に価格も高い。
3. ブローアウト式（吸出し式とも言う）は，排水路を単純にしてジェットの噴出力を強力にし，その作用で留水を排水管の方へ押し出す方法である。構造が単純で，トラップの径も相当大きくできるので閉塞のおそれはないが，水洗時の騒音が大きい。
4. 洗い落とし式は，流水作用によって汚物を押し流す形式で，汚物がトラップ封水中に没入するようになっているので，洗い出し式に比べると臭気の発散は少ない。なお，サイホン式よりは劣る。マンションの洋式便器の大半がこの型である。
5. 洗い出し式は，最も旧式な構造のもので，乾燥面が多く汚れやすい。また使用中汚物が露出するので臭気の発散が多い。和式の代表的型である。
6. 身体障害者や老人などが使用する便所は，衛生器具を使用しやすいように，手摺り，握りバーなどの補助具を設置することが望ましい。

ⓓ 大便器洗浄弁

1. 大便器洗浄弁を作動させるための給水圧力として流水時の動水圧で最低70 kPa（ただし，摩擦損失水頭を含まない）が必要であるが，最高は400 kPaまでにとどめる。
2. 大便器洗浄は，給水圧力が98 kPaの場合，15 ℓの水を10秒間で排出させるのが標準である。また，瞬間最大流量は約100 ℓ／minである。
3. 大便器洗浄弁の接続給水管の管径は最小25 mmであるが，摩擦損失水頭を小さくするため，32 mmとすることが望ましい。
4. 大便器洗浄弁に設けるバキュームブレーカは大気圧式のものとし大便器のあふれ縁より原則として150 mm以上上方に取り付ける。
5. 洗い落とし式の大便器では，最大流出水量として110～130 ℓ／minの水量が得られないと，有効に便器内を洗浄することができない。

6. 大便器の洗浄弁には，必ずバキュームブレーカを取り付けなければならない。
7. 節水形の洗い落とし式大便器では，必要な1回分の水量は8ℓでよい。
8. 大便器の洗浄用タンクは，大便器の形式，機能に適したものを使用しなければならない。

ⓔ 小便器洗浄弁

1. 小便器洗浄弁は，給水圧力が100 kPaの場合5ℓの水を10秒間で排出させるのが標準である。
2. 小便器（洗い落とし式）の洗浄には，1回の洗浄水量が4～5ℓで4～8秒の洗浄時間を要し，最大流出水量は50ℓ／min内外を必要とする。

演習問題 24

便器の洗浄設備に関する次の記述のうち，不適当なものはどれか。

(1) 大便器洗浄弁を作動させるには，最低70 kPaの水圧が必要である。
(2) 大便器洗浄弁の標準流水機能は，15ℓの水を10秒で排出させる。
(3) ロータンクやハイタンクには，必ずバキュームブレーカを取付けなければならない。
(4) 小便器の洗浄弁は，給水圧力が100 kPaの場合，5ℓの水を10秒間で排出させるのが標準である。

解答 解説

(3) ロータンクやハイタンクにはバキュームブレーカは不要。

ⓕ 洗面器

1. 洗面器の排水金具は，十字形ストレーナを備えた栓付き，又はポップアップ式のいずれかとする。
2. ハンドシャワには圧力式バキュームブレーカではなく，大気圧式バキュームブレーカを取り付ける。
3. 吹上げ水飲み器の噴水は斜角吹上げ式とし，保護囲いを噴水頭の上部に近接して設けなければならない。
4. あふれ縁とは，衛生器具から水があふれ落ちようとする上縁をいう。

ⓖ 器具接続管径

衛生器具に接続する給水管径と排水管径を次に示す。

給水管径	掃除用流し	洋風浴槽	洗面器	大便器洗浄弁	大形和風浴槽
	20 mm	20 mm	13 mm	25 mm	25 mm

排水管径	和風大便器	小便器(小形)	洗面器	掃除流し	料理場流し
	75～100 mm	40 mm	30 mm	65 mm	50 mm

第3章 衛生設備

4　給湯施設

1. 中央給湯方式

ⓐ 給湯方式

1. 中央給湯方式は，ホテルや大規模ビル等に適している。
2. 中央給湯方式の湯は洗い用で飲料には使用できない。
3. 中小の事務所ビルでは，飲料用に貯湯式湯沸器を設置する例が多い。

ⓑ 給湯量

給湯温度 60 ℃における基準給湯量

① ホテル宿泊客 1 人あたり ――― 130 ℓ／日
② 大規模事務所ビル ――――― 10 ℓ／日・人

ⓒ 給湯温度

1. 給湯温度は 55 ℃～60 ℃とするのが望ましく，一般に 60 ℃に設定する。なお，80 ℃以上にはしない。
2. 使用温水温度の用途別標準
   ① 皿洗い機すすぎ用 ―― 70～80 ℃（別途設備で給湯）
   ② 浴用（成人）――― 43～45 ℃
   ③ 飲料用 ――――― 90～95 ℃（湯沸器）
   ④ 一般用 ――――― 40～45 ℃
   ⑤ プール ――――― 21～27 ℃
3. 給湯温度を低くすると，湯が乱費されがちで不経済となる。
4. 給湯温度が 60 ℃以上になると，溶存酸素の溶出，遊離炭酸の発生，電食速度の増加などによって急激に配管材料が腐食されやすくなる。
5. 大気圧の下で 4 ℃の水が 100 ℃の湯になると，体積は約 1／23（4.3 %）膨張する。
6. 給湯装置の水の膨張量は，湯と水の比体積の差に装置内の全水量を乗じて求められる。
7. 保守管理にあたっては，温度を上げ過ぎないように注意し，温度及び使用量を記録するようにする。

ⓓ 貯湯槽

1. 貯湯槽は，貯水槽と同じく周囲からの点検を可能とするため，槽の四周と床下は 60 cm 以上，天井は 100 cm 以上の保守点検用空間を設けなければならない。
2. 貯湯槽に設けるマンホールの周囲には，原則として 60 cm 以上の空間を確保する。
3. 貯湯槽に設ける逃し弁は，槽内の圧力が最高使用圧力の 6 %を超えると内部の湯が放出されるように設定されている。
4. 給湯設備に設ける膨張管は膨張水槽を設けてこれに接続する。
5. 膨張管を高置水槽に直接接続し，高置水槽を膨張水槽代わりにすることは行ってはならない。
6. 貯湯槽は一般に第一種圧力容器に該当するため，毎年性能検査を受けなければならない。

ⓔ 給湯配管

1. リバースリターン方式とは，湯の温度を均一にするために往路（給湯管）と返路（返湯管）の長さの合計を等しくする方式をいう。
2. 強制循環方式の返湯管の管径は，給湯管（往管）管径の 2 分の 1 程度を目安としてよい。
3. 連続的に湯を使用する場合には，返湯管は必ずしも必要でない。
4. 給湯配管に設ける弁は仕切弁を用い，玉形弁は空気溜りを生じやすいので使用しない。
5. 玉形弁は圧縮性液体（蒸気，空気）に多く用いられ，グローバルブ又はストップバルブとも言う。なお流量調節がある程度可能である。
6. 仕切弁は非圧縮性液体（水，湯，油）に主に用いられゲートバルブまたはスルースバルブとも言う。なお全開又は全閉で使用するのを原則とする。
7. スイベル式配管は管のたわみと継手のねじ込み部のねじのわずかな緩みを利用した伸縮継手の一種で，特別の継手を必要としない。
8. 温水ボイラーの逃がし管の管径は，ボイラーの伝熱面積で定まる。
9. 貯湯槽への給水管には逆止め弁を設け，温水の逆流を防止する。
10. 給湯配管を給湯用の各種設備，器具等に接続する場合には，吐水口空間を設けなければならない。

11. 中央式給湯設備の湯の供給方式には，上向き式と下向き式がある。
12. 給湯管の管径は，瞬時最大予想給湯量又は同時使用流量に基づき求められる。

ⓕ 循環ポンプ

1. 給湯管内の湯を循環させる方式には，強制式と重力式とがあり，一般に循環ポンプによる強制式が用いられている。
2. 循環ポンプは特殊な場合を除いて通常返湯管の途中に設ける。
3. 循環ポンプの循環水量は，配管及び機器などからの熱損失と給湯管，返湯管の温度差により求める。
4. 循環ポンプの揚程は，給湯配管中の循環路の摩擦損失水頭が最大となる経路により求める。（通常 3～5 m）
5. 循環ポンプの揚程を必要以上に高くすることは，管内流速を速めるとともに管内壁に腐食を起こす原因ともなる。

ⓖ 加熱コイル

1. 貯湯槽の加熱コイルの熱通過率の大きいほど，コイル表面積は少なくてよい。
2. 貯湯槽の加熱コイルの取替又は修繕時を考慮して，コイル部分の全長の0.5～1.2 倍の空間を，加熱コイル取付部の前面に確保する。なお，通常の性能検査では，加熱コイルは引き抜かない。

ⓗ 給湯計算

1. 貯湯槽の槽容量 Q〔ℓ〕は，次のようにして求める。

$Q = q \times K$

ここに　q ＝1日当たりの給湯量〔ℓ／日〕
　　　　K ＝1日の給湯量に対する貯湯割合

$q = r \times N \times (60 - t_1) / (t_2 - t_1)$

ここに　r ＝1人1日当たりの給湯量〔ℓ／日・人〕
　　　　N ＝給湯対象人員〔人〕
　　　　t_2 ＝給湯温度〔℃〕
　　　　t_1 ＝給水温度〔℃〕

2. 貯湯槽の加熱能力 H〔W〕は，次のようにして求める。

$H = R \times q \times (t_2 - t_1)$

ここに　R＝1日の給湯量に対する加熱能力の割合

ⓘ 給湯設備の故障

蒸気を熱源とする中央給湯設備の貯湯槽の温度が上がらない原因は次のような場合である。

① 蒸気圧が低い。
② 蒸気量の不足。
③ 温度調節弁の作動不良。
④ 凝縮水が還元しない。
⑤ 蒸気（多量）トラップの容量が不足している。
⑥ 使用湯量が多過ぎるか貯湯量が足りない。

2. 個別給湯方式

ⓐ 瞬間式湯沸器

1. ガスだき式の貯湯式湯沸器のヒーターの表面を掃除する場合には，硬めのブラシを使用し，ワイヤブラシは使用しない。
2. 修理を行う際は，必ず口火コック，バーナコック，給ガス用の弁および給水用の弁を閉め使用停止の状態を確認してから行う。
3. 修理の際取外した部品は傷をつけないように取扱う。
4. 修理を行った部分は，パッキンを再使用できるかどうか必ず調べる。
5. 修理を行った部分は，必ずガス漏れおよび水漏れの検査をし，必ず試運転をして正常な作動を確認する。

演習問題 25

給湯設備に関する記述のうち，適当でないものはどれか。

(1) 中央給湯方式の循環ポンプは，貯湯タンクの入口側に設置する。
(2) 給湯栓の吐出圧力は，循環ポンプの揚程により定められる。
(3) 給湯管に銅管を用いる場合，管内流速が 1.5 m／s 程度以下になるように管径を決定する。
(4) 中央給湯方式の循環ポンプの循環量は，循環配管路の熱損失と許容温度降下により求められる。

(2) 給湯栓の吐出圧力は，補強水の圧力，給湯栓の設置位置，配管摩擦損失によって定まる。$Hw = H_1 - H_2$ [m]

ここに，H_w：給湯栓における吐出圧力に相当する高さ [m]

H_1：補給水槽低位水位面から湯栓までの実高 [m]

H_2：補給水槽から貯湯槽を経て湯栓までの摩擦損失に相当する高さ [m]

演習問題 26

給湯設備に関する記述のうち，適当でないものはどれか。

(1) 循環ポンプの揚程は，貯湯タンクと最遠端の器具との高低差，最遠端器具の最低必要圧力より算定する。

(2) 中央式給湯設備の給湯温度は，レジオネラ属菌などの繁殖を防止するため，原則として，貯湯タンク内で 60 ℃以上とする。

(3) 中央式給湯設備の熱源に使用する真空式温水発生機の運転には，有資格者を必要としない。

(4) 瞬間湯沸器の出湯能力は，一般に，水温の上昇温度を 25 ℃とした場合の出湯量 1 L／min の能力を 1 号としている。

解答 解説

(1) 循環ポンプの揚程は，ポンプの循環量をもとに，一般に，給湯管と返湯管の長さの合計値が最も大きくなる配管系統摩擦損失を計算して求める。循環ポンプの容量が過大であると，返湯管における流速が過大になったり，給水と給湯の圧力差が大きくなったりする。

5 消防施設

1. 消火設備基準

ⓐ 屋内消火栓設備

1. 1号消火栓主要技術基準（従来からの型）

項　目	主要技術基準
配置	水平距離で 25 m 以内ごと
放水圧力	0.17 MPa 以上（0.7 MPa 以下）
放水量	2.6 m^3／ノズル（130 ℓ／分・個×20 分）
水源	2.6 m^3×同一階消火栓個数（最大 2 個 ＝ 5.2 m^3）
開閉弁	40 A，50 A または 65 A
立上り主管径	50 mm 以上（放水口送り兼用の場合 65 mm 以上）
ノズル口径	13 mm
ホース	15 m×2 本
開閉弁高さ	床面上 1.5 m 以下
ポンプ揚水量	150 ℓ／分×同一階消火栓個数（最大 2 個 ＝ 300 ℓ／分）
呼水槽	100 ℓ 以上
非常電源	容量 30 分以上，自家発電または蓄電池

2. 2号消火栓主要技術基準（弱者施設に設置）

項　目	主要技術基準
配置	水平距離で 15 m 以内ごと
放水圧力	0.25 MPa 以上（0.7 MPa 以下）
放水量	1.2 m^3／ノズル（60 ℓ／分・個×20 分）
水源	1.2 m^3×同一階消火栓個数（最大 2 個 ＝ 2.4 m^3）
開閉弁	32 A
立上り主管径	32 mm 以上（放水口送り兼用の場合 65 mm 以上）

ノズル口径	13 mm
ホース	32 A×20 m×1 本（保形ホース）
開閉弁高さ	床面上 1.5 m 以下
ポンプ揚水量	70 ℓ／分×同一階消火栓個数（最大 2 個 ＝ 140 ℓ／分）
呼水槽	100 ℓ 以上
非常電源	容量 30 分以上，自家発電または蓄電池

保形ホースとは，使用しない時でもホースの断面が円形を保っているホース。

ⓑ スプリンクラー設備

主要技術基準

項　目	主要技術基準
ヘッド間隔	劇場舞台部　1.7 m
	準耐火建築物　2.1 m
	耐火建築物　2.3 m
ヘッド標示温度	79 ℃未満（最高周囲温度 39 ℃未満）
放水圧力	0.1 MPa 以上（1 MPa 以下）
放水量	1.6 m^3／個（80 ℓ／分・個×20 分）
水源	10F 以下の建物　1.6 m^3×10 個 ＝ 16 m^3
	11F 以上の建物　1.6 m^3×15 個 ＝ 24 m^3
開放弁高さ	床面上より　0.8～1.5 m
制御弁高さ	床面上より　0.8～1.5 m
ポンプ揚水量	ヘッド算定個数　10 の場合　900 ℓ／分以上
	ヘッド算定個数　15 の場合　1,350 ℓ／分以上
呼水槽	100 ℓ 以上
非常電源	容量　30 分以上，自家発電または蓄電池
送水口	65 A，設置高さ　0.5～1 m

ⓒ 連結送水管

主要技術基準

項　目	主要技術基準	
放水口	配　置	3 階以上の階，水平距離で 50 m 以内ごと
	設　置	床面上の高さ 0.5～1 m
	接続口	65 A
送水口	接続口	65 A，双口形
	設　置	床面上の高さ　0.5～1 m
主　管		100 mm 以上

演習問題 27

不活性ガス消火設備に関する記述のうち，「消防法」上，誤っているものはどれか。

(1)　不活性ガス消火設備を設置する防護区画には，その放出された消火剤及び燃焼ガスを安全な場所に排出するための措置を講じる。

(2)　不活性ガス消火設備を設置する防護区画が 2 以上あり，貯蔵容器を共用するときは，防護区画ごとに選択弁を設けなければならない。

(3)　ボイラー室その他多量の火気を使用する室に不活性ガス消火設備を設置する場合の消火剤は，二酸化炭素とする。

(4)　常時人がいない部分に不活性ガス消火設備を設置する場合は，全域放出方式としてはならない。

(4)　常時人がいる部分については，全域放出方式としてはならない。

2. 消火設備の種類

ⓐ 屋内消火栓設備

1. 1 号屋内消火栓設備は従来規格の消火栓で，2 人 1 組で操作する想定になっている。

2. 2号屋内消火栓設備は新規格の消火栓で，1人でも操作でき，弱者施設や就寝施設に主として設置される。
3. 2号屋内消火栓設備には，保形ホースが使用される。
4. 加圧送水装置には，定格負荷運転時の性能を試験するための配管設備を設ける。
5. 配管の耐圧力は，加圧送水装置の締切圧力の1.5倍以上の水圧を加えた場合において，これに耐えるものであること。
6. 加圧送水装置には，締切運転時における水温上昇防止のための逃がし管を設けること。

ⓑ スプリンクラー設備

1. 閉鎖型ヘッドを用いる乾式スプリンクラー設備は，ヘッドから自動警報弁までの配管内に常時加圧された空気が充満されており，ヘッドの熱感知部が溶解したとき管内の空気を放出後自動的に散水する。
2. 開放型ヘッドを用いる開放式スプリンクラー設備は，ヘッドから開放弁までの配管内は常時空の状態で，自動又は手動で開放弁を開き散水する。
3. 閉鎖型ヘッドを用いる湿式スプリンクラー設備は，ヘッドまでの配管内に常時加圧された水が充満されており，ヘッドの感熱部が溶解したとき自動的に散水する。
4. 舞台部に設けるヘッドは，開放型でなければならない。
5. 閉鎖型ヘッドは，給排気用ダクトで幅が1.2mを超えるものがある場合には，その下面にも設けなければならない。

ⓒ 不活性ガス消火設備

1. 不活性ガス消火設備は，不活性ガスを火災室に放出して酸素の容積比を低下させ，窒息効果により消火するものである。
2. 散水による弊害がないなどの利点により，通信機器室などの消火設備として利用されている。
3. 消火効果を減ずる開口部や保安上危険のある開口部は，消火剤放射前に閉鎖できる自動閉鎖装置を設ける。
4. 貯蔵容器は，当該防護区画外に設ける。

ⓓ 泡消火設備

1. 泡消火設備は，燃焼物を泡の層で覆って空気を遮断し，窒息と冷却の効果により消火するものである。

2. 泡消火設備は油火災の消火に適しており，主に駐車場に設置される。

ⓔ 粉末消火設備

1. 粉末消火設備は，主成分である炭酸水素ナトリウムが火災の熱により熱分解して炭酸ガスと水蒸気を発生し，窒息作用と熱分解のときの熱吸収による冷却作用により消火するものである。
2. 現在設置されている消火器の大部分は，粉末消火器である。

ⓕ ハロゲン化物消火設備

1. 主成分である臭素化合物などの化学反応による抑制効果により消火するものである。
2. 現在使用されているハロゲン化物消火設備の消火剤のほとんどはハロン1301で，主として通信機器室や駐車場に設置されている。

ⓖ 水噴霧消火設備

1. 水噴霧消火設備は，火災対象物に霧状の水を均等に散布して空気を遮断し，窒息と冷却の効果により消火するものである。
2. 歴史的建造物の延焼防止用として設置される場合が多い。

第3章 衛生設備

演習問題 28

消火設備の消火原理に関する記述のうち，適当でないものはどれか。

(1) 水噴霧消火設備は，水を霧状に噴射し，主として冷却効果及び発生する水蒸気による窒息効果により消火するものである。

(2) 不活性ガス消火設備は，不活性ガスを放出し，主として酸素の容積比を低下させ，窒息効果により消火するものである。

(3) 泡消火設備は，泡消火薬剤を放出し，薬剤の化学反応により消火するものである。

(4) 粉末消火設備は，粉末状の消火剤を放射し，熱分解で発生した炭酸ガスや水蒸気による窒息・冷却効果により消火するものである。

解答 解説

(3) 泡消火設備は，燃焼物を厚い泡の層でおおって，空気を遮断し，**窒息**と冷却の効果で消火させるものである。

6　ガス施設

1. ガスの種類と性質

ⓐ 都市ガス

1. 石炭ガス，オイルガス，ナフサガス，発生炉ガス，LN ガス，LP ガス等を単体又は混合して使用するものを都市ガスという。
2. 都市ガスの種類は，燃焼速度，発熱量等により分類される。
3. ウォッペ指数とは燃焼速度の種類を表す指数で，A は最も遅く C は最も早く B はその中間を表す。
4. A グループのガスは天然ガス又は LPG 主体のガスで，B，C グループのガスはナフサなどの石油系又は石炭ガスなどの製造ガスである。
5. 都市ガス A の発熱量は 15,300 kJ／m^3
6. 都市ガス B の発熱量は 21,000 kJ／m^3
7. 都市ガスの比重は 0.5〜0.7（空気より軽い）

   都市ガスのガス洩れ警報器は，天井面から 30 cm 以内の位置に設置しなければならない。

ⓑ LP ガス

1. LP ガス（LPG）とは液化石油ガスのことで主にプロパンガスである。
2. 常圧では気体であるが，加圧又は冷却で容易に液化する炭化水素類のガスである。
3. 液化すると容積は約 250 分の 1 になる。
4. プロパンの発熱量は約 100 MJ／m^3
5. プロパンの比重は 1.55（空気より重い）
6. LP ガスのガス洩れ警報器は，燃焼器具から水平距離で 4 m 以内で，床面より 0.3 m 以内の位置に設置しなければならない。

ⓒ LN ガス

1. 液化天然ガスを LN ガス（LNG）という。
2. メタンを主成分とする天然ガスを冷却液化したものである。

3. －162 ℃で液化する。
4. 発熱量　42,000～46,200 kJ／m^3
5. 比重　約 0.7（空気より軽い）
6. LN ガスのガス洩れ警報器の設置位置は，都市ガスと同じである。
7. LN ガスは，一般に 13 A が使用されている。

ⓓ 配管供給圧

1. 都市ガスや LN ガスなど配管で供給されるガスの供給圧力の種類は次の通りである。
2. ガスの供給圧力は，98 kPa 未満を低圧，98 kPa 以上 980 kPa 未満を中圧，980 kPa 以上を高圧という。
3. 高圧ガスは，工場で生産され送出される時のガス。
4. 高圧導管用鋼管の接合には，溶接，フランジ接合，又は機械的接合が行われる。
5. 中圧ガスは，ガバナ（圧力調整器）で 98～980 kPa に減圧して主に大口使用先（ビルの吸収冷凍機用など）に供給される。
6. 一般家庭へは 1.96 kPa～3.23 kPa で供給される。
7. 高層建築物の上層階に，比重が空気より小さい都市ガスを供給する場合は，必要に応じて昇圧防止装置を設ける。

ⓔ ボンベ供給圧

1. プロパンはボンベに充填して供給され，供給圧は次の通りである。
2. ボンベ内の液化ガスを水頭圧 2.74 kPa に減圧して一般家庭等に供給する。
3. ボンベ容量は 10 kg，20 kg，33 kg などがある。
4. 一括供給方式は 70 戸未満までとなっている。
5. LP ガスの充填容器は，常に 40 ℃以下に保たれる場所に設置する。
6. LP ガス及びその充填容器は，高圧ガス保安法の適用を受ける。

演習問題 29

ガス設備に関する記述のうち，適当でないものはどれか。

(1) 「ガス事業法」による熱量とは，標準状態の乾燥したガス 1 m^3 中で測定される総熱量をいう。
(2) 都市ガスの供給方式において，ガス消費量が多い熱源機器を用いる施設では中圧供給（中圧A，中圧B）とする場合がある。

(3) 都市ガスの種類を表す記号A，B，Cのうち，Cは燃焼速度が最も遅いグループである。

(4) 液化石油ガス（LPG）のガス漏れ警報器の検知部は，ガス機器から水平距離4m以内で，かつ検知部の上端が床面より0.3m以内に設置する。

解答 解説

(3) 都市ガスの種類を表す記号A，B，Cは燃焼速度を表し，Cは燃焼速度が最も速いグループである。

演習問題 30

ガス設備に関する記述のうち，適当でないものはどれか。

(1) 「ガス事業法」では，0.1MPa以上1MPa未満を中圧としている。

(2) 都市ガスの発熱量は，一般に，総発熱量（高発熱量）から蒸発熱を差し引いた低発熱量で表示される。

(3) ガス漏れ警報器の検知部は，ガス機器を設置している室の出入り口付近及び換気口等の空気吹出口に近接する場所に設置してはならない。

(4) 内容積が20L以上の液化石油ガス（LPG）の容器を設置する場合は，容器の設置位置から2m以内にある火気を遮る措置を行う。

解答 解説

(2) ガスの発熱量は，標準状態のガス1 m^3（N）が完全燃焼したときに発生する熱量をいい，一般に高発熱量［KJ／m^3（N)］で表す。燃焼により発生した熱量から水蒸気のもっている蒸発量を引いたものが低発熱量という。

演習問題 31

ガス設備に関する記述のうち，適当でないものはどれか。

(1) 都市ガスの種類は，燃焼速度及びウォッベ指数により分類される。

(2) ガス状のプロパンの密度は，標準状態で約2kg／m^3である。

(3) ガス状のメタンの密度は，標準状態で約1.4kg／m^3である。

(4) 液化天然ガス（LNG）は，メタンを主成分とする天然ガスを冷却して液化したものである。

(3) ガス状のメタンの密度は，0.717 kg／m^3 である。

2. 燃焼器具

ⓐ 開放型

1. 調理用レンジなど，燃焼ガスが室内に放出される型のものをいう。
2. 熱量 4,200 kJ 当たり有効面積 20 cm^2 の換気用開口部が必要である。

ⓑ 半密閉型

1. 煙突等により燃焼ガスが室外に放出される型のものをいう。
2. ガス消費量が 11.7 kW 時を超える風呂釜，湯沸器や 7 kW 時を超えるストーブは半密閉型としなければならない。

ⓒ バランス型

燃焼器具を外気と接する壁面に設け，屋外から燃焼用空気を取り入れ，燃焼ガスを直接屋外に排出する型のものをいう。

ⓓ U ダクト

1. U ダクトとは共用給排気ダクトの一種で，高層住宅などで給気ダクトと排気ダクトを建物の下端で U 字状に連結したものをいう。
2. U ダクトは建物に対する風向きや風の強さにはあまり影響されない。
3. U ダクトでは，排気ガスは排気ダクト内でつねに希釈されながら屋上の排気口から排出される。

ⓔ SE ダクト

1. SE ダクトとは共用給排気ダクトの一種で，建物の下部に給気用ダクトを水平に設け，これに垂直にダクトを連結してバランス型燃焼器具の給排気をこれで行うものをいう。
2. SE ダクトは風圧の影響を受けやすく，バランスがとりにくい。
3. SE ダクトのうち，水平ダクトは垂直ダクトの 2 倍の断面積を要し，2 箇所から給気する構造としなければならない。

4. SE ダクトの頂部は四方に開口させなければならない。

演習問題 32

燃焼器具等に関する次の記述のうち，不適当なものはどれか。

(1) バランス型燃焼器具は，給排気とも屋外に向けて行う構造になっている。

(2) ガス消費量が 11.7 kW 時を超える風呂釜，湯沸器や 7 kW 時を超えるストーブは半密閉型としなければならない。

(3) U ダクトとは共用給排気ダクトの一種で，高層住宅などで給気ダクトと排気ダクトを建物の下端で U 字状に連結したものをいう。

(4) SE ダクトのうち，水平ダクトは垂直ダクトと同じ断面積で，2 箇所から給気する構造としなければならない。

解答 解説

(4) SE ダクトのうち，水平ダクトは垂直ダクトの 2 倍の断面積としなければならない（前頁，ⓔの 3. 参照）。

7 浄化槽

1. 浄化槽の分類

ⓐ 処理水による浄化槽の分類

1. 浄化槽は処理水により単独処理浄化槽と合併処理浄化槽に大別される。
2. 単独処理浄化槽とは，し尿のみを処理対象とする浄化槽をいう。
3. 合併処理浄化槽とは，し尿と雑排水を併せて処理する浄化槽をいう。

ⓑ 処理方法による浄化槽の分類

1. 浄化槽は処理方法により生物膜法と活性汚泥法に大別される。
2. 生物膜法とは，ろ材や円板などの固体表面に付着し生成した生物性の膜を利用し，微生物の代謝作用によって汚水を浄化する方法である。
3. 活性汚泥法とは，好気的な条件のもとで汚濁物質を吸着，酸化，固液分離する活性汚泥（フロック）の特性を利用して，汚水を汚泥と上澄水とに分離し汚水を浄化する処理法である。
4. 生物膜法は主として単独処理方式で，処理時間が比較的長く，処理容量に対し広い用地を要する。
5. 活性汚泥法は主として合併処理方式で，処理時間が比較的短く，処理場の用地は比較的少なくてよい。
6. 生物膜法は，最大負荷時の容量で設計を行う。

ⓒ 新浄化槽構造基準による分類

新浄化槽構造基準による分類は次の通りである。

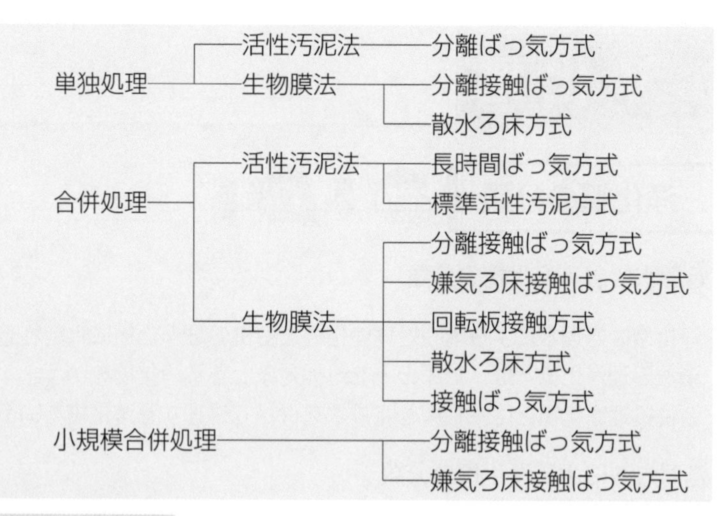

ⓓ 腐敗タンク方式

旧浄化槽構造基準の単独処理浄化槽に該当するもので次の方式がある。

① 多室型腐敗室＋散水ろ床方式

② 平面酸化床方式

ⓔ 処理方式の内容

1. 長時間ばっ気方式

大きいばっ気槽で汚水と活性汚泥を混合し長時間滞留させることにより酸化を十分行わせ汚水を浄化する方式。

2. 回転板接触方式

槽内に回転板を浸漬させ，回転板表面に付着した生物膜が空気中の酸素と接触して微生物群が好気的に作用し汚水を浄化させる方式。

3. 接触ばっ気方式

ばっ気槽内に接触材を充填し，槽内の汚水をばっ気し撹拌することにより汚水を接触材と繰返し接触させ，接触材表面に付着した生物膜により浄化する方式。

4. 散水ろ床方式

砕石を積み上げた層の表面に汚水を散水し，流下する間に砕石の表面に生成されているろ膜に汚水中の有機物を吸着させる方式。

ⓕ 浄化槽用語

1. **ばっ気**とは，汚水中に空気を強制的に泡状にして送り込み，汚水と空気を接触させる方式である。
2. **回転板接触**とは，汚水の付着した板を回転させて空気と汚水を接触させる方法である。
3. **散水ろ床**とは，板又は砕石に汚水をふりかけて空気と汚水を接触させる方法である。
4. **活性汚泥**とは，ばっ気と共に汚水を強制的に撹絆して，微生物による汚水の浄化活動を促進する方式である。
5. **フロック**とは，汚水が浄化されてできた糟（かす）で軽石状になって液面に浮いたものを言う。
6. **分離**とは，浄化された汚水の上澄と汚泥とを分離することをいう。

演習問題 33

合併処理浄化槽の処理法と処理方式の組合せとして適当なものはどれか。

	（処理法）		（処理方式）
(1)	生物膜法	―――	散水ろ床方式
(2)	活性汚泥法	―――	接触ばっ気方式
(3)	生物膜法	―――	長時間ばっ気方式
(4)	活性汚泥法	―――	回転板接触方式

解答 解説

(1)　(2)の接触ばっ気方式は生物膜法，(3)の長時間ばっ気方式は活性汚泥法，(4)の回転板接触方式は生物膜法である（前頁の上の表参照)。

2. 浄化槽の構成

ⓐ フローシート

1. 浄化槽を構成する単位装置の一例を次に示す。

最初沈澱池	→	スクリーン設備	→	汚泥濃縮槽	→	ばっ気槽	→	消毒槽
（物理的処理）		（　〃　）		（　〃　）		（生物化学的処理）		（化学的処理）

2. 活性汚泥処理における浄化機構の一例を次に示す。

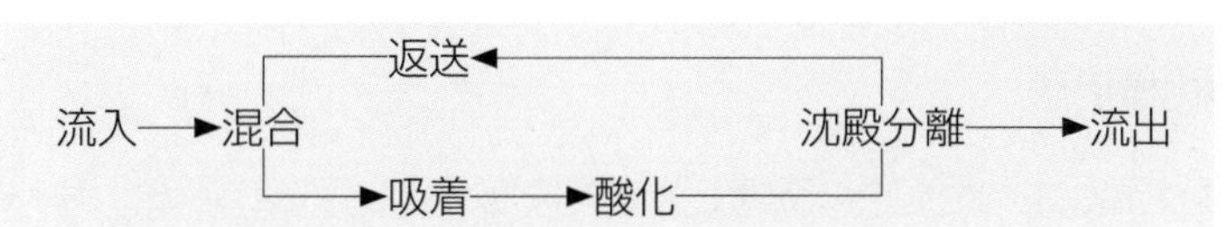

① まず汚水と活性汚泥（返送汚泥）とを「混合」し混合流とする。
② 次に活性汚泥が汚水中の固形物や溶解物質を「吸着」する。
③ 吸着した物質を微生物が「酸化」する。
④ 混合液を沈殿させて活性汚泥と上澄み水とを「分離」する。
⑤ 上澄み水を「放流」する。
⑥ 沈殿した活性汚泥をばっ気タンク室に「返送」する。

3. 接触ばっ気方式のフローシート。

流入→スクリーン→流量調整槽→接触ばっ気槽→沈殿槽→消毒槽→放流
（接触ばっ気槽・沈殿槽→汚泥濃縮貯留槽→流量調整槽）

4. 長時間ばっ気方式のフローシート。

流入→スクリーン→流量調整槽→ばっ気槽→沈殿槽→消毒槽→放流
（沈殿槽→汚泥濃縮貯留槽→ばっ気槽）

5. 分離ばっ気方式のフローシート。

流入→沈殿分離槽→ばっ気槽→沈殿槽→消毒槽→放流
（沈殿槽→汚泥→ばっ気槽）

6. 分離接触ばっ気方式による小規模合併処理浄化槽のフローシート。

流入→沈殿分離槽→接触ばっ気槽→沈殿槽→消毒槽→放流

7. 嫌気ろ床接触ばっ気方式による小規模合併処理浄化槽のフローシート。

流入→嫌気ろ床槽→接触ばっ気槽→沈殿槽→消毒槽→放流
（接触ばっ気槽・沈殿槽→汚泥返送→嫌気ろ床槽）

ⓑ 浄化槽の構造基準

浄化槽の構造基準		単独処理	合併処理
対象規模	処理対象人員	500 人以下	51 人以上 500 人以下
性　　能	BOD 除去率	65 %以上	70 %以上
	放流水の BOD 値	90 mg／ℓ以下	60 mg／ℓ以下

性能基準	流入水の BOD 負荷量	13 g／人・日	40 g／人・日
	流入汚水量	50 ℓ／人・日	200 ℓ／人・日
	流入水の BOD 濃度	260 mg/ℓ	200 mg/ℓ

特定行政庁が規則で指定する区域では，処理対象人員 50 人まで適用できる。

演習問題 34

分離接触ばっ気方式による小規模合併処理浄化槽の槽の配列順序として，正しいものはどれか。

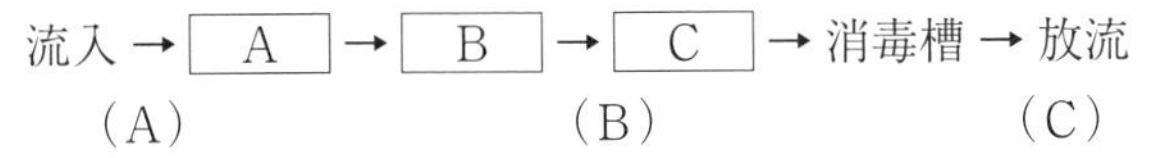

	(A)	(B)	(C)
(1)	沈殿槽	沈殿分離槽	接触ばっ気槽
(2)	沈殿分離槽	接触ばっ気槽	沈殿槽
(3)	沈殿槽	接触ばっ気槽	沈殿分離槽
(4)	接触ばっ気槽	沈殿分離槽	沈殿槽

解答 解説

(2) 分離接触ばっ気方式による小規模合併処理浄化槽の槽の配列順序（フローシート）は，前頁，ⓐの 6. より，下記のようになる。

流入→沈殿分離槽→接触ばっ気槽→沈殿槽→消毒槽→放流

3. 浄化槽の処理性能

ⓐ BOD 除去率

1. 浄化槽の処理性能は，BOD 除去率と放流水の BOD 濃度により決まる。
2. BOD 除去率は次式で求める。

		水量（m^3／日）	BOD 濃度（mg／ℓ）
流入水	し尿汚水	W_1	Q_1
	雑 排 水	W_2	Q_2
放流水		W_3	Q_3

とすると

$$\text{流入水のBOD濃度Q（mg／ℓ）} = \frac{(W_1 \times Q_1) + (W_2 \times Q_2)}{W_1 + W_2}$$

$$\text{BOD除去率（\%）} = \frac{Q - Q_3}{Q}$$

❺ 放流水のBOD濃度

1. 放流水のBOD濃度 Q_3（mg／ℓ）は次式で求める。

		排水量（ℓ／人・日）	BOD量（g／人・日）
流入水	し尿汚水	S_1	R_1
	雑 排 水	S_2	R_2

BOD除去率P〔%〕とすると

$$\text{流入水のBOD濃度Q（mg／ℓ）} = \frac{(R_1 + R_2) \times 1{,}000\text{〔mg／ℓ〕}}{S_1 + S_2}$$

$$\text{放流水のBOD濃度} Q_3 \text{（mg／ℓ）} = Q \times (1 - P/100)$$

2. 生活系排水の1人1日当たりの標準値は，水量200ℓ，BOD量40gとしている。
3. 合併処理浄化槽の各単位装置の容量は，処理対象人員，日平均汚水量及び日平均流入水BODにより算定される。

演習問題 35

ある合併処理浄化槽において，流入水が下表のとおりで，BOD除去率が90%の場合，放流水のBOD濃度の計算として，適当なものはどれか。

排水の種類	流入水量（m^3／日）	BOD濃度（mg／ℓ）
汚 水	50	200
雑排水	200	100

(1) 10 mg/ℓ
(2) 12 mg/ℓ
(3) 14 mg/ℓ
(4) 16 mg/ℓ

(2) 流入水のBOD濃度 = (50×200)+(200×100) ／ (50+200) = 120 [mg／ℓ]
BODの除去率 = 90%であるため，120×0.9 = 108 [mg/ℓ]
したがって，120−108 = 12 [mg/ℓ]

4. 処理対象人員

ⓐ 建築用途と算定単位

主な建築用途と算定単位及び算定式は次の通りである。

建築用途	算定単位	算定式
病院（300床未満）	ベッド数（B）	n = 8 B
小学校	定員（P）	n = 0.25 P
ホテル（宴会場有）	延べ面積（Am^2）	n = 0.15 A
事務所（厨房無）	延べ面積（Am^2）	n = 0.06 A
戸建て住宅	延べ面積（m^2）	100 m^2 以下 = 5人 100 m^2 超過 = 1人／30 m^2 以内毎

ⓑ 留意事項

1. し尿浄化槽の処理対象人員が501人以上の施設は，水質汚濁防止法における特定施設として同法の適用を受ける。
2. し尿と雑排水とを合併して処理する浄化槽の構造基準は，処理対象人員が51人以上であるものについて定められている。
3. 処理対象人員が50人以下の合併処理浄化槽についても，小規模合併処理浄化槽の構造基準が指定されている。
4. 処理対象人員が500人以下の施設にあっては，その維持管理について1年以内ごとに1回，定期的に地方公共団体の機関，又は厚生大臣の指定する者の検査を受けなければならない。
5. 同一建築物が2以上の異なった建築用途に供される場合の処理対象人員は，それぞれの建築用途ごとに算定し加算して求める。

演習問題 36

浄化槽の処理対象人員の算定に関する記述のうち，適当でないものはどれか。

(1) 高等学校・大学の処理対象人員は，定員に定数を乗じて算定する。

(2) 公衆便所の処理対象人員は，総便器数に定数を乗じて算定する。

(3) 事務所の処理対象人員は，業務用厨房の有無により，算定基準が異なる。

(4) 建築用途の異なる2棟の建築物で共用する浄化槽を設ける場合の処理対象人員は，延べ面積の大きい方の建築用途の算定基準により算定する。

解答 解説

(4) 2以上の建築物が共同で浄化槽を設ける場合は，それぞれの建築用途の項を適用加算して処理対象人員を算定する。

5. 施工と管理

ⓐ 施工上の留意事項

1. し尿浄化槽の設置場所の基礎を十分打ち固める。
2. スカムや汚泥の引き抜きスペースを十分に取る。
3. 設置後満水にして24時間以上の漏水検査をする。
4. 固い石が直接FRP槽にあたらないようにする。
5. 槽本体の設置にあたって，底盤面の水平と据付け高さの調整は基礎コンクリートを規定厚さに打ち，均しモルタルで行う。
6. 型式の認定を受けた浄化槽は，見やすい箇所に容易に消えない方法で認定番号を表示しなければならない。
7. 浄化槽設置工事の監督は，浄化槽設備士が行う。
8. 地下水位が高い場所に設置するときは，浮上防止のために固定金具等で槽本体を基礎コンクリートに固定する。
9. 槽本体の据付けは，処理が円滑に行われるように本体の水平を水準器等で確認して据付ける。
10. コンクリート打設のための型枠支保工の組立ての作業を行うときは，作業主任者を選任する。

ⓑ 維持管理留意事項

1. 活性汚泥法は，流入水が不足するとばっ気槽内の BOD 量が足りなくなり，逆に計画量以上に流入するとフロックがばっ気槽から流出したりするため，ばっ気槽内の生物量が不足して安定した浄化機能を維持できなくなる欠点がある。
2. 接触ばっ気方式では，生物膜量を任意に制御できないので，負荷が高いと接触材表面の肥厚が早くなり，接触材が閉塞して浄化機能を失うおそれがある。
3. 接触ばっ気方式では，制御する部分が生物膜の剥離と移送であるから，活性汚泥方式に比べて維持管理が容易である。
4. 生物膜法での生物は，比較的大形の生物が発生するので，活性汚泥法に比べて余剰汚泥量が少ないので，日常の維持管理が容易である。
5. 活性汚泥方式では，活性汚泥（フロック）を常に最適な状態に保つ必要があるため高度な技術を要する。
6. 活性汚泥方式より接触ばっ気方式の方が水温低下の影響を受けにくい。
7. 活性汚泥方式では，生物体が浮遊しているため，所定以上の汚水が流入すると，接触ばっ気方式に比べて放流水質を悪くするおそれがある。
8. 消毒槽での塩素消毒は，塩素の酸化作用を利用して有害な微生物を死滅させるために行う。
9. 槽内の洗浄に使用した水は全量引き出して排除する。ただし，消毒タンク，消毒室又は消毒槽以外の部分を洗浄した水は，1 次処理装置や沈殿分離槽などの張り水に用いてもよい。

演習問題 37

FRP 製浄化槽の設置に関する記述のうち，適当でないものはどれか。

(1) 地下水位が高い場所に設置する場合は，浄化槽本体の浮上防止対策を講ずる。
(2) 浄化槽の水平確認は，水準器，槽内に示されている水準目安線などで行う。
(3) 浄化槽本体の設置にあたって，据付け高さの調整は，山砂を用いて行う。
(4) 積雪寒冷地を除き，車庫，物置など建築物内への設置は避ける。

(3) 槽本体の設置にあたっては，底盤面の水平と据え付け高さの調整は基礎コンクリートを規定厚さに打ち均しモルタルで行う（P.196 ⓐ）。

復習問題

問題1　水道法関連用語に関する次の記述のうち，適当でないものはどれか。

(1)　水道とは，導管及びその他の工作物により，水を人の飲用に適する水として供給する施設の総体を言う。但し臨時に施設されたものを除く。

(2)　水道事業とは，一般の需要に応じて，水道により水を供給する事業を言う。但し，給水人口が 100 人以下である水道によるものを除く。

(3)　簡易水道事業とは，給水人口が 5,000 人以下である水道により，水を供給する水道事業をいう。

(4)　簡易専用水道とは，水道事業の用に供する水道及び専用水道以外の水道であって，水道事業の用に供する水道から供給を受ける水のみを水源とするものをいい，具体的には市水道より水の供給を受けるビルの給水施設等をいう。なお，受水槽の有効容量の合計が 20 m^3 を超えるものに適用される。

問題2　給水設備に関する記述のうち，適当でないものはどれか。

(1)　高層建築物では，高層・低層に給水系統を分けたり，減圧弁を設置するなどして，給水圧力が 400～500 kPa を超えないようにする。

(2)　ウォーターハンマー防止などのため，一般に，給水管内の流速は 2.0 m／s 程度以下とする。

(3)　大便器の器具給水負荷単位は，ロータンク方式より洗浄弁方式の方が大きい。

(4)　揚水管の横引配管が長くなる場合，上層階で横引きをする方が水柱分離を生じにくい。

問題3　貯水槽の構造要件に関する次の記述のうち，適当でないものはどれか。

(1)　給水タンクの天井，底または周壁は，建築物の他の部分と兼用してはならない。

(2)　貯水槽のマンホールは内径 60 cm 以上とし，ほこりや雨水が浸入しないよう，その取付け面より 10 cm 以上立ち上げ，防水，密閉形とする。

(3)　貯水槽の底及びその周壁の周囲には 60 cm 以上の空間を設ける。また上部には 100 cm 以上の空間を設ける。

(4)　湯水の膨張による機器の破裂を防ぐための給湯設備の膨張管は，貯水槽に接続する。

問題 4　**下水道に関する次の記述のうち，適当でないものはどれか。**

(1)　2本の管きょが曲線をもって合流する場合の曲線の半径は，内径の5倍以上とする。

(2)　流速は一般に下流に行くにしたがい漸増させ，勾配は下流に行くにしたがい緩くなるようにする。

(3)　合流式管きょにおける計画下水量は，計画雨水量と計画時間最大汚水量とを加えた量とする。

(4)　汚水管きょにおける計画下水量は，計画時間平均汚水量とする。

問題 5　**間接排水に関する次の記述のうち，適当でないものはどれか。**

(1)　間接排水とは，排水系統をいったん大気中で縁を切り，一般の排水系統へ直結している水受け容器又は排水器具の中へ排水することをいう。

(2)　間接排水としなければならないのは，洗濯機や脱水機など洗濯用機器からの排水（洗濯流しの排水は不要）営業用調理流しの排水など飲食物の供給に関係する器具の排水，などである。

(3)　排水管を開口させてはならないものとして，洗面器，手洗器，料理場流し，手術用手洗器，ビデ，洗髪器，洗濯流し等の排水がある。

(4)　飲料用給水槽の排水口空間の最小寸法は，100 mm とする。

問題 6　**排水槽に関する次の記述のうち，適当でないものはどれか。**

(1)　排水槽の底には，吸い込みピットを設け，かつ当該吸い込みピットに向かって1／15以上1／10以下の勾配をつける。

(2)　排水槽の通気管は，単独で立ち上げて直接屋外に開放する。

(3)　排水槽には，内部の保守点検のために内径45 cm 以上の防臭形マンホールを設ける。

(4)　吸込みピットの大きさは，フート弁や水中ポンプの吸込み部の周囲及び下部に200 mm 以上の間隔をもたせる。

問題 7　**通気管の施工に関する次の記述のうち，適当でないものはどれか。**

(1)　通気管は，排水管に接続されている器具のあふれ縁のうち最も高い位置にあるものより少なくとも15 cm 立ち上げてから横走りさせる。

(2)　ループ通気管は，排水横枝管の最上流の器具排水管を接続した直前の上流側より取り出す。

(3)　逃がし通気管は，最下流の器具排水管を排水横枝管に接続した直後の下流側より取り出す。

(4) 通気管の最小管径は，30 mm とする。

問題 8 **トラップに関する次の記述のうち，適当でないものはどれか。**

(1) トラップの封水深は 5 cm 以上 10 cm 以下とする。
(2) トラップを二重に設けてはならない。
(3) P トラップはサイホン作用を起こしやすい。
(4) 隔壁構造のトラップは使用しないほうがよい。

問題 9 **給湯設備に関する次の記述のうち，適当でないものはどれか。**

(1) 給湯配管方式は，一般にリバースリターン方式を採用する。
(2) 配管の途中には，伸縮継手を取り付ける。
(3) 循環ポンプは，一般に低揚程のものを給湯管（往き管）側に設ける。
(4) 循環湯量の算定は，主として配管系統からの熱損失に基づいて行う。

問題 10 **消防設備に関する次の記述のうち，適当でないものはどれか。**

(1) 二酸化炭素消火設備の貯蔵容器は，当該防護区画外に設ける。
(2) 2 号屋内消火栓設備には，保形ホースが使用される。
(3) 舞台部には，閉鎖型スプリンクラーヘッドを設ける。
(4) 泡消火設備は，油火災の消火に適している。

問題 11 **ガス施設に関する次の記述のうち，適当でないものはどれか。**

(1) LN ガスはメタンを主成分とする天然ガスを冷却液化したものである。
(2) LN ガスは空気よりも軽いので，ガス漏れ警報器は天井面から 30 cm 以内の位置に設置しなければならない。
(3) LP ガス（プロパン）の比重は，空気の約 1.5 倍である。
(4) LP ガスボンベは，常に 60 ℃以下に保たれる場所に設置する。

問題 12 **浄化槽の施工に関する次の記述のうち，適当でないものはどれか。**

(1) し尿浄化槽の設置場所の基礎を十分打ち固める。
(2) スカムや汚泥の引き抜きスペースを十分に取る。
(3) 設置後満水にして 12 時間以上の漏水検査をする。
(4) 固い石が直接 FRP 槽にあたらないようにする。

復習問題　解答解説

問題 1　(4)　簡易専用水道は，受水槽の有効容量の合計が 10 m^3 を超えるものに適用される（P.140，ⓐの 4. 参照）。

問題 2　(4)　揚水管の横引配管は，低層階で横引きする方が，水柱分離を生じにくい。

問題 3　(4)　給湯設備の膨張管は貯水槽に接続してはならない。単独に膨張水槽を設けてこれに接続すること（P.175，ⓓの 5. 参照）。

問題 4　(4)　汚水管きょにおける計画下水量は，計画時間最大汚水量とする（P.156，ⓓの 1. 参照）。

問題 5　(4)　飲料用給水槽の排水口空間の最小寸法は，150 mm とする（P.159，ⓐの 9. 参照）。

問題 6　(3)　排水槽には，内部の保守点検のために内径 60 cm 以上の防臭形マンホールを設ける（P.161，ⓔの 4. 参照）。

問題 7　(2)　ループ通気管は，排水横枝管の最上流の器具排水管を接続した直後の下流側より取り出す（P.165 の 12. 参照）。

問題 8　(3)　S トラップはサイホン作用を起こしやすい（P.167，ⓓの③参照）。

問題 9　(3)　循環ポンプは，一般に低揚程のものを返湯管（返り管）側に設ける（P.176，ⓕの 2. 参照）。

問題 10　(3)　舞台部に設けるスプリンクラーヘッドは，開放型でなければならない（P.182，ⓑの 4. 参照）。

問題 11　(4)　LP ガスボンベは，常に 40 ℃以下に保たれる場所に設置する（P.185，ⓔの 5. 参照）。

問題 12　(3)　設置後満水にして 24 時間以上の漏水検査をする（P.196，ⓐの 3. 参照）。

第4章

電気設備

1　電気関係法規

1. 電気事業法

ⓐ 電気工作物の分類

1. 事業用電気工作物
　主として電力会社の施設
2. 一般用電気工作物
　一般の住宅・商店など低圧需要家の施設
　① 事業用電気工作物以外の電気工作物
　② 自家用電気工作物以外の電気工作物
　③ 600 V 以下の電圧で受電するもの
3. 自家用電気工作物
　工場・ビルなど高圧又は特別高圧需要家の施設
　① 特別高圧で受電するもの
　② 高圧で受電するもの
　③ 構外にわたる電線路を有するもの
　④ 火薬類を製造する事業場に設置するもの
　⑤ 政令で指定する炭坑に設置するもの
　⑥ 自家発電設備（非常用を含む）を有するもの，ただし下記のものを除く
　　出力 20 kW 未満の太陽電池発電設備
　　出力 20 kW 未満の風力発電設備
　　出力 10 kW 未満の水力発電設備（ダムを伴うものを除く）
　　出力 10 kW 未満の内燃力発電設備

ⓑ 電気主任技術者の選任

1. 自家用電気工作物施設者は，次の区分により電気主任技術者を選任しなければならない。

電気主任技術者	構内の電気設備	構外の電気設備
第3種	電圧　50 kV 未満	電圧　25 kV 未満
第2種	電圧 170 kV 未満	電圧 100 kV 未満
第1種	すべて	

2. 上表以外にも次の選任方法がある。
   ① 第二種電気工事士は 100 kW 未満の自家用電気工作物の主任技術者となることができる。
   ② 第一種電気工事士は 500 kW 未満の自家用電気工作物の主任技術者となることができる。
   ③ 次の自家用施設は，電気保安協会に保安監督業務を委託することができる。
      イ. 500 kW 未満の発電所
      ロ. 受電電圧 7 kV 以下で最大電力 2,000 kW 未満の需要設備
3. 自家用電気工作物施設者は保安規定を定め，通商産業大臣に届け出なければならない。

ⓒ 事故報告

自家用電気工作物を設置するものが，電圧 3,000 V 以上の電気工作物の損傷により，一般電気事業者に供給支障事故を発生させた場合，又は，人身事故あるいは火災事故を発生させた場合には，次の区分により所轄通商産業局長に事故報告しなければならない。

（事　故）	（速　報）	（詳　報）
人身事故 火災事故 供給支障事故	事故が発生した事を知った時から 48 時間以内	事故が発生した事を知った時から起算して 30 日以内

ⓓ 電圧の区分

	直　　流	交　　流
低　　圧	750 V 以下	600 V 以下
高　　圧	750 V を超え 7,000 V 以下	600 V を超え 7,000 V 以下
特別高圧	7,000 V を超えるもの	

演習問題 1

電気事業法で定める交流電圧の高圧の範囲で正しいものはどれか。

(1) 300 V を超え 3,500 V 以下
(2) 300 V を超え 7,000 V 以下
(3) 600 V を超え 7,000 V 以下
(4) 600 V を超え 10,000 V 以下

解答 解説

(3) 交流の高圧は 600 V を超え 7,000 V 以下（前頁，ⓓ参照）。

演習問題 2

電気主任技術者が保安の監督をすることができる電気工作物の範囲を電気主任技術者免状の種類に応じて分けている要素として，次のうち正しいものはどれか。

(1) 電気工作物の最大負荷電流によって分けている。
(2) 電気工作物の電圧によって分けている。
(3) 電気工作物の電圧と最大負荷電流によって分けている。
(4) 電気工作物が構内施設か構外施設かは無関係である。

解答 解説

(2) P.204，205，ⓑの 1. より，電圧によって分けている。

演習問題 3

「自家用電気工作物を設置するものが，電圧 3,000〔V〕以上の電気工作物の損傷により，一般電気事業者に供給支障事故を発生させた場合，又は人身事故，あるいは火災事故を発生させた場合には，事故が発生した（ A ）から（ B ）以内に速報を，また，事故が発生した（ C ）から（ D ）以内に詳報を，所轄通商産業局長に報告しなければならない。」

上記文章のカッコ内に入る語句の組合せとして，正しいものはどれか。

	A	B	C	D
(1)	(ことを知った時)	(24 時間)	(時)	(10 日)
(2)	(ことを知った時)	(48 時間)	(ことを知った時)	(30 日)
(3)	(時)	(24 時間)	(ことを知った時)	(20 日)
(4)	(時)	(48 時間)	(時)	(1 週間)

(2) 知った時から速報は48時間以内，詳報は30日以内（P.205の❸参照）。

2. 電気用品取締法

ⓐ 法の目的

一般用電気工作物に使用される電気用品の製造販売及び使用に制限を加え，粗悪な電気用品による火災，感電，電波障害などの危険及び障害の発生を防止することを目的としている。

ⓑ 種類

1. 甲種電気用品と乙種電気用品に分けられている。
2. 甲種電気用品は主として材料や部品で，乙種電気用品は主として製品又は機械器具である。
3. 甲種電気用品には，逆三角形の中に〒の字を書いたマークが付けられている。
4. 高圧受変電設備などは，取締法の対象外である。

3. 電気設備技術基準

ⓐ 電路の絶縁抵抗値基準

電路の使用電圧の区分		絶縁抵抗値
300 V以下	対地電圧が150 V以下の場合	0.1 MΩ以上
	その他の場合	0.2 MΩ以上
300 Vを超えるもの		0.4 MΩ以上

ⓑ 電路の絶縁耐力試験

1. 7,000 V以下の電路の絶縁耐力試験は，最大使用電圧の1.5倍の電圧で行う。
2. 試験電圧の最低は500 Vであること。

3. 試験電圧は連続 10 分間印加すること。
4. 電動機にあっては，巻線と大地間に印加すること。

ⓒ 接地抵抗値

1. 接地工事の種類は次の通りである。（カッコ内は従来名称）
   A 種接地工事（第一種接地工事）
   B 種接地工事（第二種接地工事）
   C 種接地工事（特別第三種接地工事）
   D 種接地工事（第三種接地工事）
2. 接地工事の種類と最大接地抵抗値との関係は次表の通りである。

機械器具の使用電圧区分	低圧（非充電部）		高圧又は特別高圧	
	300 V 以下	300 V 超	充電部	非充電部
接地工事の種類	D 種	C 種	B 種	A 種
最大接地抵抗値	100 Ω以下	10 Ω以下	（別記）	10 Ω以下

B 種の接地抵抗値は，150 を変圧器の高圧側又は特別高圧側の電路の一線地絡電流のアンペア数で割った値に等しいオーム数。
3. 接地抵抗の測定方法には，コールラウシュブリッジによる方法と，直読式の接地抵抗計（アーステスタ）を使用する方法とがある。
4. 接地極を並列接続すると，単独の場合より接地抵抗値が低くなる。
5. 接地工事は，感電や漏電等から人や設備等を保護するために行う。

ⓓ 感電防止対策

1. 電路の対地電圧が低い電気方式を採用する。
2. 操作回路の電源に絶縁変圧器を設け，負荷側の電路を非接地とする。
3. 二重絶縁の構造の機械器具を施設する。
4. 電路に漏電遮断器を設置した機器には接地を施す。
5. 漏電遮断器は，高感度・高速形を使用する。
6. 接地工事の接地抵抗をできるだけ低くする。

演習問題 4

7,000 V 以下の電路の絶縁耐力試験のうち，誤っているものはどれか。

(1) 電路の最大使用電圧の 1.5 倍の電圧で試験する。
(2) 電動機にあっては，巻線と大地間に試験電圧を印加する。

(3) 試験電圧の最低は 300 V とする。

(4) 試験電圧は連続 10 分間印加する。

解答 解説

(3) 絶縁耐力試験電圧は最低 500 V である（P.207，3. の❶の 2. 参照）。

演習問題 5

三相 400 V の電動機に施す接地工事として，適当なものはどれか。

(1) A 種接地工事

(2) B 種接地工事

(3) C 種接地工事

(4) D 種接地工事

(3) 300 V を超える低圧であるから，C 種接地工事を行う（前頁，❸の 2. 参照）。

2　電気施設

1. 配電方式

ⓐ 単相2線式

1. 線間電圧100 V，対地電圧100 V方式は，白熱灯やコンセント用等一般家庭用
2. 線間電圧200 V，対地電圧100 V方式は，単相電動機（0.4 kW以下），大型家庭電気機器用

ⓑ 単相3線式

線間電圧100／200 V，対地電圧100 Vは，ビルの40 W以上のけい光灯用

ⓒ 低圧三相3線式

線間電圧200 V，対地電圧200 V方式は0.4 kW以上37 kW以下の電動機や大型電熱器用

ⓓ 三相4線式

線間電圧240／415（265／460）V，対地電圧240（265）Vは特高スポットネットワーク受電等の二次回路用で，カッコ前は50 Hz配電地域，カッコ内は60 Hz地域

ⓔ 高圧三相3線式

1. 6.6 kVは大部分の自家用施設への配電用
2. 22 kVは契約電力2,000 kW以上の自家用施設への配電用

ⓕ 配電電圧

1. 契約電力が50 kW未満の場合は低圧配電となる。
2. 契約電力が50 kW以上で2,000 kW未満の場合は高圧配電となる。
3. 契約電力が2,000 kW以上の場合は特別高圧配電となる。

演習問題 6

配電方式等に関する次の記述のうち，不適当なものはどれか。

(1)　単相 3 線式では，100 V と 200 V の 2 種類の線間電圧が取り出せる。

(2)　三相 4 線式は，特高受電の二次回路用として設けられる。

(3)　低圧配電は，契約電力が 50 kW 未満の場合に適用される。

(4)　三相 4 線式の配電電圧は，日本全国同一である。

解答 解説

(4)　三相 4 線式の配電電圧は，周波数が 50 Hz の地域と 60 Hz の地域とで異なる。

2. 変圧器の結線

ⓐ 変圧比

1. 変圧比とは，変圧器の一次側と二次側の巻線の巻数比をいう。
2. 一次側と二次側のそれぞれの電圧を V_1，V_2，巻数を n_1，n_2，電流を I_1，I_2 とすると次の関係式が成り立つ。

$$変圧比 = 巻数比\alpha = \frac{n_1}{n_2} = \frac{V_1}{V_2} = \frac{I_2}{I_1}$$

3. 変圧器の端子記号は，通常一次側を大文字，二次側を小文字で表す。

ⓑ 変圧器の結線

1. 複数変圧器の結線方法には次の方法がある。
   ①　3 台による△−Y 結線（三相 3 線式）
   ②　3 台による Y−△結線（三相 3 線式）
   ③　3 台による Y−Y 結線（三相 3 線式）
   ④　3 台による△−△結線（三相 3 線式）
   ⑤　2 台による V−V 結線（三相 3 線式）
2. V 結線の出力

   単相変圧器 2 台による V 結線のバンク（総合）容量は次の式で求められる。

   バンク容量 $= \sqrt{3} \times$(変圧器 1 台の出力)

   V 結線と△結線の出力比 $= \sqrt{3} / 3 = 0.577$（57.7 %）

第4章 電気設備

V 結線の利用率　　　　$=\sqrt{3}/2=0.866$（86.6 %）

ⓒ 変圧器の損失

1. 変圧器の損失 ＝ 無負荷損＋負荷損
2. 主な無負荷損 ＝ 鉄損 ＝ ヒステリシス損＋うず電流損 ＝ 一定
3. 主な負荷損 ＝ 銅損 ＝ 抵抗損 ＝ 負荷電流の 2 乗に比例

ⓓ 変圧器の効率

1. 変圧器の効率は次式で求める。

$$全負荷時の効率=\frac{出力}{出力+鉄損+銅損}\times 100〔\%〕$$

2. 変圧器の効率は，鉄損と銅損が等しい時に最高となる。
3. 変圧器の全日効率は次式で求める。

$$全日効率\eta=\frac{W}{W+W_1+W_2}\times 100〔\%〕$$

W ＝ 1 日中の全出力電力量〔kWh〕
　＝〔変圧器容量（kVA）×負荷の割合×力率×負荷時間（h）〕の合計

W ＝ 1 日の鉄損電力量〔kWh〕＝ 鉄損（kW）×24（h）

W ＝ 1 日の銅損電力量〔kWh〕
　＝〔銅損（kW）×(負荷の割合)^2×負荷の時間（h）〕の合計

演習問題 7

10〔kVA〕の単相変圧器 3 台を使用して三相 3 線式で配電していたところ 1 台が故障したため，故障した変圧器を切り離し，残り 2 台で三相 3 線式配電をする場合，変更後の変圧器の総合出力の説明として，次のうち正しいものはどれか。

(1) 10〔kVA〕×3 台 ＝ 30〔kVA〕が
　10〔kVA〕×$\sqrt{2}$ ≒ 14〔kVA〕となる。
(2) 10〔kVA〕×3 台 ＝ 30〔kVA〕が
　10〔kVA〕×2 台 ＝ 20〔kVA〕となる。
(3) 10〔kVA〕×3 台 ＝ 30〔kVA〕が
　10〔kVA〕×$\sqrt{3}$ ≒ 17〔kVA〕となる。
(4) 変更後も出力は同じである。

(3)　$\sqrt{3}$倍（約1.7倍）になる（P.211，ⓑの2.参照）。

演習問題 8

変圧器の全負荷時の効率を求める計算式で正しいものは次のうちどれか。

(1)　$\dfrac{出力+鉄損-銅損}{出力}\times 100$〔%〕

(2)　$\dfrac{出力+鉄損}{出力+銅損}\times 100$〔%〕

(3)　$\dfrac{出力}{出力+鉄損+銅損}\times 100$〔%〕

(4)　$\dfrac{出力}{出力+鉄損-銅損}\times 100$〔%〕

解答 解説

(3)　出力プラス損失分の出力（前頁，ⓓの1.参照）。

3.　電気施設管理

ⓐ 負荷率

1.　負荷率とは，ある期間中の平均需要電力（kW）と最大需要電力（kW）との比を百分率（%）で表したもので，次のようにして求める。

$$負荷率=\frac{平均需要電力}{最大需要電力}\times 100〔\%〕$$

2.　負荷率には，日負荷率，月負荷率，年負荷率などがあり，事務所ビルの平均日負荷率は30～40 %程度である。

ⓑ 需要率

1.　需要率とは，ある期間における需要家の最大需要電力と設備容量との比を百分率（%）で表したもので，次のようにして求める。

$$需要率=\frac{最大需要電力}{設備容量}\times 100〔\%〕$$

2. 需要率が高いほど設備の利用度が高いことを示し，事務所ビルの需要率は 50 %前後である。

演習問題 9

次の図は，ある需要施設の 1 日の電力使用状況を示す。この需要施設の日負荷率及び需要率の値の組合せで正しいものはどれか。ただし，この施設の設備容量を 1,000 kW とする。

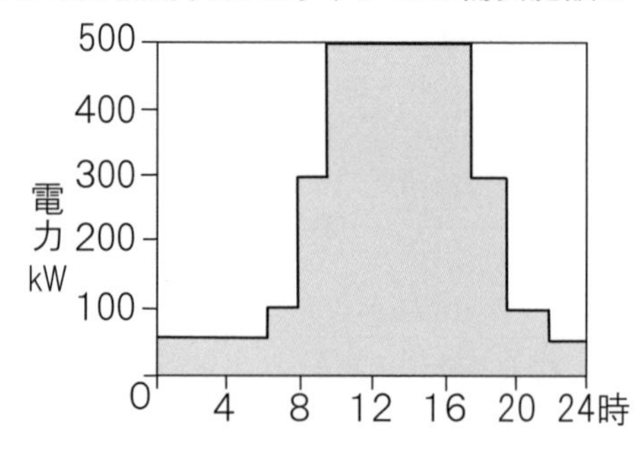

	日負荷率	需要率
(1)	45 %	60 %
(2)	50 %	50 %
(3)	55 %	40 %
(4)	60 %	30 %

解答 解説

(2)

① まず，1 日の平均需要電力（平均負荷）を求める。

そのためには，1 日の総使用電力量を求め，それを 24 時間で割って 1 日の平均負荷を求める。

1 日の総使用電力量 $= (50\times8)+(100\times4)+(300\times4)+(500\times8)$

$= 6{,}000$〔kWh〕

1 日の平均負荷 $= 6{,}000\div24 = 250$〔kW〕

最大需要電力は 500 kW なので，前頁，ⓐの 1. の式より，

日負荷率 $= 250\div500\times100 = 50$〔%〕

② 需要率を求める。

前頁，ⓑの 1. の式より，

需要率 $= 500\div1{,}000\times100 = 50$〔%〕

4. 電動機

ⓐ 回転数

1. 電動機の回転数は次式で求める。

N = 同期速度〔rpm〕，N' = 回転速度〔rpm〕
P = 磁極数，f = 周波数〔Hz〕，S = すべり
とすると次の関係がある。

$$N = \frac{120f}{P} \qquad \frac{N-N'}{N} = S \rightarrow N' = (1-S)N$$

2. 電源の周波数が変わると回転数も変わる。
3. 電源電圧が低下すると，トルクが不足し焼損するおそれがある。
4. 電源電圧が低下すると，始動トルク減少，始動電流減少，及び最大出力減少となるが，同期速度は変化しない。

ⓑ 電動機の種類

1. 三相誘導電動機には，かご型と巻線型とがある。
2. かご型は小容量用で，巻線型は大容量用である。
3. かご型は巻線型に比べて構造が簡単である。

ⓒ 始動方法

1. 三相誘導電動機の始動方法に次の方法がある。
   ① 全電圧（直入れ）始動法
   ② Y－△（スターデルタ）始動法
   ③ 始動補償器始動法
   ④ リアクトル始動法
2. 単相誘導電動機の始動方法に次の方法がある。
   コンデンサー始動法
3. Y－△始動法は，かご型三相誘導電動機の始動法で，始動時には固定子巻線をY結線にして始動し，全負荷速度近くになると自動的に△結線に切り替える方式である。
   始動電圧は全電圧の $1/\sqrt{3}$，始動電流，始動トルクとも1／3で，用途は11～37 kW用で通常20 kWまでである。
4. 直入れ始動の始動電流は，定格電流の5～7倍程度になる。
5. 始動階級と始動時の入力の大きさの順をいい，A→B→C→の順に大きくなる。

ⓓ 回転数制御

1. かご型誘導電動機の速度制御方法には次のものがある。

① 極数変換制御
② 一次電圧制御
③ 可変周波数制御

2. インバーター方式は，電源周波数制御の一種である。
3. 三相誘導電動機の回転方向を変えるには，3線のうち2線をつなぎ換えればよい。

ⓔ 保護装置

1. 過負荷，単相（欠相），逆転防止，等を組み合わせた継電器がある。
2. 過負荷保護は，電磁接触器に過負荷保護継電器が具備された電磁階開閉器によって行う。
3. 過負荷領域では，電磁開閉器が配線用遮断器より先に動作しなければならない。

ⓕ 周波数変更の影響

周波数が増加すると誘導電動機の回転数，効率が増加するがトルクは減少する。また，けい光灯の明るさは増すが寿命は短くなる。なお，電熱器や電気ストーブなどは周波数の影響を受けない。

演習問題 10

三相誘導電動機に関する次の記述のうち，不適当なものはどれか。

(1) Y－△始動法は，かご型三相誘導電動機の始動法である。
(2) 始動階級とは始動時の入力の大きさの順をいい，A→B→C→の順に小さくなる。
(3) 電源周波数が増加すると誘導電動機の回転数は増加する。
(4) 三相誘導電動機の回転方向を変えるには，3線のうち2線をつなぎ換えればよい。

解答 解説

(2) P.215，ⓒの5.より，始動階級は，A→B→C→の順に大きくなる。

3　電気施工

1. 配線工事

ⓐ 施設場所と工事の種類

施設場所と工事の種類のうち，無条件で施工できるもののみを次に示す。

工事の種類	展開場所		隠ぺい場所 点検可		隠ぺい場所 点検否		屋側屋外		木造で展開した場所	特殊場所	
	乾燥した場所	湿気のある場所	乾燥した場所	湿気のある場所	乾燥した場所	湿気のある場所	雨に濡れない所	雨に濡れる所		爆燃性粉塵 可燃性ガス等のある所	可燃性粉塵 危険物 火薬等のある所
① ケーブル工事	●	●	●	●	●	●	●	●		●	●
② 金属管工事	●	●	●	●	●	●	●	●		●	●
③ 合成樹脂管工事	●	●	●	●	●	●	●	●	●		●
④ 2種金属製可とう電線管工事	●	●	●	●	●	●	●	●			
⑤ がいし引工事	●	●	●	●					●		
⑥ 金属ダクト工事	●		●								
⑦ バスダクト工事	●		●								

ⓑ 配線施工

1. 金属管の屈曲箇所は，その曲げ半径を管の内径の6倍以上とする。
2. 金属管内で電線を接続してはならない。
3. 1本の金属管に複数の電線を収容する場合，電線の被覆絶縁物を含む断面積の総和が管の内断面積の32％以下であること。
4. 電気的に完全に接続されている金属管は，接地線に替えて利用できる。
5. 一般用電気工作物のうち，保安上重要な工事については，電気工事士でなければ行ってはならない。
6. 一般用電気工作物に使用する電線管及びその付属品は，電気用品取締法の適合品を使用しなければならない。

7. 動力設備の施工後は，次の試験を行う。
   ① 絶縁抵抗試験
   ② 接地抵抗試験
   ③ シーケンス試験

❸ 電線の許容電流

主な電線の許容電流は次の通りである。

電線太さ	絶縁電線							コード		
	単線（mm）				撚り線（mm^2）			撚り線（mm^2）		
	1.6	2.0	2.6	3.2	5.5	8.0	14	0.75	1.25	2
許容電流（A）	27	35	48	62	49	61	88	7	12	17

演習問題 11

特殊場所以外の低圧屋内電気配線のうち，点検できない隠ぺい箇所に施設するものとして適当でないものはどれか。

(1) 金属ダクト配線
(2) CA ケーブルによる配線
(3) CD 管以外の合成樹脂管配線
(4) 金属管配線

解答 解説

(1) 前頁，ⓐの表⑥の欄より，金属ダクト配線工事は，点検できない隠ぺい箇所には施工できない。

演習問題 12

屋内配線工事で，木造で展開した場所を除く全ての施設場所で行える工事の種類は次のうちどれか。

(1) がいし引工事
(2) 金属管工事
(3) 金属ダクト工事
(4) バスダクト工事

(2)　金属管工事には制限規定がない（P.217，ⓐの表②の欄参照）。

復習問題

問題1　次のうち「電気事業法」上，自家用電気工作物に該当しないものはどれか。

(1)　特別高圧で受電する需要設備

(2)　高圧で受電する需要設備

(3)　出力 20 kW の非常用ジーゼル発電設備を有する需要設備

(4)　設備容量が 30 kW で，受電電圧が 220 V の需要設備

問題2　7,000 V 以下の電路の絶縁耐力試験のうち，誤っているのはどれか。

(1)　電路の最大使用電圧の 1.5 倍の電圧で試験する。

(2)　電動機にあっては，巻線と大地間に試験電圧を印加する。

(3)　試験電圧の最低は 500 V とする。

(4)　試験電圧は連続 5 分間印加する。

問題3　変圧器に関する次の記述のうち，適当でないものはどれか。

(1)　変圧器の変圧比とは，変圧器の一次側と二次側の巻線の巻数比をいう。

(2)　変圧器の端子記号は，通常一次側を大文字，二次側を小文字で表す。

(3)　変圧器の損失のうち無負荷損は一定している。

(4)　変圧器の損失のうち負荷損は，負荷電流に比例する。

問題4　三相誘導電動機に関する次の記述のうち，適当でないものはどれか。

(1)　Y－△始動法は，かご型三相誘導電動機の始動法である。

(2)　電源周波数が一定の場合，4 極の電動機の回転数は，2 極の電動機の回転数の 2 倍になる。

(3)　電源周波数が増加すると誘導電動機の回転数は増加する。

(4)　三相誘導電動機の回転方向を変えるには，3 線のうち 2 線をつなぎ換えればよい。

問題5　電気配線施工に関する次の記述のうち，適当でないものはどれか。

(1)　金属管の屈曲箇所は，その曲げ半径を管の内径の 3 倍以上とする。

(2)　金属管内で電線を接続してはならない。

(3)　1 本の金属管に複数の電線を収容する場合，電線の被覆絶縁物を含む断

面積の総和が管の内断面積の 32 %以下であること。

(4) 屋内配線工事で，木造で展開した場所を除く全ての施設場所で行える工事の種類は金属管工事である。

問題 6　**電動機のインバータ制御に関する記述のうち，適当でないものはどれか。**

(1) 汎用インバータでは，一般に，出力周波数の変更に合わせて出力電圧を制御する方式が用いられる。

(2) インバータによる運転は，電圧波形にひずみを含むため，インバータを用いない運転よりも電動機の温度が高くなる。

(3) インバータによる始動方式は，直入始動方式よりも始動電流が大きいため，電源容量を大きくする必要がある。

(4) 三相かご形誘導電動機は，インバータにより制御することができる。

問題 7　**電気工事に関する記述のうち，適当でないものはどれか。**

(1) 合成樹脂製可とう電線管の PF 管を，直接コンクリートに埋め込んで施設した。

(2) 金属管工事で，三相 3 線式回路の電線を同一の金属管に収めた。

(3) 合成樹脂製可とう電線管の CD 管相互の接続に，カップリングを用いた。

(4) 人が触れるおそれがある使用電圧が 400 V の金属管に，D 種接地工事を施した。

問題 8　**三相誘導電動機に関する記述のうち，適当でないものはどれか。**

(1) スターデルタ始動方式は，全電圧直入始動方式と比較して，始動電流を 1／3 に低減できる。

(2) 同期速度は，電動機の極数に比例し，電源の周波数に反比例する。

(3) 建築設備に使用されるものの電流には，一般に，三相 3 線式 200 V が使用される。

(4) 全電圧直入始動方式では，一般に，始動電流が定格電流の 5～7 倍程度流れる。

問題 9　**電気工事に関する記述のうち，適当でないものはどれか。**

(1) PF 管（合成樹脂製可とう電線管）内に納める電線を，EM-IE 電線

（600 V 耐燃性ポリエチレン絶縁電線）とした。

⑵　使用電圧が 300 V 以下であるため，金属管に D 種接地工事を施した。

⑶　CD 管（合成樹脂製可とう電線管）は，直接コンクリートに埋め込んで施設してはならない。

⑷　CD 管（合成樹脂製可とう電線管）はオレンジ色であるため，PF 管（合成樹脂製可とう電線管）と判別できる。

問題 10　**電動機のインバータ制御に関する記述のうち，適当でないものはどれか。**

⑴　三相かご形誘導電動機は，インバータにより制御することができる。

⑵　インバータにより周波数を変化させて，速度を制御する。

⑶　直入始動方式よりも始動電流を小さくできるため，電源設備容量が小さくなる。

⑷　高調波が発生しないため，フィルタなどの高調波除去対策が不要である。

問題 11　**電気工事の施工に関する記述のうち，適当でないものはどれか。**

⑴　CD 管（合成樹脂製可とう電線管）を，天井内に直接転がして施設した。

⑵　金属管工事で，三相 3 線式回路の電線を同一の金属管に収めた。

⑶　電線の接続は，プルボックスの内部で行った。

⑷　浄化槽の分岐回路に，漏電遮断器を設けた。

復習問題　解答解説

問題 1　(4)　600 V 以下の電圧で受電するものは一般用電気工作物となる（P.204，ⓐの 2. 参照）。

問題 2　(4)　試験電圧は連続 10 分間印加する（P.208，3. のⓑの 3. 参照）。

問題 3　(4)　変圧器の損失のうち負荷損は，負荷電流の 2 乗に比例する。

問題 4　(2)　電源周波数が一定の場合，4 極の電動機の回転数は，2 極の電動機の回転数の 1／2 倍になる。

問題 5　(1)　金属管の屈曲箇所は，その曲げ半径を管の内径の 6 倍以上とする。

問題 6　(3)　インバータ運転は，直入始動方式よりも始動電流が小さいため，電源設備容量を小さくできる。

問題 7　(4)　使用電圧が 300 V を超えているため，C 種接地工事を施工する。

問題 8　(2)　同期速度は，電動機の極数に反比例し，電源の周波数に比例する。

問題 9　(3)　CD 管は直接コンクリートに埋め込んで施設できる。

問題 10　(4)　高調波が発生するため，フィルタなどによる高調波除去対策が必要である。

問題 11　(1)　CD 管は，コンクリート埋設用であり，天井内に転がし配管はできない。自己消火性のある PF 管を転がし配管として用いる。

第5章

建築学

1 建築学基礎

1. 鋼材の性質

ⓐ 応力ひずみ線図

1. 鋼材の引っ張り試験において，応力とひずみとの関係を示すものを応力ひずみ線図という。

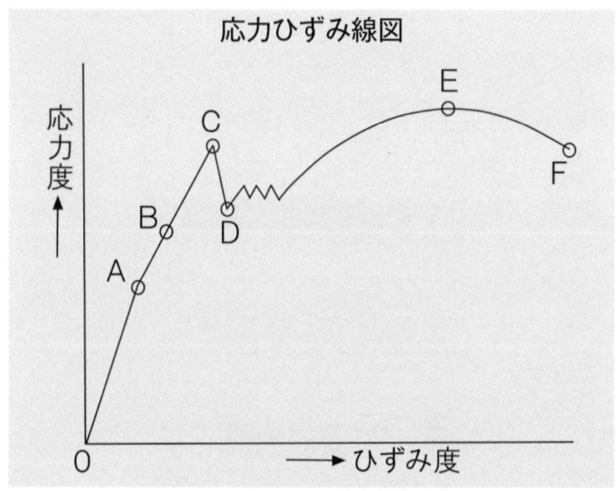

A. 比例限度 ——— 応力とひずみは直線的に比例し，応力を除去するとひずみも解消し O 点に戻る応力の限度を言う。

B. 弾性限度 ——— 応力とひずみの関係は曲線的になるが応力を除去するとひずみも解消し O 点に戻る応力の限度を言う。

C. 上降伏点 ——— 応力を除去してもひずみは残り，ある時点でひずみは増加するが応力が急激に低下する点を言う。

D. 下降伏点 ——— 上記の状態が反転して，再び応力とひずみの関係が曲線的に比例して増加を始める点を言う。

E. 最大応力点 ——— その材料に加え得る最大の応力を最大応力又は最大引張強さと言う。

F. 破断点 ——— 最大応力点を過ぎるとひずみは増加するが応力は減少し，ついに破断する。ここを破断点と言う。

2. 鋼材の引張強さは通常軟鋼で 392 MPa～412 MPa である。

3. 鋼材の許容応力は鋼材の使用可能な応力で，比例限度以下の値である。

ⓑ 安全率

1. 安全率とは，引張強さを許容応力で割った値を言う。
2. 建築物は静荷重であるので，通常 4 で設定する。

ⓒ 筋かい

鉄骨構造に用いられる筋かいの役割は，風圧力や地震力による水平力に対する抵抗である。

ⓓ 耐震壁

鉄筋コンクリート構造の耐震壁は，建築にねじれが生じないよう釣り合いよく配置する。

ⓔ 構造設計

建築物のねじり剛性を大きくするためには，耐力壁や筋かいは平面の外周部に配置する。

演習問題 1

構造用鋼材に関する次の記述のうち，不適当なものはどれか。

(1) 鋼材は，弾性限度内で使用しなければならない。
(2) 鋼材の引張強さは通常軟鋼で 392 MPa～412 MPa である。
(3) 安全率とは，引張強さを許容応力で割った値を言う。
(4) その材料に加え得る最大の応力を最大応力又は最大引張強さと言う。

解答 解説

(1) 鋼材は，許容応力以内で使用しなければならない。

2. 建築構造

ⓐ S 造の得失

1. 鉄骨（Steel）構造の建築物を S 造と言う。
2. 利点①　柔構造のため耐震性が高い。

　　　② 超高層建物，大スパン建築物に適している。
　　　③ 強度が高いので部材断面は小さくなる。
　　　④ RC 造や SRC 造に比べ，工期が短縮できる。
　欠点① 露出している鉄骨の耐火性は低い。

❺ RC 造の得失

1. 鉄筋（Reinforce）コンクリート（Concrete）構造を RC 造と言う。
2. 利点① 剛構造のため変形が少ない。
　　　② 中層建築物に適している。
　欠点① 構造物の自重が大きく，はり，柱の断面が大きくなる。
　　　② 耐火構造であるが長時間火災にあうと強度が低下する。
　　　　（500 ℃で引張り強度は平常時の 75 %）

❻ SRC 造の得失

1. 鉄骨鉄筋コンクリート構造の建築物を SRC 造と言う。
2. 利点　RC 造よりも更に高層の建築が可能である。
　欠点　構造物の自重が更に大きくなる。

❼ トラス構造

1. 節点がピン接合で組み立てられた構造をトラス構造という。
2. トラス構造では，原則として構成面を三角形とする。
3. トラス構造にすれば，外力が掛かっても構造体の変形は少ない。
4. トラス構造では，垂直材と水平材は引張応力に抵抗し，斜め材は圧縮応力に抵抗する。
5. トラス構造は柔構造の基本で超高層ビルに適する。
6. 三角形で構成された各部材には，軸方向力だけが働く。

❽ ラーメン構造

1. 接合部を剛に接合した構造をラーメン構造という。
2. 鉄筋コンクリート建築物はラーメン構造である。
3. ラーメン構造は変形は少ないが自重が大となる。
4. 各部材には，軸方向力，曲げモーメント，剪断力などが働く。

演習問題 2

建築構造に関する次の記述のうち，不適当なものはどれか。

(1)　トラス構造とは，長尺橋梁や体育館の屋根のように，接点がピンで接合された柔構造のものをいう。

(2)　建築構造のうちラーメン構造とは，鉄骨鉄筋コンクリート造のように変形がほとんど許されない剛構造のものをいう。

(3)　鉄骨は不燃材料であるから，耐火被覆をする必要はない。

(4)　トラス構造では，垂直材と水平材は引張応力に抵抗し，斜め材は圧縮応力に抵抗する。

(3)　鉄骨には必ず耐火被覆をほどこすこと。

演習問題 3

鉄骨構造に関する次の記述のうち，不適当なものはどれか。

(1)　材料強度が大きく部材断面を小さくすることができるので，座屈に対して配慮する必要はない。

(2)　鉄骨構造は鉄筋コンクリート造に比べ軽量なので，高層建築に適している。

(3)　中層以上の建物であれば，一般に鉄筋コンクリート造より工期を短縮できる。

(4)　梁継手の現場接合には，主として高カボルト接合が用いられる。

解答 解説

(1)　鉄骨は圧縮強度は小さいので座屈に対する配慮が必要である。

演習問題 4

鉄筋コンクリート造に関する次の記述のうち，不適当なものはどれか。

(1)　鉄筋コンクリート建築物は，一般にラーメン構造である。

(2)　鉄筋とコンクリートの線膨張係数は，ほぼ同じである。

(3)　コンクリートはアルカリ性であるため，鉄筋の錆びるのを防ぐ効果を果たしている。

(4)　鉄筋は主として圧縮応力を分担し，コンクリートは主として引張応力を分担する。

(4) 鉄筋は引張り，コンクリートは圧縮応力を分担する。

演習問題 5

図に示すトラス構造の各部材に掛かる応力の組合せで正しいものはどれか。

	部材 A	部材 B	部材 C
(1)	引張応力	圧縮応力	圧縮応力
(2)	圧縮応力	圧縮応力	引張応力
(3)	圧縮応力	引張応力	引張応力
(4)	引張応力	圧縮応力	引張応力

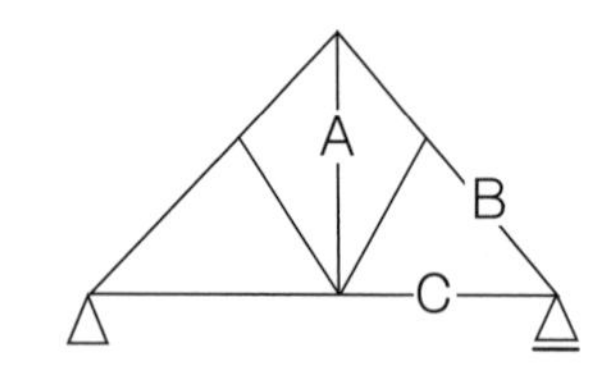

(4) 垂直材と水平材は引張応力を受け，斜め材は圧縮応力を受ける。

3. 支点

ⓐ 支店

支点の種類と記号は下図のとおりである。

1. 可動端 —— 1 つの力が作用（例，ローラー接合，移動端とも言う）
2. 回転端 —— 2 つの力が作用（例，ピン接合）
3. 固定端 —— 3 つの力が作用（例，溶接接合）

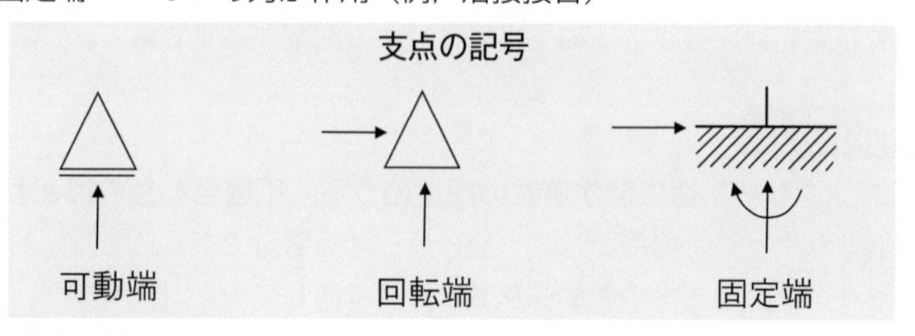

ⓑ 梁構造の基本形

梁の構造には，下図に示す 4 つの基本形がある。

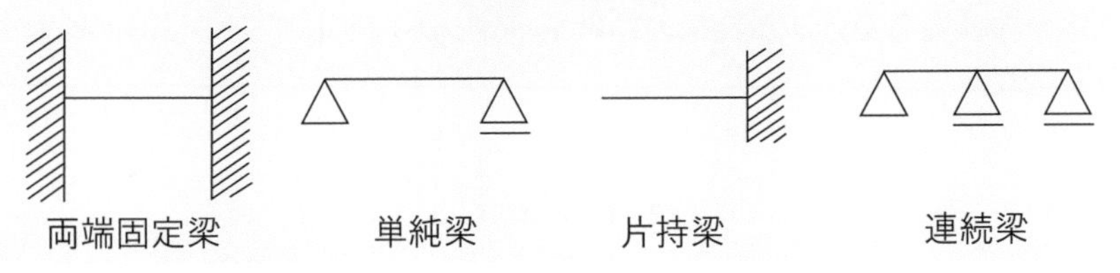

❸ 曲げモーメント図

1. 曲げモーメント＝（荷重）×（支点からの距離）
2. 曲げモーメント図は，上記値を図示したものである。
3. 梁に加わる荷重は実際は複雑であるが，説明を判り易くするため，通常は次のように集中荷重又は等分布荷重として表す。

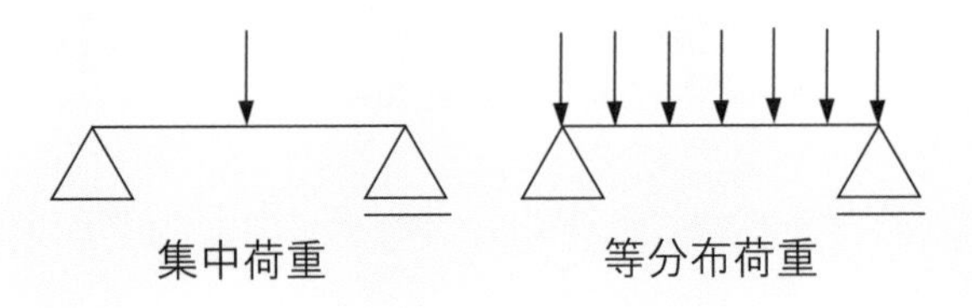

4. 主な梁の曲げモーメント図を次に示す。

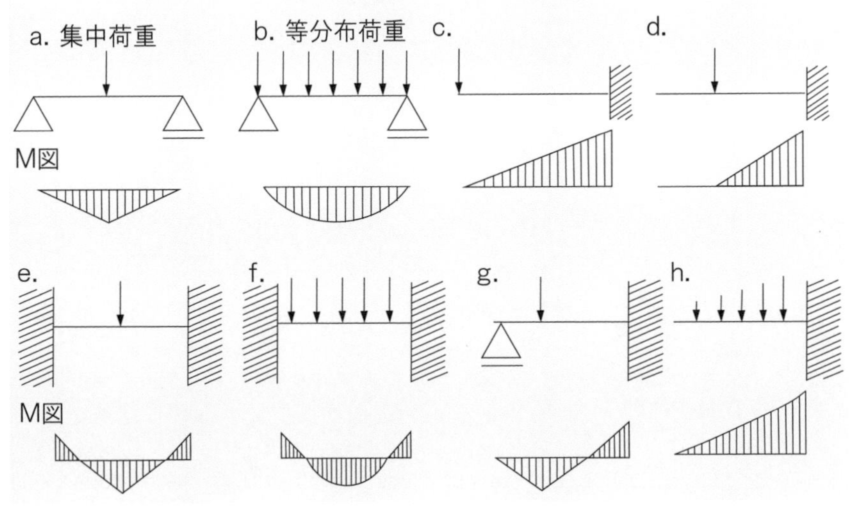

第5章 建築学

演習問題 6

等分布荷重を受ける単純梁の曲げモーメント図として，正しいのは次のうちどれか。

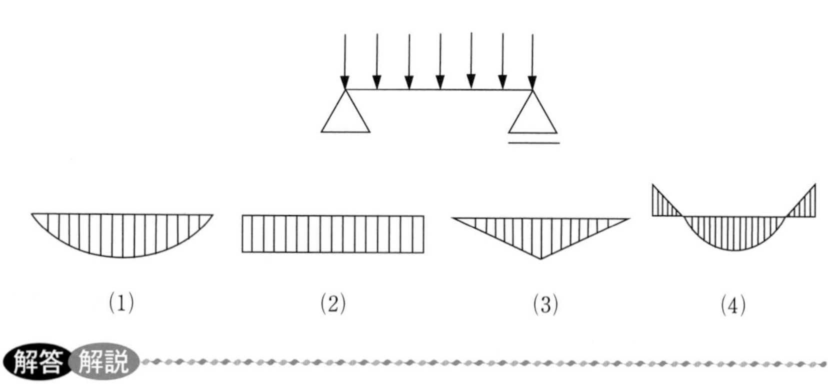

解答 解説

(1)　単純梁の等分布荷重の曲げモーメント図は半円形となる。

2　建築施工

1. 建築基礎

ⓐ 基礎（フーチング）

基礎には次の種類がある。

① 独立基礎 —— 柱の下だけに作る基礎
② 布基礎 ——— 壁下に添って作る基礎
③ べた基礎 —— 建物全体の下にコンクリートの板を作って建物を支える基礎

ⓑ 地業

1. 基礎の下の部分を地業と言う。
2. 割ぐり地業，玉石地業，杭地業などがある。

ⓒ 杭

1. 杭には支持杭と摩擦杭とがある。
   ① 支持杭は，杭の先端を岩盤や硬い砂れき層などの堅固な地盤に支持し，先端の抵抗（支持力）により上部の重量を支える杭である。
   ② 摩擦杭は，先端が硬い地盤まで届かないような場合に，土との間に作用する摩擦力によって上部構造を支持する杭である。
2. 同一の建築物には，支持杭と摩擦杭を併用しないことが望ましい。

ⓓ 地盤

1. 砂質地盤は一般に粘土質地盤よりも地耐力が大きい。
2. 地盤の許容支持力〔t/m^2〕は，基礎底面の大きさや根入れ深さに比例して増大し，基礎底面の形状などによっても変わる。
3. 基礎底面は，地盤が岩盤の場合は，砂の場合よりも小さくて良い。
4. 一様な粘土質地盤では，基礎幅を増やして支持力の増加を図る。

演習問題 7

建築物の基礎・地盤に関する次の記述のうち，誤っているものはどれか。

(1) 地盤の許容支持力は，基礎の根入れ深さが大きいほど増大する。
(2) 一様な粘度質地盤では，基礎幅を増しても支持力は変わらない。
(3) 基礎底面は，地盤が岩盤の場合は砂の場合よりも小さくてよい。
(4) 砂質地盤は，一般に粘度質地盤よりも地耐力が大きい。

解答 解説

(2) 基礎幅を増せば支持力は増大する（前頁，ⓓの 4. 参照）。

2. 配筋

ⓐ 鉄筋の種類と役目

1. 下の配筋図に示す位置に下記の鉄筋を取り付ける。

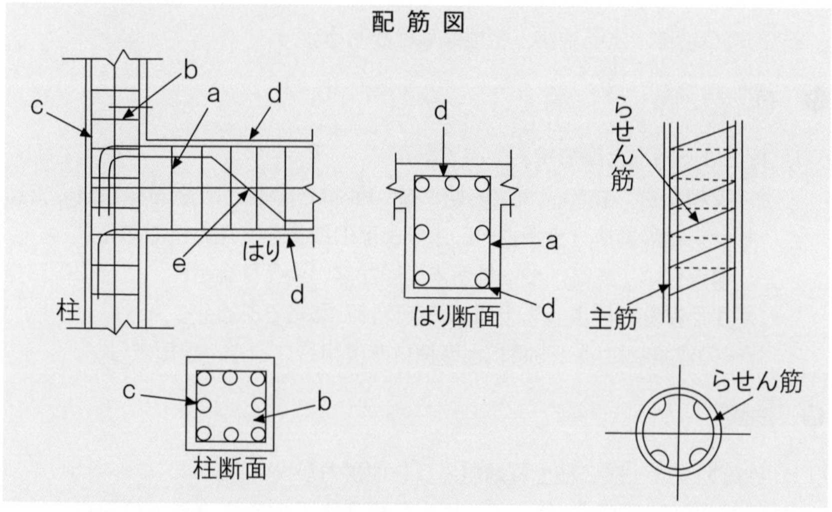

2. 各鉄筋の受け持つ役割は次のとおりである。
   a. あばら筋 ――― 梁に作用するせん断力に抵抗する。
   （補助筋の一種でスターラップともいう）
   b. 帯筋 ――― 柱に作用するせん断力に抵抗する。
   （補助筋の一種でフープ筋ともいう）
   c. 柱の主筋 ――― 柱に作用する曲げモーメントと軸方向力に抵抗す

る。

d. 梁の主筋 ――― 梁に作用する曲げモーメントに抵抗する。

e. 梁の折曲げ筋 ―― その部分に作用するせん断力に抵抗する。（補助筋の一種）

f. らせん筋 ――― 丸柱に作用するせん断力に抵抗する。（補助筋の一種）

❺ 配筋施工

1. 梁で周辺を固定される床スラブの配筋は，梁に近い範囲は上端筋が，中央部は下端筋が大切な役割を果たしている。
2. 4辺固定スラブの主筋は，短辺方向に配筋する。
3. 柱の主筋のあきは，通常太い鉄筋ほど大きくなる。
4. 主筋の継手は，応力の小さい位置に設ける。
5. 梁の主筋を柱内に定着させる場合は，柱の中心線を越えてから折り曲げる。
6. 径の異なる鉄筋の重ね継手の長さは，細い方の鉄筋径に所定の倍数を乗じたもの以上とする。
7. ガス圧接を行う場合，鉄筋をガスで溶断したときの端部は，グラインダー掛けをして平滑にする。
8. スペーサーは，鉄筋のかぶり厚さを保つためのものである。
9. 片持ちになっているひさしの主筋は，上側に多く配筋する。
10. 中間階の両端支持の梁の主筋は，端部では上側に，中央部では下側に多く配筋する。
11. コンクリートは引張力に弱いので，引張力が生じる部分には引張力が大きい鉄筋を配置して補う。

演習問題 8

配筋に関する次の記述のうち，不適当なものはどれか。

(1) 梁の主筋は，梁に作用する曲げモーメントに抵抗する。
(2) 柱の主筋は，柱に作用する曲げモーメントに抵抗する。
(3) あばら筋は，梁に作用するせん断力に抵抗する。
(4) 帯筋は，柱に作用するせん断力に抵抗する。

(2) 柱の主筋は，柱に作用する曲げモーメントと軸方向力に抵抗する。

演習問題 9

配筋に関する次の記述のうち，不適当なものはどれか。

(1) 4辺固定スラブの主筋は，長辺方向に配筋する。

(2) 主筋の継手は，応力の小さい位置に設ける。

(3) 片持ちになっているひさしの主筋は，上側に多く配筋する。

(4) スペーサーは，鉄筋のかぶり厚さを保つためのものである。

(1) 4辺固定スラブの主筋は，短辺方向に配筋する（前頁，ⓑの2.参照）。

3. 梁貫通穴

ⓐ 梁貫通穴の直径

1. 鉄骨の梁に止むを得ず設備用の貫通穴を開けなければならない場合は，強度の低下を極力防ぐため，梁の中央部に穴を開け，柱との接合部に近いところには開けてはならない。
2. 梁にあける設備用の貫通穴の直径は，梁せいの1／3以下とし，穴の周囲を鉄筋で補強しなければならない。

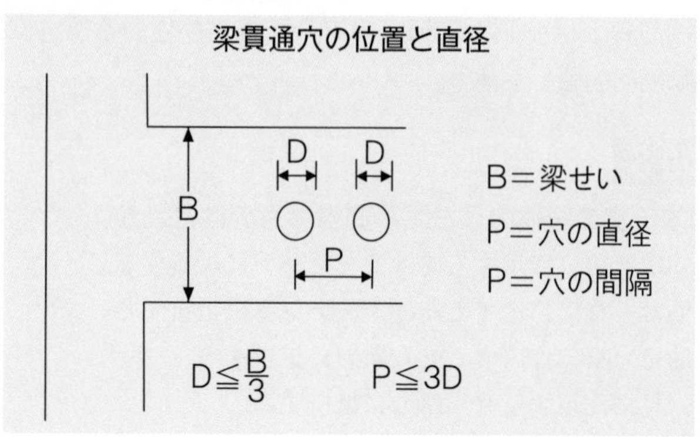

❺ 留意事項

1. 梁貫通穴では，剪断強度が低下するので，鉄筋や鋼板などで剪断補強をする必要がある。
2. 貫通穴部のコンクリートの有効断面が減るので穴径に制限がある。
3. 貫通穴周囲では応力が大きくなるので，補強筋を入れる。
4. 貫通穴の中心位置は，柱及び直交する梁の面から梁せいの 1.2 倍以上離さなければならない。

演習問題 10

鉄筋コンクリート構造の梁にあける設備用の貫通穴の設計に関する次の記述のうち，最も不適当なものはどれか。

(1) 穴の直径は，梁せいの 1／3 以下とする。
(2) 穴は，梁スパンの中央部を避け，なるべく柱に近い端部に設ける。
(3) 1 本の梁に複数の穴をあける場合，その中心間隔は穴の直径の 3 倍以上とすることが望ましい。
(4) 貫通穴周囲では応力が大きくなるので，補強筋を入れる。

(2) 穴は柱に近い端部を避け，中央部に設ける（前頁，❸の 1. 参照）。

4. かぶり厚さ

❸ かぶり厚さ

1. コンクリートの表面から鉄筋又は鉄骨の表面までのコンクリートの厚みを，コンクリートのかぶり厚さと言う。
2. かぶり厚さは建築基準法で定められている。

相手	種別	部　　分	かぶり厚さ
鉄筋	土に接しない部分	床，耐力壁以外の壁	2 cm 以上
		耐力壁，梁，柱	3 cm 以上
	土に接する部分	梁，柱，壁，床，布基礎の立上り部分	4 cm 以上
		布基礎の立上り部分を除く基礎	6 cm 以上

鉄骨			5 cm 以上

b 留意事項

1. かぶり厚さを必要以上に大きくすると構造耐力上問題となる場合がある。
2. 基礎において，捨てコンクリート部分はかぶり厚さに算入しない。

演習問題 11

鉄筋コンクリート構造におけるコンクリートのかぶり厚さに関する次の説明のうち，不適当なものはどれか。

(1) かぶり厚さは鉄筋コンクリートの耐久性を考慮して規定されている。

(2) かぶり厚さは，土に接する部分では厚くとらねばならない。

(3) かぶり厚さとは，コンクリートの表面から鉄筋の中心線までの距離である。

(4) かぶり厚さが十分あると，コンクリートが打設しやすくなる。

解答 解説

(3) かぶり厚さとは，コンクリートの表面から鉄筋の表面までの距離である。（前頁，aの 1. 参照）。

3　建築材料

1. コンクリート

ⓐ コンクリートの性質

1. コンクリートの強度は，セメントの強度に比例し，打設後相当長期にわたって増進する。
2. コンクリートの強度は，水セメント比が大きくなると（水の割合が増すと）低下する。
3. コンクリートの線膨張係数は鋼材のそれとほぼ同じ。
4. コンクリートはスランプが大きいほど収縮歪は大きく，打ち込み時に材料が分離しやすい。
5. コンクリートの品質の三大目標は，強度，ワーカビリティ（作業性），及び耐久性である。
6. 海砂を用いても，コンクリートの強度に対する影響は少ない。但し，洗浄が不十分だと鉄筋の錆びを招く。
7. 単位セメント量が過少の場合は，ワーカビリティが悪くなる。
8. 細骨材率が高すぎる場合は，流動性の悪いコンクリートになりやすい。
9. コンクリートはアルカリ性のため鉄筋が錆びるのを防ぐ。
10. コンクリートは引っ張りには弱いが圧縮には強い。ただし，木材の繊維方向よりは弱い。
11. コンクリートの耐火性能は花こう岩より良いが，長時間の火炎にあうと強度は低下する。
12. コンクリートの凝結時間は温度が高いと短縮される。
13. コンクリートの熱伝導率（1.63 W／（m・℃））は木材（0.11～0.18）より大きい。
14. コンクリートは乾燥収縮による亀裂が大きいので，急激な乾燥を避け温度を高め養生する。
15. コンクリートの硬化は，結晶水の存在する間は継続する。
16. コンクリートの摩耗を防ぐためには，骨材に硬いものを使い砂はあまり細かい物は避ける。

17. コンクリートの中性化は，鉄筋の腐食の原因となる。
18. 径が同じであれば，砕石を用いたコンクリートより砂利を用いたコンクリートの方がワーカビリティが大きい。

Ⓒ セメント

1. セメントの原料は，主として石灰石と粘土である。
2. 一般の鉄筋コンクリート工事に最も多く使用されるのは，ポルトランドセメントである。

演習問題 12

コンクリートの性質に関する次の記述のうち，不適当なものはどれか。

(1) コンクリートの中性化は，鉄筋の腐食の原因となる。
(2) コンクリートの強度は，水セメント比が大きくなると低下する。
(3) 水セメント比の値は，通常 10～20 %である。
(4) コンクリートは耐火性能に優れているが，長時間の火炎にあうと強度は低下する。

解答 解説

(3) コンクリートの水セメント比の値は通常 55～70 %である。

演習問題 13

水セメント比の定義として，次のうち正しいものはどれか。

(1) (　水の体積　)÷(セメントの体積)×100〔%〕
(2) (　水の重量　)÷(セメントの重量)×100〔%〕
(3) (セメントの体積)÷(　水の体積　)×100〔%〕
(4) (セメントの重量)÷(　水の重量　)×100〔%〕

解答 解説

(2) コンクリートの水セメント比とは，セメントの重量に対する水の重量の割合をいう。

2. 建築材料一般

ⓐ 不燃材料

コンクリート，煉瓦，瓦，石綿スレート，鉄鋼，アルミニウム，ガラス，モルタル，しっくい。

ⓑ 準不燃材料

1. 石膏ボード，木毛セメント板。
2. 石膏ボードは防火性，防腐性に富むが耐水性に劣る。

ⓒ 石材

1. 大理石は，酸や雨水に弱く風化しやすい。
2. 花こう岩は，耐久性に富むが，耐火性に乏しい。

ⓓ 金属材料

1. 18-8 鋼は，クロム 18 %，ニッケル 8 %を含むステンレス鋼で，極めて錆びにくい。
2. 普通の鋼材（軟鋼）の引張強さは，温度が 300 ℃を超えると極端に低下し 450 ℃では半減する。
3. 鉄骨構造の柱や梁の耐火被覆の性能は，鋼材の表面温度が 450℃以下となるよう定められている。
4. アルミニウムを銅と接触させて用いると，アルミニウムが腐食する。

ⓔ 塗料

1. 油性ペイントはアルカリに侵されるので，コンクリート面に塗るのは不適当である。
2. 水溶性エマルジョン塗料は，コンクリート面やプラスチックボード面に用いる一般塗料で，塗りやすく乾燥も比較的早い。

ⓕ ガラス

1. ガラスの主成分はシリカ，その他りん酸，苛性ソーダ，石灰など。
2. 強化ガラスは，板ガラスを焼き入れ処理したもので耐衝撃性に優れ，割れても破片は粒状になり安全性がある。

3. 合わせガラスは，複数の板ガラスの間にプラスチックの膜をはさんで張り合わせたもので，割れても飛散しない。
4. 網入りガラスは，二枚の板ガラスの間に金網をはさんで張り合わせたもので，防犯や防火を必要とする窓に用いる。
5. 複層ガラスは，二枚以上の板ガラスと空気層を利用したもので断熱性が大きく，遮音効果も大きい。
6. 熱線吸収ガラスは，太陽光線中の熱線（赤外線）を 40 %あまり吸収する。
7. 熱線反射ガラスは，ガラスの表面に金属酸化物のフイルムをコーティングしたもので，熱線を反射するが，色が黒っぽく外の景色が映る。

g プラスチック材料

1. プラスチックとは，石炭や石油などを原料にした人工合成樹脂をいう。
2. 樹脂の性質には，熱可塑性（やわらかくなる）と熱硬化性（硬くなる）の二種類がある。
3. 熱可塑性樹脂には，ポリ塩化ビニル樹脂，アクリル樹脂，ポリエチレン樹脂等がある。
4. 熱硬化性樹脂には，フェノール樹脂，メラミン樹脂，ポリエステル樹脂等がある。
5. プラスチック成型物は耐食性，熱・電気絶縁性，耐水性等が良く，化学的に安定している。
6. 強化プラスチックの引っ張り強度は木材のそれよりも大きい。
7. FRP（繊維強化プラスチック）には主としてガラス繊維が用いられる。
8. FRP はポリエステル樹脂などにガラス繊維を混合したものである。

演習問題 14

水溶性エマルジョン塗料に関する次の記述のうち，不適当なものはどれか。

(1) コンクリート壁面には，水溶性エマルジョン塗料が適している。
(2) アルカリ性のコンクリートに馴染みやすい利点がある。
(3) 伸びが良いため塗りやすく，乾燥も比較的早い。
(4) 塗装の際に引火性ガスを発散するので火気厳禁の注意が必要である。

(4) 引火性はないので火災の心配はない。

演習問題 15

床材と天井材に関する次の記述のうち，不適当なものはどれか。

(1) ビルの玄関の床材には，花こう岩が多く用いられる。

(2) ビルの床材に最も多く使われているのは，Ｐタイルである。

(3) 天井の下地材には，石こうボード（プラスターボード）が多く用いられる。

(4) 石こうボードは，準不燃材料で耐水性にも優れているが，耐重量には弱い。

(4) 石こうボードは耐水性には劣る。

復習問題

問題 1　**構造用鋼材に関する次の記述のうち，適当でないものはどれか。**

(1)　鋼材は，許容応力以内で使用しなければならない。

(2)　鋼材の引張強さは通常軟鋼で 392 MPa～412 MPa である。

(3)　建築物は静荷重であるので，建築物に使用する鋼材の安全率は，通常 8 で設定する。

(4)　その材料に加え得る最大の応力を最大応力又は最大引張強さと言う。

問題 2　**建築構造に関する次の記述のうち，適当でないものはどれか。**

(1)　節点がピン接合で組み立てられた構造をトラス構造という。

(2)　トラス構造では，原則として構成面を三角形とする。

(3)　トラス構造では，垂直材と水平材は圧縮応力に抵抗し，斜め材は引張応力に抵抗する。

(4)　トラス構造は柔構造の基本で超高層ビルに適する。

問題 3　**配筋に関する次の記述のうち，適当でないものはどれか。**

(1)　梁の主筋は，梁に作用する曲げモーメントに抵抗する。

(2)　柱の主筋は，柱に作用する曲げモーメントと軸方向力に抵抗する。

(3)　あばら筋は，梁に作用するせん断力に抵抗する。

(4)　らせん筋は，丸柱に作用する曲げモーメントに抵抗する。

問題 4　**コンクリートのかぶり厚さで「建築基準法」上，適当でないものはどれか。**

(1)　土に接しない部分の耐力壁以外の壁 ――― 2 cm 以上

(2)　土に接しない部分の耐力壁 ――― 3 cm 以上

(3)　土に接する部分の壁 ――― 4 cm 以上

(4)　鉄骨 ――― 4 cm 以上

問題 5　**コンクリートの性質に関する次の記述のうち，不適当なものはどれか。**

(1)　コンクリートの中性化は，鉄筋の腐食の原因となる。

(2)　コンクリートの強度は，水セメント比が大きくなると低下する。

(3)　水セメント比の値は，通常 55～70 %である。

(4) 径が同じであれば，砂利を用いたコンクリートより砕石を用いたコンクリートの方がワーカビリティが大きい。

問題 6　鉄筋コンクリートに関する記述のうち，適当でないものはどれか。
(1) 水セメント比が大きいほど，コンクリートの中性化が遅くなる。
(2) 外気温度が高くなると，凝結，硬化が早くなる。
(3) 鉄筋とコンクリートは，線膨張係数が常温ではほぼ等しく，付着性もよい。
(4) 鉄筋コンクリート構造は，一般に，柱や梁を剛接合し，これに荷重を負担させるラーメン構造としている。

問題 7　鉄筋コンクリートに関する記述のうち適当でないものはどれか。
(1) 柱の鉄筋のかぶり厚さは，主筋の外側からコンクリートの表面までの最短距離をいう。
(2) 水セメント比とは，セメントペースト中のセメントに対する水の質量百分率をいう。
(3) 単位セメント量が少ないほど，水和熱や乾燥収縮によるひび割れの発生が少ない。
(4) コンクリートのスランプ値が大きくなると，ワーカビリティーが向上する。

問題 8　鉄筋コンクリートの梁貫通孔に関する記述のうち，適当でないものはどれか。
(1) 梁貫通孔は，梁のせん断強度の低下を生じさせる。
(2) 梁貫通孔の外面は，一般に，柱面から梁せいの 1.5 倍以上離す。
(3) 梁貫通孔を設ける場合は，梁の上下の主筋の量を増やさなければならない。
(4) 梁貫通孔の径が，150 mm 以上の場合は，補強筋を必要とする。

問題 9　コンクリート工事に関する記述のうち，適当でないものはどれか。
(1) 打込み時に，スランプ値が所定の値より低下した場合は，水を加えてワーカビリティーをよくする。
(2) 打込みは，コンクリートの骨材が分離しないように，できる限り低い位置から打込む。

(3) 打込みは，1箇所に多量に打ち込んでバイブレータなどにより横流しをしてはならない。

(4) コールドジョイントの発生を少なくするには，先に打ち込まれたコンクリートが固まる前に，次のコンクリートを打ち込んで一体化する。

復習問題　解答解説

問題 1　(3)　建築物は静荷重であるので，建築物に使用する鋼材の安全率は，通常 4 で設定する（P.227，ⓑの 2. 参照）。

問題 2　(3)　トラス構造では，垂直材と水平材は引張応力に抵抗し，斜め材は圧縮応力に抵抗する（P.228，ⓓの 4. 参照）。

問題 3　(4)　らせん筋は，丸柱に作用するせん断力に抵抗する（P.235，上の f. 参照）。

問題 4　(4)　鉄骨は 5 cm 以上（P.238，4. のⓐの 2. 参照）。

問題 5　(4)　径が同じであれば，砕石を用いたコンクリートより砂利を用いたコンクリートの方がワーカビリティが大きい（P.240，ⓐの 18. 参照）。

問題 6　(1)　水セメント比が大きいほど，水の割合が多いため，コンクリートの中性化が速くなる。

問題 7　(1)　主筋の外周りを包んでいる帯筋（フープ筋），あばら筋（スターラップ筋）の外側からこれを覆うコンクリートの表面までの最短距離をいう。

問題 8　(3)　梁貫通孔の周囲は，縦筋，斜め筋，上縦筋，下縦筋の組合せによって補強する。補強筋を主筋の内側に斜め格子状に入れ，補強する。

問題 9　(1)　加水すると，水セメント比が大きくなり，所要強度が得られなかったり，乾燥収縮が大きくなりひび割れの原因となったりするため，絶対に水を加えてはならない。

第6章

建築設備一般

1 機　材

1. ボイラー

ⓐ ボイラーの分類

1. 規模別による分類としては，ボイラー，小型ボイラー，法令適用除外ボイラー（簡易ボイラー）の 3 種類に分けられる。
2. 生成物による分類としては，蒸気ボイラー，温水ボイラーの 2 種類に分けられる。
3. 形状による分類としては，水管ボイラー，炉筒煙管ボイラー，貫流ボイラー，鋳鉄ボイラー（セクショナルボイラー，組合せボイラー），立て型ボイラー，真空ボイラーなどに分けられる。

ⓑ ボイラーの構造

1. 水管ボイラーは気水ドラムと水ドラムの間を水管で結び，火力発電用などの比較的大規模のものが多い。
2. 炉筒煙管ボイラーは炉筒と煙管で構成され，ビルの暖房用など中規模容量に主に使用される。炉筒に伸縮に強い波形炉筒を用いているのが特徴である。
3. 貫流ボイラーは原理的には瞬間湯沸器と同じで，温水の代わりに蒸気を発生させる仕組みで，蒸気発生時間が早く，比較的安全なため，旅館，飲食店，クリーニング店など小規模のところで広く使用されている。
4. 鋳鉄ボイラーは組合せ式のため，搬入口の狭いビルの地下などに分解して搬入し現場で組み立てて完成させる。鋳鉄のため腐食に強いが，蒸気圧力 0.1 MPa 以下でしか使用できないので小規模容量のものが多い。
5. 立て型ボイラーは円筒状のものを立てたボイラーであるが，効率が低く現在はほとんど使われていない。
6. 真空ボイラーは，ボイラーの内部が大気圧以下のため，蒸気の発生が早く，爆発の危険性がないため，法令上はボイラーではない。そのため資格者不要で検査もないため貫流ボイラーと同様に小規模のところで広く使用されている。

ⓒ ボイラー用燃料と燃焼装置

1. 石炭，重油，ガスなどがあるが，大気汚染防止の観点から最近はガスの利用が拡大し，重油は減少傾向で石炭はほとんど使われなくなった。
2. 従って燃焼装置もバーナー形式のものが殆どである。

ⓓ 安全装置

1. 蒸気ボイラーには安全弁を設け，ボイラー内の蒸気の圧力が，そのボイラーに許容される最高使用圧力に達すると，自動的に安全弁が開いて蒸気を放出させ，ボイラー内の蒸気の圧力が限度以上にならないようにしている。
2. ボイラーの事故で最も危険なのは「からがま」であるため，何らかのトラブルでボイラー内部の水位が規定以下に減少すると，減水警報が鳴り，更に減水するとボイラーの運転を緊急停止させる装置が設置されている。
3. 温水ボイラーでは，温水の温度が上昇すると水が膨張するため，水の膨張による無理な圧力がかからないようにするため膨張管を設け，この膨張管を立ち上げて上部の膨張タンクに連結させている。
4. 膨張管の途中には弁類は一切取付けてはならない。
5. 火炎検出器では，不着火および失火を検出する。

ⓔ 計測装置

1. ボイラー内の水位を示す水面計が設けられている。
2. ボイラーの運転で最も大切なのは水面計の水位の監視である。水面計で水位を確実に把握しておれば，ボイラーの事故は9割以上防げるといわれている。
3. 水面計は1日に1回以上機能テストをするよう法規で定められている。
4. 蒸気ボイラーでは圧力計が設けられている。
5. 温水ボイラーでは，温水の温度と水圧の両方が分かる温度水高計が設けられている。

ⓕ 主な付属装置

1. ボイラーの給水にはタービンポンプが使われる。
2. 現在のボイラーは，ほとんどが全自動運転されており，そのための自動制御装置が組み込まれている。

ⓖ ボイラー関係法規

1. ボイラー技士免許を有する者でなければ，ボイラーを取扱ってはならない。
2. ボイラー技士免許は，特級，一級，二級の3ランクがある。
3. 一定規模以上のボイラーは，伝熱面積に応じてそれに対応する級のボイラー技士免許を有する者を取扱作業主任者に選任しなければならない。
4. ボイラーは毎年性能検査を受けなければならない。
5. ボイラーの伝熱面積とは，片側が燃焼ガスに触れ，その裏側が水に触れる部分の面を，燃焼ガスに触れる側の面で測った面積の総和をいう。

ⓗ ボイラーの性能

1. ボイラー効率は，燃料の低位発熱量を基準にして，供給された熱量のうち，ボイラーで吸収された熱量の割合で表す。
2. 換算蒸発量は，1気圧100℃における水の蒸発潜熱を基準にして求める。
3. ボイラーの定格出力は，最大連続負荷における毎時出力によって表す。
4. 次の蒸気ボイラー又は温水ボイラーは，鋳鉄製としてはならない。
   ① 圧力0.1 MPaを超えて使用する蒸気ボイラー
   ② 水頭圧50 mを超える温水ボイラー
   ③ 温水温度120℃を超える温水ボイラー
5. 吹出管は，ボイラーごとに独立して設ける。
6. 貯油槽はボイラー外側から2 m以上離して設置する。

演習問題 1

ボイラー等に関する記述のうち，適当でないものはどれか。

(1) 真空式温水発生機は，耐久性が高いが，小型貫流ボイラーに比べ高度な水処理を要する。
(2) 炉筒煙管ボイラーは，保有水量が多いため，起動時間が長い。
(3) 小型貫流ボイラーは，保有水量が少ないため，起動時間が短い。
(4) 鋳鉄製ボイラーは，分割搬入が可能で，鋼板製に比べ耐食性に優れている。

解答 解説

(1) 真空式温水発生機は，本体内は常に大気圧以下，真空で密閉サイクルの減圧状態に保たれ，水処理不要及びボイラー及び圧力容器安全規則に定める検査・資格免許を必要としない。

演習問題 2

ボイラーに関する記述のうち，適当でないものはどれか。

(1) 鋳鉄製の温水ボイラーの最高使用圧力は，0.5 MPa である。
(2) 真空式温水発生機本体内の圧力は，大気圧以下である。
(3) 炉筒煙管ボイラーは，保有水量が多いので予熱時間が長い。
(4) 炉筒煙管ボイラーは，小型貫流ボイラーに比べて，高度な給水処理が必要である。

解答 解説

(4) 炉筒煙管ボイラーより，小型貫流ボイラーの方が高度な給水処理が必要である。水や蒸気の出入りと熱の供給をバランスをとって蒸気量や蒸気温度を安定させていることから，純度の高い給水（脱気処理等）が必要になる。

演習問題 3

ボイラーに関する次の記述のうち，不適当なものはどれか。

(1) 全自動運転蒸気ボイラーの発停は，蒸気圧力により行われる。
(2) 貫流ボイラーは貯水量が少なく，比較的安全である。
(3) 水面計の機能検査は，毎週 1 回以上行わなければならない。
(4) 真空ボイラーは，法令上ボイラーではない。

解答 解説

(3) 水面計の機能検査は，1 日 1 回以上行わなければならない。

演習問題 4

鋳鉄製温水ボイラーの法令上の使用範囲の組合せで正しいものはどれか。

	水頭圧		温水温度
(1)	30 m 以下	——	100 ℃以下
(2)	30 m 以下	——	120 ℃以下
(3)	50 m 以下	——	100 ℃以下
(4)	50 m 以下	——	120 ℃以下

(4) 水頭圧は 50 m 以下で，温水温度は 120 ℃以下である。

2. 冷凍機

重要 重要 重要

（冷凍機については第 2 章で説明したが，さらに追加して説明する。）

ⓐ 冷凍機の種類

1. レシプロ冷凍機は，ピストンを往復動させて冷媒ガスを圧縮する方式の冷凍機で，中～小容量のものが多い。製氷装置やパッケージ空調機などに組み込まれている。
2. ターボ冷凍機は，ターボファンを高速で回転させて冷媒ガスを圧縮する方式の冷凍機で，大～中容量のものが多い。ほとんどビルの冷房用冷凍機として使われている。
3. ロータリー冷凍機は，家庭用冷蔵庫や家庭用エアコンなどに組み込まれている小型の冷凍機で，シリンダー内でローターを回転させて冷媒ガスを圧縮する方式のため運転音が静かなのが特徴である。
4. スクリュー冷凍機は，船のスクリューを連想させるような形をした，ピッチの大きいおねじとめねじのローターをかみ合わせ，互いに反対方向に回転させて冷媒ガスを圧縮する方式の冷凍機で，中容量のものが多い。広い用途に使われている。
5. 上記の 4 種類はいずれも動力をエネルギー源としているのに対し，動力の代わりに熱をエネルギー源とするものに吸収式冷凍機がある
6. 吸収式冷凍機の冷媒は水で，この水を蒸発させたり凝縮させたりして熱を運搬するが，この工程を助けるものとしてリチウムブロマイドという吸収液が用いられる。
7. 熱はボイラーの蒸気を利用したり，吸収冷凍機の中に直接燃焼装置を内蔵させたものもある。
8. 吸収式を採用する理由のひとつとして，契約電力を低く押さえることで電気料金の節減を図ることがあげられる。

ⓑ 冷凍機の能力表示

1. 0℃の1トンの水を24時間かけて0℃の1トンの氷にする能力を1日本冷凍トンといい，〔JRt〕の単位で表示する。
2. 1日本冷凍トンを熱量に換算すると3.87 kWとなる。
3. ほかに米国冷凍トンというのがあり，冷凍機の能力表示は通常米国冷凍トンで表示され，1米国冷凍トンは3.52 kWに相当し単位は〔USRt〕と表示する。
4. 冷凍機の容量範囲は，通常レシプロは100トン以下，ターボは100〜千トン，スクリューは500トン前後，ロータリーは1トン未満，吸収式は500〜千トンである。

ⓒ 冷却塔（クーリングタワー）

1. 外観が茶碗を伏せた形をしている冷却塔を向流型冷却塔（カウンターフロー）といい，冷却水の滴下方向に対し，送風方向が上方に向かう方式のものをいう。
2. 冷却能力が小〜中程度のものに使用される。
3. 外観が四角い形をしている冷却塔を直交流型冷却塔（クロスフロー）といい，冷却水の滴下方向に対し，送風方向が横方向に向かう方式のものをいう。
4. 冷却能力が中〜大程度のものに使用される。

ⓓ 冷却塔の性能

1. 強制通風式冷却塔は，大気の湿球温度が低いほど，交換熱量は増加し，水温は下がる。
2. レンジとは，冷却塔における冷却水出入口の温度差つまり冷却塔で下げ得た温度をいい，通常5℃程度である。
3. アプローチとは，冷却塔出口水温と外気湿球温度との差をいい，この温度差の小さい冷却塔ほど効率がよいことを示す。なお，4℃程度が限度である。
4. 理論的には，アプローチが0℃，つまり冷却水の温度を外気湿球温度まで下げ得ることになっている。
5. 冷却効果の主なものは冷却水の空気中への蒸発に伴う蒸発熱である。
6. 冷却塔内の充填物は，水滴が空気と接触する面積を大きくするためである。

7. 冷却能力は，空気の湿球温度，風量，充填材の性能，充填材における水と空気の分布等に左右される。
8. 開放式冷却塔は，水の蒸発分や飛散分の補充と濃縮防止のための注水を要し，補給水は圧縮式で循環水量の 2 %程度，吸収式で 4 %程度必要である。
9. 冷却塔の設置場所は，空調用外気取入口から十分な距離が確保されていなければならない。
10. 圧縮冷凍機用冷却塔の冷却能力 4.55 kW を 1 冷却トンという。なお吸収式用冷却塔能力はこの 2 倍を必要とする。
11. 冷却塔に入る空気の乾球温度が変わっても湿球温度が変わらなければ冷凍機の冷凍能力は変わらない。
12. 冷却塔の通過風量又は冷却水量が変われば冷却能力が変わり冷凍機の冷凍能力も変わる。
13. 次の図はレンジ及びアプローチの関係を示した，冷却塔の性能表示図である。

外気乾球温度　34 ℃　　冷却塔出口水温（凝縮器入口水温）31 ℃
外気湿球温度　27 ℃　　冷却塔入口水温（凝縮器出口水温）36 ℃
外気相対湿度　58 %

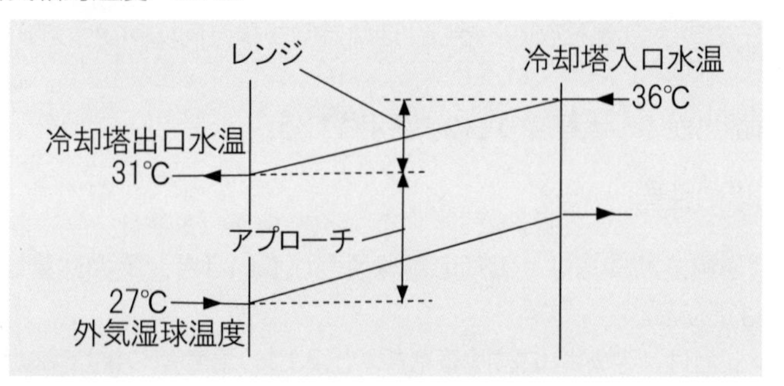

演習問題 5

冷凍サイクルの順序として，次のうち正しいものはどれか。

(1) 凝縮 → 膨張 → 圧縮 → 蒸発
(2) 蒸発 → 圧縮 → 凝縮 → 膨張
(3) 圧縮 → 蒸発 → 膨張 → 凝縮
(4) 膨張 → 蒸発 → 凝縮 → 圧縮

(2) 冷凍サイクルは蒸発→圧縮→凝縮→膨張の順で変化する。

演習問題 6

冷凍機等に関する記述のうち，適当でないものはどれか。

(1) 二重効用の直だきの吸収冷温水機の高温再生器内の圧力は，大気圧以下である。

(2) 直だきの吸収冷温水機は，機内の真空度を保つために抽気装置を用いている。

(3) スクロール冷凍機は，地域冷暖房施設に設置する大容量のものに多く用いられている。

(4) 遠心冷凍機は，直だきの吸収冷温水機に比べて，大きさや重量は小さいが高周波騒音は大きい。

解答 解説

(3) スクロール冷凍機は，全密閉式の圧縮機を用いて，ロータリー冷凍機と同様にルームエアコンなどに使用され，15 kW～30 kW 程度のもの（小容量のもの）に使用されている。大容量のものには遠心式冷凍機が用いられている。

演習問題 7

冷凍機用冷媒の具備すべき条件として，次のうち不適当なものはどれか。

(1) 気化しやすく液化しやすいこと。

(2) 蒸発熱が大きいこと。

(3) 比較的高い圧力のもとで液化できること。

(4) 安全で毒性が少ないこと。

解答 解説

(3) 比較的低い圧力のもとで液化できること。

演習問題 8

冷却塔に関する次の記述のうち，不適当なものはどれか。

(1) 冷却塔のうち向流形は，比較的小容量用のものに多い。

(2) 冷却効果の主なものは，冷却水の空気中への蒸発に伴う蒸発熱である。

(3) レンジとは，冷却塔における冷却水出入口温度差，つまり冷却塔で下げ得た温度をいい，通常 5〔℃〕前後である。

(4) アプローチとは，冷却塔出口水温と外気乾球温度との差をいい，4〔℃〕程度が限度である。

解答 解説

(4) アプローチとは冷却塔出口水温と外気湿球温度との差をいう（P.255, ⓓの 3.）。

演習問題 9

冷却塔に関する記述のうち，適当でないものはどれか。

(1) 冷却水のスケールは，補給水中のカルシウムなどの硬度成分が濃縮されて塩類が析出したもので，連続的なブローなどにより抑制できる。

(2) レンジとは，冷却塔出口水温と入口空気湿球温度の差をいう。

(3) 開放型冷却塔は，充てん材の上部などにエリミネーターを設け，水滴の塔外への飛散を防止している。

(4) 密閉型冷却塔は，熱交換器などの空気抵抗が大きく，開放型冷却塔に比べて送風機動力が大きくなる。

解答 解説

(2) レンジとは，冷却水入口と出口の水温の差をいい，一般に，5~7℃程度としている。

3. ポンプ　重要 重要 重要

ⓐ 揚水ポンプの種類

1. 揚水用うず巻きポンプ（ディヒューザーポンプとも言う）は，ボリュートポンプとタービンポンプに大別される。
2. 回転羽根車が 1 枚のものをボリュートポンプ，または単に，うず巻きポンプと言う。
3. 回転羽根車が複数枚のものをタービンポンプと言う。
4. タービンポンプは吐出圧力が高いため，消防用，ボイラー給水用，高置水槽揚水用等に使用されるが，単位時間当たり揚水量は比較的少ない。
5. ボリュートポンプは単位時間当たり揚水量が大きいが，吐出圧力は比較的低いため，空調用循環ポンプ等に主に使用される。

6. タービンポンプには案内羽根があるが，ボリュートポンプには案内羽根はない。
7. 案内羽根は流路を変えるためのカバーで，固定していて回転はしない。

ⓑ 排水ポンプの種類

1. 汚物ポンプは，汚物，固形物を多量に含む排液の移送に用いられ，羽根車の形状は汚物によって閉塞しないように特に考慮されており，羽根車の形状によりノンクロッグポンプ，ブレードレスポンプ，クロレスポンプなどがある。
2. 雑排水ポンプは，ある程度の固形物を含む汚水の移送用に用いられ，羽根車は固形物によって閉塞しないように2～3枚になっていて，通過部の断面は大きくしてある。
3. 排水ポンプには水中形，横形，立て形などの種類があり，水中ポンプを使用すると床上の設置スペースが不要となり，騒音や振動もなく据え付けも簡単である。
4. 湧水ポンプは二重基礎内の浸透水や機械類の冷却水など，原則的には全く固形物を含まない排水を排水排除する場合に使用するポンプで，一般に水中ポンプ又は横形の渦巻ポンプが多く使われている。

ⓒ 給湯用循環ポンプ

1. 給湯管内の湯を循環させる方式には，強制式と重力式とがあり，一般に循環ポンプによる強制式が用いられている。
2. 循環ポンプは特殊な場合を除いて通常返湯管の途中に設ける。
3. 循環ポンプの循環水量は，配管及び機器などからの熱損失と給湯管，返湯管の温度差により求める。
4. 循環ポンプの揚程は，給湯配管中の循環路の摩擦損失水頭が最大となる経路により求める。（通常3～5 m）

ⓓ ポンプ能力

1. ポンプ能力は，揚程，吐出圧力，揚水量で表す。
2. ポンプを吸上げで使用する場合

　　圧力計の読み ＝ 吐出し側損失水頭

　　ポンプの全揚程 ＝ 実揚程＋損失水頭＋速度水頭

3. 揚水量の確認は特性曲線を用いた方法による。
4. 軸動力は，回転数の 3 乗に比例する。
5. 吐出圧力は，回転数の 2 乗に比例する。
6. 揚水量は，回転数の 1 乗に比例する。

ⓔ 吸上げ高さ

1. 吸上げ高さは，水温が上昇するにつれて減少する。
2. 標準大気圧のもとでは理論上 0.1 MPa である。
3. 実際の設置では 5〜6 m ぐらいに選ばれる。
4. 海抜高さによっても変動し，大気圧が高くなれば増加し，低くなれば減少する。
5. 液体の比重が大きいほど吸上げ高さは反比例して低下する。
6. 下図において実際吸上げ高さがプラスの場合は，ポンプ据付け位置を水面より下側にする。

水温℃	H〔m〕
20	−6.3 以下
30	−5.0　〃
40	−3.8　〃
50	−2.5　〃
60	−1.4　〃
70	+0.0 以上
80	+1.1　〃
90	+2.3　〃

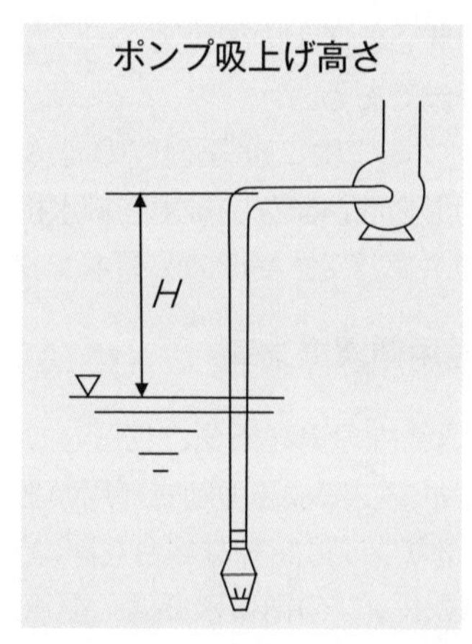

ポンプ吸上げ高さ

ⓕ ポンプ特性

1. キャビテーションとは，配管内で局部的に液体が気化して空洞現象が生じることをいう。
2. キャビテーションを防ぐには，ポンプ吸込口の圧力をできるだけ高くなるようにする。
3. サージングとは，配管中に空気溜りがあるような場合に，吐出量や圧力が波打ちの状態で周期的に変動する現象をいう。
4. サージングは，一般に揚程−水量特性曲線が右上がりの部分をもっているポンプに生じやすい。

5. 同一特性のポンプ2台を直列運転すると，揚水量はあまり変わらないが吐出圧力は増加する。
6. 同一特性のポンプ2台を並列運転すると，吐出圧力はあまり変わらないが，揚水量は増加する。

演習問題 10

給水ポンプに関する次の記述のうち，不適当なものはどれか。

(1) ポンプの吸上げ高さは，水温が上昇するにつれて増大する。
(2) ポンプの揚水量は回転数の1乗に比例し，吐出圧力は回転数の2乗に比例し，軸動力は，回転数の3乗に比例する。
(3) 消火設備や給水設備に使用するポンプには，一般にタービンポンプが使用される。
(4) ポンプのグランドパッキン部よりの適量の漏水は，冷却と潤滑の役目をする。

(1) ポンプの吸上げ高さは水温が上昇するにつれて減少する。

演習問題 11

ポンプの特性に関する次の記述のうち，不適当なものはどれか。

(1) サージングとは，配管中に空気溜りがあるような場合に，吐出量や圧力が波打ちの状態で周期的に変動する現象をいう。
(2) キャビテーションとは，配管内で局部的に液体が気化して空洞現象が生じることをいう。
(3) 同一特性のポンプ2台を直列運転すると，揚水量はあまり変わらないが吐出圧力は増加する。
(4) 同一特性のポンプ2台を並列運転すると，吐出圧力と揚水量は共に増加する。

(4) 並列運転では揚水量は増加するが，吐出圧力はあまり変わらない。

4. ファン 重要 重要 重要

ⓐ 送風機の種類

1. 翼形送風機（ターボファン）は構造上高い風圧に耐え効率も良好で，一般に高速ダクト用に使用される。騒音は多翼送風機に比べるとやや高い。静圧は 1.225 kPa～2.45 kPa 程度である。
2. 多翼送風機（シロッコファン）は構造上高速回転に適さないが，比較的低圧で多量の空気を送るのに適しており，低速ダクト用に使用される。シロッコファンは，運転時における静圧が，98～1,225 Pa の範囲で一般に使用される。空調用のほとんどに使用されている。
3. 軸流送風機（プロペラファン）は，低静圧で多量の送風に用いられ，冷却塔や換気扇に使用されるが，騒音が他の機種に比べて高い。
4. プレートファンは構造が単純で摩耗に強くボイラーの排煙用に使用されるが，騒音が高く動力も多くを要する。
5. リミットロードファンは，風量の変化に対し所要動力に上限がある特性を有する。

ⓑ 送風機の特性

1. 送風機の特性曲線図には，横軸に風量，縦軸に全圧，静圧，軸動力，効率等が描かれる。
2. 下図は送風機の風量・圧力・抵抗の関係を示す特性曲線図（シロッコファンの例）である。

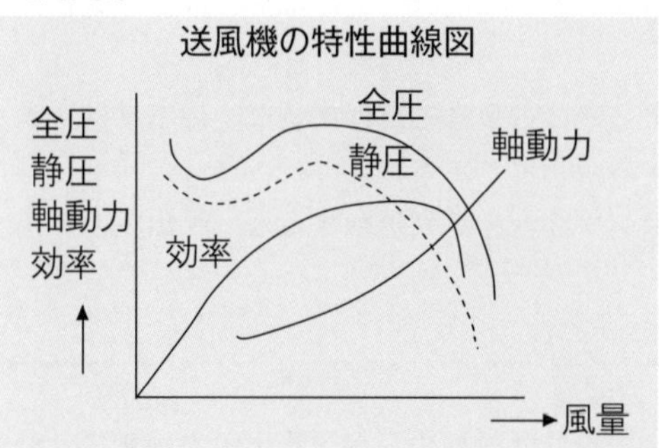

3. シロッコファンの出口ダンパを開けると，出口圧力が下がり送風量が増し動力も増す。（絞った場合は逆）
4. 入口ダンパを開けると，入口圧力が上がり，送風量が増し，動力も増す。

（絞った場合は逆）

5. 回転数を上げると出口圧力が上がり，送風量が増し動力も増す。（下げた場合は逆）
6. 送風機の風量減少理由としては，ファンベルトのゆるみ，エアフィルタの目詰まり，給気ダクトの漏れ，送風機の性能低下，羽根車の損傷，送風機ダンパの絞りすぎなどが考えられる。なお，吸込み側ダクトの漏れは風量増加原因となる。
7. 送風機は風量・圧力特性と，ダクトの風量・圧力抵抗特性との一致点で運転状態が定められる。

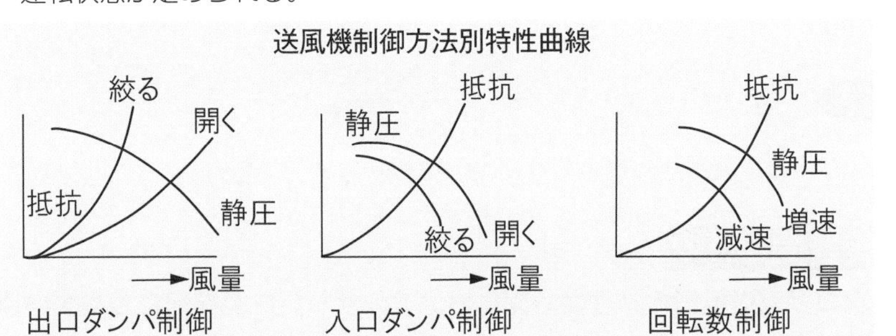

8. 送風機の性能曲線図の圧力曲線において，曲線に谷間がある場合，風量の増加とともに圧力が増加する右上がり領域で運転すると，ポンプと同様のサージング現象を生じる場合がある。
9. 遠心形送風機は，逆回転すると送風量が著しく低下する。
10. 同じ遠心送風機では送風量は回転数に比例し，静圧は回転数の2乗に比例し，軸動力は回転数の3乗に比例する。

送風量 $Q_1/Q_2 = N_1/N_2$

静圧 $P_1/P_2 = (N_1/N_2)^2$

軸動力 $Kw_1/Kw_2 = (N_1/N_2)^3$

演習問題 12

送風機の特性曲線の各名称の組合せで正しいものはどれか。

	a	b	c	d
(1)	効率	全圧	軸動力	風量
(2)	風量	軸動力	効率	全圧
(3)	風量	効率	軸動力	全圧
(4)	全圧	効率	軸動力	風量

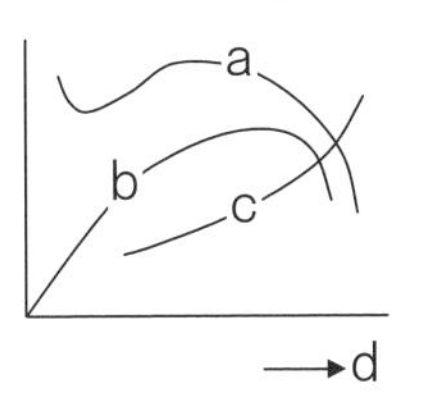

(4)　a は全圧，b は効率，c は軸動力，d は風量を示す。

演習問題 13

ビルの空調用送風機として，最も多く使用されているものはどれか。

(1)　ターボファン

(2)　シロッコファン

(3)　プロペラファン

(4)　リミットロードファン

(2)　ビルの空調用送風機の約 9 割がシロッコファンである。

演習問題 14

次の多翼送風機の特性曲線図において，サージングを起こしやすい運転点はどこか。

(1)　A

(2)　B

(3)　C

(4)　D

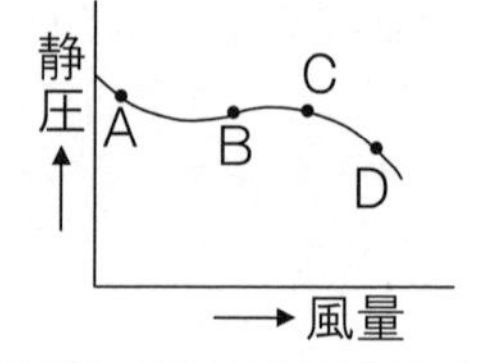

(2)　送風機の性能曲線に谷間がある場合，風量の増加とともに圧力が増加する右上がり領域（上図の B 点付近）で運転すると，サージング（P.260，❶の 3. 参照）が発生することがある。

2　配管・ダクト

第6章 建築設備一般

1. 配管

ⓐ 給水用配管材料

1. 鋳鉄管は口径 75 mm 以上で，主として土中埋設配管に使用される。
2. 亜鉛めっき鋼管は，従来，一般的な配管として広く使用されてきたが，他の配管材料に比し腐食に弱いので使用されることが少なくなった。
3. ポリエチレン粉体ライニング管は，耐食性に優れ，盛んに使用され始めている。
4. 銅管は管内の流水摩擦抵抗が少なく，かつ，耐食性に優れているが高価なために使用される機会が少ない。
5. 鉛管はコンクリートなどのアルカリ性に弱く，高価なことや，配管が重くて垂れやすく，その支持が面倒なことなどから，最近はあまり使われていない。

ⓑ 給湯用配管材料

1. 給湯設備に用いる配管材料として最も良いものは銅管である。
2. 銅管が給湯配管に適している理由として，耐食性が優れている，水素イオンとの置換反応がない，摩擦損失水頭が小さい，たわみ性が大きく加工しやすい，重量が軽く運搬しやすい，などがあげられる。
3. 65 ℃～75 ℃の湯は鉄を腐食させる速度が最も大きいので，給湯用に鋼管を使用するのは好ましくない。

ⓒ 排水用配管材料

1. 排水用鋳鉄管には，管径 50 mm 未満のものはない。
2. 鉄筋コンクリート管又は水道用石綿セメント管は，屋外の埋設配管として使用してよい。
3. 陶管を建築物内の配管として使用してはならない。
4. 鉛管はアルカリ性に弱いので，コンクリートスラブ内に直接埋設してはならない。又コンクリートの床や壁を貫通するところでは，管の外面に被覆を施す。

5. 亜鉛メッキ鋼管を排水用に使用する場合は，管径に関係なく原則としてドレネージ継手（ねじ込み式排水管継手）を使用しなければならない。

ⓓ 通気管材料

1. 通気管用の配管材料には，亜鉛めっき鋼管が多く使用される。
2. 硬質ビニル管も多く使用されている。

ⓔ 給水配管方式

1. 上向式配管方式では，給水立て主管に故障が起こると全系統が機能を停止したりすることが起こり得る。
2. 上向式配管方式では，天井高が高くて比較的スペースに余裕のある機械室で主管を展開できる。
3. 下向式配管方式では，最上階の天井で主管を展開するため，上向式の場合のように太い給水主管を下の階まで下げる必要がなく設備費が割合に経済的である。
4. 下向式配管方式は，屋上に高置水槽を置き水を下方に送るので配管中に空気がたまることは少ない。
5. 上向式配管方式では，弁の調整，操作などを機械室で行うことができ，系統的に配管することができる。

ⓕ 給湯配管方式

1. 配管中に空気溜まりができるのを防止するために，配管には勾配をつける。
2. 給湯設備の配管方式には上向式と下向式があり，いずれを採用してもよい。
3. 管の伸縮に備えて伸縮継手を配管の途中に取付ける。
4. 給湯設備の横走配管に，単式のベローズ形伸縮継手を取り付ける場合の設置間隔は，鋼管では 30 m おきに 1 個，銅管では 20 m おきに 1 個取り付ける。
5. スイベル継手は，配管分岐部や曲がり部のエルボを利用して主管や枝管の伸縮量を吸収するものである。
6. 管の勾配は，空気抜き管の方へ向かって，少なくとも 1／200～1／300 とする。

7. 管の線膨張係数は

銅管で 16.6×1／1,000,000,

鋼管で 11.5×1／1,000,000 程度である。

8. リバースリターン方式とは，湯の温度を均一にするために往路（給湯管）と返路（返湯管）の長さの合計を等しくする方式をいう。
9. 連続的に湯を使用する場合には，返湯管は必ずしも必要でない。
10. 貯湯槽への給水管には逆止め弁を設け，温水の逆流を防止する。
11. 給湯配管を給湯用の各種設備，器具等に接続する場合には，吐水口空間を設けなければならない。
12. 給湯配管に設ける弁は仕切弁を用い，玉形弁は空気溜りを生じやすいので使用しない。
13. 温水ボイラーの逃がし管の管径はボイラーの伝熱面積によって定まる。

ⓖ 冷温水配管方式

1. 冷温水配管は，給湯配管と同じく，通常リバースリターン方式が採用される。
2. リバースリターン方式は，密閉回路方式に属する。
3. リバースリターン方式は，どの放熱器についても往きと返りの配管損失の合計がほぼ等しくなる配管方式である。
4. 密閉回路方式では，配管系の圧力計画が必要であり，圧力保持の一方法として膨張タンクが用いられる。
5. 開放回路方式では，密閉回路方式に比べて，一般にポンプ動力が大きくなる。
6. 開放回路方式では，循環水が空気に接しているため，水中の酸素量が多くなり腐食が起こりやすい。
7. 冷温水配管において，往きと返りの温度差を大きくするほど搬送動力を小さくできる。
8. 冷温水配管は，管内に侵入した空気の除去を考慮し，開放式膨張タンクに向かって上り勾配とする。
9. 冷温水配管の横走り部は，上り勾配または下り勾配とし，頂部には空気抜き弁を取り付ける。

ⓗ 蒸気配管方式

1. 蒸気配管の端末などの凝縮水がたまりやすい箇所には，管末蒸気トラップ装置を設ける。

2. 蒸気配管において，主管の伸縮による枝管の損傷を防止するため，一般にスイベル継手を用いる。
3. 配管に伸縮継手を設ける場合，複式伸縮継手では伸縮継手本体を固定し単式伸縮継手では，継手本体の直近の配管部分の片側を固定する。
4. 高圧還水管と低圧還水管を接続する場合は蒸気タンクを介して接続し，低圧になった凝縮水のみを低圧還水管に送り込むようにする。
5. ボイラーからの取出し蒸気管は，缶水のキャリオーバ（沸騰流出）等を防ぐために，蒸気速度を考慮して管径を決定する。
6. 蒸気トラップは，管内の凝縮水を自動的に排出する機能をもっている。
7. 上向き給気管は，下向き給気管に比べて一般に配管径が大きくなる。
8. 蒸気横走り配管に玉形弁を使用する場合は，弁軸が水平になるように取り付ける。

ⓘ 排水管施工

1. 排水横管を合流させる場合は，45°以内の鋭角で流れを阻害しないように接続する。
2. 排水管の接続にはユニオンを使用してはならない。
3. 排水管に亜鉛めっき鋼管を使用する場合の接続にはドレネージ継手を使用しなければならない。
4. 排水管は，排水の流下方向の管径を縮小してはならない。
5. 排水管の最小管径は 30 mm とする。
6. 排水横管の流速は一般に 0.6～1.2 m／s が適当とされている。
7. 鉛管はコンクリートのアルカリ性に弱いので，コンクリートの壁を貫通させる場合には管の外面に被覆を施す。
8. 排水管として使用する管径 125 mm の硬質塩化ビニル管が防火構造の壁を貫通する場合には，その外面を厚さ 0.5 mm 以上の鉄板で覆わなければならない。

ⓙ 雨水排水管施工

1. 雨水排水立て管には排水トラップを設けなくてもよいが，雨水排水立管以外のすべての雨水排水管を汚水管や雑排水管に連結する場合は，その雨水排水管に排水トラップを設けなければならない。
2. 雨水排水管に設ける排水トラップは，雨水排水管ごとに設けるか，または雨水排水管のみを集めてからまとめて一箇所に設ける。

3. 雨水排水管に設ける排水トラップは，屋内用はＵトラップ，屋外用はＵトラップあるいはトラップますとする。
4. 雨水排水立て管は，汚水排水管と兼用してはならない。また，通気管と兼用してはならない。
5. 雨水排水立て管の途中に，雑排水管を連結してはならない。

ⓚ 排水勾配

1. 敷地排水管は下水本管に向かって下り勾配とする。
2. 適当な排水管の勾配は，管径 65 mm 以下は 1／50，75 mm 以上はおよそ管径の逆数程度である。
3. 排水槽の底には，吸い込みピットを設け，かつ当該吸い込みピットに向かって 1／15 以上 1／10 以下の勾配をつける。
4. すべての通気管は，管内の水滴が自然落下によって流れるように注意し，逆勾配にならないように排水管に接続しなければならない。
5. 排水タンクの底部には，吸い込みピットを設け，かつ当該吸い込みピットに向かって適切な勾配をとることが望ましい。
6. 排水横管の勾配は，通常 1／25 より急な勾配はとるべきではないとされている。
7. 管径 150 mm 以上の排水横主管の勾配は，最小 1／200 が標準とされている。

ⓛ 配管腐食

1. 鋼管の腐食は，水中の溶存酸素の溶出，炭酸塩の分解による遊離炭酸の発生，電導度の増加による電食速度の増加等によるものとされている。
2. 水温が 80 ℃以上になると酸素溶解度が著しく低下するために，腐食速度は低下する。
3. 一般に水の温度が 10 ℃上昇するごとに腐食量は 2 倍程度になるといわれる。
4. 異種金属の管を接続する時には，電食に注意しなければならない。
5. 銅管と鋼管を接続すると，鋼管側が腐食しやすい。
6. 温水暖房配管に比べ，給湯配管の方が腐食を促進する溶存酸素や残留塩素が補給されるので腐食しやすい。
7. 土中埋設配管の外面に生ずる孔食は，土壌の通気性が異なる境界域で発生しやすい。

8. 溝状腐食は，電縫鋼管に特有の現象である。

ⓜ 配管の接続

1. 管種別の接続方法は次による。
   ① 一般配管用ステンレス鋼鋼管 ―――― TIG 溶接法
   ② 水道用ポリエチレン管 ―――― 熱溶着接合
   ③ 排水用鋳鉄管 ―――― メカニカル接合
   ④ 排水用鉛管 ―――― プラスタン接合
   ⑤ 圧力配管用炭素鋼鋼管 ―――― アーク溶接接合
   ⑥ 水道用硬質塩化ビニルライニング鋼管 ―― フランジ接合
   ⑦ 銅管 ―――― ろう付け接合
2. ステンレス管のフランジ接合に用いるガスケットは，石綿などの多孔質なものは避ける。

ⓝ 防錆剤

1. 防錆剤の使用は，赤水等対策として給水配管の布設替えや貯水槽の取替え等を行うまでの応急対策としてのみ使用する。
2. 給水用防錆剤の注入方法は，揚水ポンプの揚水量に見合った比例注入などの方法によること。
3. 給水用防錆剤の含有率は，定常時においては，りん酸塩系を使用する場合は，P_2O_5 として 5 mg／ℓ，けい酸塩系を使用する場合は，SiO_2 として 5 mg／ℓ を超えてはならない。上記 2 種類の混合物を使用する場合，定常時においては合計として 5 mg／ℓ を超えてはならない。
4. 給水用防錆剤の濃度は，定常時においては，2 月以内ごとに 1 回の検査を行わなければならない。
5. 給水栓における水に含まれる防錆剤の主成分の含有率は，注入初期においては最初の 1 週間に限り 15 mg／ℓ 以下とする。
6. 固形状の防錆剤をかごの中などに入れ高置水槽に投入してはならない。

ⓞ 配管用語

1. 配管勾配とは，管の中心線と水平線とのなす角度をいい，一般には横走配管の一定水平投影長さに対する垂直長さをいう。
2. 動水勾配とは，水が土中を流れるときの土の単位長さあたりの損失水頭のことをいう。
3. オフセットとは，ある配管から，それと平行な他の配管へ配管を移すために，エルボまたはベンド継ぎ手で構成されている移行部分をいう。
4. 配管長とは配管の中心線に沿って測った長さをいう。

演習問題 15

配管材料及び配管付属品に関する記述のうち，適当でないものはどれか。

(1) 架橋ポリエチレン管は，中密度・高密度ポリエチレンを架橋反応させることで耐熱性，耐クリープ性を向上させた配管である。
(2) バタフライ弁に用いられる弁体は円板状であり，構造が簡単で取付けスペースが小さい。
(3) 配管用炭素鋼鋼管（白管）は，水配管用亜鉛めっき鋼管よりも亜鉛付着量が多く，良質なめっき層を有している。
(4) 衝撃吸収式逆止め弁は，リフト逆止め弁にばねと案内傘を内蔵した構造などで，高揚程のポンプの吐出し側配管に使用される。

解答 解説

(3) 水配管用亜鉛めっき鋼管（SGPW）は，配管用炭素鋼鋼管（SGP の白管）に比べ，亜鉛の付着量（平均値が 600 g／m^2 以上）が多く，フラックス処理を施した後めっきをするので，めっき層が良質になり付着力も強くなる。

演習問題 16

配管材料及び配管付属品に関する記述のうち，適当でないものはどれか。

(1) 圧力配管用炭素鋼鋼管，350 ℃以下の蒸気や冷温水などの流体の輸送に使用できる。
(2) 単式スリーブ形伸縮管継手は，単式ベローズ形伸縮管継手に比べて継手 1 個当たりの伸縮吸収量が小さい。
(3) 配管用炭素鋼鋼管の最高使用圧力は，1.0 MPa が目安である。
(4) 玉形弁は，リフトが小さいので開閉時間が速く，半開でも使用することができる。

解答 解説

(2) スリーブ形伸縮管継手の最大軸方向変位量は，フランジ形 100 mm，溶接形 200 mm である。ベローズ形伸縮管継手の最大軸方向変位量は，単式

35 mm，複式 70 mm であるため，スリーブ形伸縮管継手の方が，伸縮吸収量が大きい。

演習問題 17

JIS に規定する配管に関する記述のうち，適当でないものはどれか。

(1) 配管用ステンレス鋼鋼管の肉厚は，一般配管用ステンレス鋼鋼管より薄い。

(2) 配管用炭素鋼鋼管（SGP）は，亜鉛めっきを施した白管と施していない黒管の 2 種類がある。

(3) 銅管の肉厚は，K タイプの方が L タイプより厚い。

(4) 水道用硬質ポリ塩化ビニル管の衝撃強さは，HIVP の方が VP よりも大きい。

解答 解説

(1) 配管用ステンレス鋼鋼管は管の厚さが厚く，一般配管用ステンレス鋼鋼管の適用範囲を超える使用圧力やねじ切り加工等の肉厚が必要とされる用途に使用される。

演習問題 18

配管に関する記述のうち，適当でないものはどれか。

(1) 水道用硬質塩化ビニルライニング鋼管の使用に適した流体の温度は，継手を含めると 40 ℃程度までである。

(2) 排水用硬質塩化ビニルライニング鋼管の接合には，MD ジョイントのほか，ねじ込み式排水管継手が用いられる。

(3) 圧力配管用炭素鋼鋼管は，蒸気，高温水などの圧力の高い配管に使用され，スケジュール番号により管の厚さが区分されている。

(4) 架橋ポリエチレン管は，中密度・高密度ポリエチレンを架橋反応させることで，耐熱性，耐クリープ性を向上させている。

解答 解説

(2) 排水用硬質塩化ビニルライニング鋼管は，配管用炭素鋼鋼管（SGP）に準ずる薄肉鋼管の内面に硬質ポリ塩化ビニル管をライニングした管であり，薄肉鋼管を原管としているため軽量であり取扱い性に優れているが，ねじ加工ができないため，排水管専用の MD ジョイントなどのメカニカル継手を用いる。よって，ねじ込み式排水管継手は用いない。

演習問題 19

配管材料とその記号（規格）の組合せのうち，適当でないものはどれか。

	（配管材料）	（記号（規格））
(1)	一般配管用ステンレス鋼鋼管	SUS-TPD（JIS）
(2)	水道用硬質塩化ビニルライニング鋼管	STPG（JIS）
(3)	水道用硬質ポリ塩化ビニル管	VP（JIS）
(4)	配管用炭素鋼鋼管	SGP（JIS）

(2) 水道用硬質塩化ビニルライニング鋼管は，SGP-VA，VB，VD であり，STPG は，圧力配管用炭素鋼鋼管である。

2. ダクト

ⓐ ダクト特性

1. 送風量とダクト系中のダンパのベーンの角度は一般に正比例しない。
2. ある送風系統で，ダンパを開けると抵抗が減少するが，所要動力が減少するとは限らない。
3. 送風速度を 2 倍にするとダクトの摩擦損失（V^2／2 g）は 4 倍になる。
4. ダクトの寸法を大きくすると，送風量が増して送風機の動力が増し，送風抵抗が減少して送風機の出口圧力が下がり，断面平均風速は増加する。
   なお，ダクトの鉄板を厚くしたり補強するなど，音や振動に対する考慮が必要になる。
5. 一般に送風機の出口のダンパを絞ると騒音が発生しやすい。
6. ダクトの材質には，一般に亜鉛引き鉄板を使用する。
7. ダクトの保温材施工が不完全であると熱損失を生じエネルギーの浪費となる。
8. 高速ダクトには，一般に円形のスパイラルダクトを使用する。
9. ダクト系には，火災の延焼防止上，防火ダンパを使用する。特に防火区画を貫通する部分には必ず設ける。
10. 消音箱は，ダクトの末端と吹出し口との間に設け，内側にガラスウールなどの吸音材を貼り付け音の吸収拡散作用で送風機や気流による発生騒音の消音を行うもので，ダクトなどを通しての隣室への音の漏れを防ぐのが主目的である。

ⓑ ダクトの風速

1. ダクト内の風速が 15 m／s を超えるものを高速ダクト方式といい 15 m／s 以下を低速ダクト方式という。
2. 高速ダクトはダクトスペースが十分とれない場合や，高層ビルで採用されている。

ⓒ ダクトの設計施工

1. 角ダクトの横幅と縦幅の比をアスペクト比という。
2. アスペクト比（横の長さ／縦の長さ）は 4 以下が望ましい。
3. ダクトの鉄板の表面にクロス状に突起を設けたものをダイヤモンドブレーキ又はクロスブレーキという。
4. ダイヤモンドブレーキは，送風の開始時や停止時にダクトの鉄板が波打ちして騒音を発するのを防止する目的と，補強も兼ねて設ける。
5. ダクト設計法のうち等速法とは，ダクト内の風速を主管及び分岐管共に一定にしてダクト寸法を決定する方法をいう。
6. ダクト設計法のうち等圧法とは，単位長さ当たりの摩擦損失を一定としてダクト寸法を決める方法で，等摩擦法ともいう。
7. ダクト設計法のうち静圧再取得法とは，ダクト各分岐部又は吹出口における静圧を等しくする方法をいう。
8. 全圧を基準として空調用ダクトの設計を行う場合には，一般に等摩擦法（等圧法）でダクト寸法を決定し，圧力損失は全圧で算出する。

ⓓ ダクトの摩擦抵抗

1. 同一断面積，同一風量の場合，円形ダクトの方が長方形ダクトよりも摩擦抵抗は少ない。
2. 同一断面積，同一風量の場合，長方形ダクトの摩擦抵抗はアスペクト比が大きいほど大きくなる。
3. 同一断面積，同一風量，同一形状の場合，曲がり部の抵抗は曲率半径が小さいほど大きくなる。
4. 局部抵抗は風速の 2 乗に比例する。

ⓔ ダクトの接続

1. ダクトの継目の名称と使用箇所との関係は次の通りである。
   ① 甲はぜ ——————————— ダクト平面
   ② ピッツバーグはぜ ——————— 矩形ダクトの角
   ③ 立てはぜ ——————————— 矩形ダクトの補強
   ④ ボタンパンチスナップはぜ —— 矩形ダクトの角
2. ボタンパンチスナップはぜは，一般にピッツバーグはぜよりも空気の洩れが大きい。
3. スパイラルダクトは，亜鉛鉄板をスパイラル状に甲はぜ機械掛けしたものである。
4. ピッツバーグはぜは，はぜ折り機によって加工したはぜに直角に折った鉄板を差し込み，はぜを鉄板に沿って折り返すものである。

ⓕ ダンパの種類

1. 防火ダンパ（FD・ファイヤーダンパ）は，ダクトが防火区画を貫通する箇所に設ける。
2. FD には火炎でヒューズが溶断して閉鎖するものと煙感知器と連動して閉鎖するものとがある。
3. 風量調整ダンパ（CD・コントロールダンパ）は，可動羽根を開閉して通過風量を調整するもので，手動開閉のものと電動装置による遠隔操作のものとがある。
4. 防火調整ダンパ（FCD・ファイヤーコントロールダンパ）は，FD と CD の機能を兼ね備えたダンパである。
5. 分岐ダンパ（BD・バランスダンパ又はブランチダンパ）は，ダクトの分岐箇所に設け，左右ダクトへの風量配分や側風道への風量増減調整に用いる。

ⓖ ダンパの特性

1. 平行羽根形ダンパの働きについて，流量はダンパ羽根の角度とは必ずしも正比例せず，ダンパが全閉となる直前に急に流量が減少することが多い。なおダンパ開度を 0 にしても多少空気流を生ずる。
2. ダクトのダンパを絞ると圧力抵抗が増え風量が減少する。

ⓗ 防火ダンパ施工

1. 防火区画を貫通する部分に設ける防火ダンパは，防火区画の両側について各１ｍの部分を耐火材で被覆しなければならない。
2. 立て穴区画を立ち上がる空調用主ダクトから各階ごとに分岐して，その立て穴区画を貫通するダクトには，その貫通部に煙感知器連動の防火ダンパを設ける。
3. 防火区画を貫通する排煙ダクトには，ヒューズ溶断 280 ℃の防火ダンパを設ける。

ⓘ 消音器

1. 吹出口の手前で消音材を内張りしたボックスを接続したものをプレナムチャンバといい，消音効果がある。
2. ダクトの直角エルボに消音材を内張りしたものは消音効果がある。
3. 内張りダクトは，低周波数よりも高周波数の騒音に対する消音効果が大きい。
4. ダクト内で発生する騒音は，風速による影響が大きい。
5. マフラー形消音器は，共鳴作用を利用していて，特定の狭い範囲の周波数の音の消音しかできない。
6. 消音ボックスには，ボックス出入口における断面変化による音の反射と内張りによる吸音との消音効果がある。

演習問題 20

ダクト及びダクト付属品に関する記述のうち，適当でないものはどれか。

(1) 低圧ダクトは，常用圧力において，正圧，負圧ともに 1,000 Pa までの範囲で使用できる。

(2) 排煙ダクトに設ける防火ダンパーの温度ヒューズの作動温度は 280 ℃とする。

(3) 材料，断面積，風量が同じ場合，円形ダクトの方が長方形ダクトより単位摩擦抵抗は小さくなる。

(4) ノズル形吹出口は，到達距離が長くとれ，講堂や大会議室などの大空間に適している。

(1) 低圧ダクトは，通常の運転時における内圧が，正圧で＋500 Pa以下，負圧で－500 Pa以内の範囲である。制限圧力は，ダクト内のダンパーなどが閉鎖するときに，ダクトの内圧が一時的に上昇する場合で，ダクトの構造上の安全が保持されている最大の圧力と定義されている。低圧ダクトの制限圧力は，正圧で＋1,000 Pa，負圧で－750 Pa である。

演習問題 21

ダクト及び付属品に関する記述のうち，適当でないものはどれか。

(1) 幅又は高さが450 mmを超える保温を施さないダクトには，300 mm以下のピッチで補強リブを設ける。

(2) 吸込口には，風向調整ベーンは不要である。

(3) 防火ダンパーの温度ヒューズの作動温度は，一般系統は72 ℃，厨房排気系統は120 ℃とする。

(4) 同一材料，同一断面積のダクトの場合，同じ風量では長方形ダクトの方が円形ダクトより単位長さ当たりの圧力損失が小さい。

解答 解説

(4) 同一断面積のダクトでは，長方形ダクトの方が，周長が長くなる。長方形ダクトには，コーナーがありコーナー部では空気の渦やはく離などが生じる。したがって，長方形ダクトの方が，単位抵抗が大きい。

演習問題 22

ダクト及びダクト付属品に関する記述のうち，適当でないものはどれか。

(1) 大温度差空調に用いる吹出口は，誘引比の大きなものを選定する。

(2) スパイラルダクトは，板厚が薄いものでも，甲はぜが補強の役割を果たすため，強度が高い。

(3) 線状吹出口は，風向調整ベーンを動かして吹出し気流方向を変えることができる。

(4) アングルフランジ工法ダクトは，共板フランジ工法ダクトに比べ接合締付け力が劣るので，厚みと弾力性のあるガスケットを使用する。

解答 解説

(4) 設問は逆の記述であり，共板フランジ工法ダクトはアングルフランジ工法ダクトと比べて，接続部の締付力が劣るので，厚みと弾力性のあるガスケットを使用する。

演習問題 23

ダクトの摩擦損失に関する次の記述のうち，不適当なものはどれか。

(1) 同一断面積，同一風量，同一形状の場合，曲がり部の抵抗は曲率半径が小さいほど大きくなる。

(2) 同一断面積，同一風量の場合，長方形ダクトの摩擦抵抗はアスペクト比が小さいほど大きくなる。

(3) 局部抵抗は風速の2乗に比例する。

(4) 同一断面積，同一風量の場合，円形ダクトの方が長方形ダクトよりも摩擦抵抗は少ない。

解答 解説

(2) 長方形ダクトの摩擦抵抗は，アスペクト比が大きいほど大きくなる。

演習問題 24

ダクトの騒音に関する次の記述のうち，不適当なものはどれか。

(1) ダクト内で発生する騒音は，風速による影響が大きい。

(2) マフラー形消音器は，共鳴作用を利用している。

(3) 内張りダクトは，高周波数よりも低周波数の騒音に対する消音効果が大きい。

(4) 吹出口の手前で消音材を内張りしたボックスを接続したものをプレナムチャンバといい，消音効果がある。

解答 解説

(3) 内張りダクトは，低周波数よりも高周波数の騒音に対する消音効果が大きい（P.276，❶の3.参照）。

3. 保温

ⓐ 保温材の種類

1. グラスウール
   ① ガラスを繊維化し不規則に重なり合った状態にしたもので，空隙が多く軽くて断熱性に優れている。
   ② 板状，筒状などがある。
   ③ 使用温度は 300 ℃までである。
   ④ 密度は 2 号保温筒で，24 K より 40 K の方が大きい。
   ⑤ 熱伝導率は 2 号保温筒で，24 K より 40 K の方が小さい。
   ⑥ 熱伝導率は，2 号 24 K で，0.05 W／（m・℃）以下である。
2. ロックウール
   ① 石灰や珪酸を主成分とする鉱石を繊維化したもので板，筒，又は製品形状のものもある。
   ② 使用温度は 400～600 ℃で，断熱性はグラスウールよりも優れている。
   ③ 水分を吸収すると，熱伝導率が大きくなる。
3. ポリスチレンフォーム
   ① ポリスチレンを発泡成型したものである。
   ② 使用温度は 70 ℃までで熱に弱いため，防露，保冷用に使用される。
   ③ 冠水による熱伝導率の増加は比較的少ない。
4. 硬質ウレタンフォーム
   ① 発泡材を主材としたもので現場発泡が可能。
   ② 使用温度は 100 ℃まで。
   ③ 有機多孔質断熱材である。
   ④ 冠水による熱伝導率の増加は比較的少ない。

ⓑ 保温施工

1. 保温材の重ね部の継目は同一線上を避ける。
2. 保温筒は管径に適合したものを使う。
3. 配管の保温は水圧試験後に施工する。
4. 配管の吊りバンドは保温筒外部より行う。なお，締め付け過ぎないようにする。
5. ロックウールやグラスウールは吸湿しやすく，水に濡れると著しく断熱効果が減ずる。

6. テープ巻きは配管の下方より上方向に巻き上げる。
7. テープの重ね幅は 15 mm 以上。
8. 弁，フランジなど不規則な部分は，後で保守が可能なように配管とは別個に保温する。
9. 保温保冷を必要とする機器の扉，点検口などは，その開閉に支障なく保温保冷効果を減じないように施工する。
10. 防露材の厚さは，周囲環境の温度，湿度，及び防露材の表面熱伝導率，熱伝導率と管内流体温度などによって決定する。

演習問題 25

保温，保冷の施工に関する記述のうち，適当でないものはどれか。

(1) スパイラルダクトの保温に帯状保温材を用いる場合は，原則として，鉄線を 150 mm 以下のピッチでらせん状に巻き締める。

(2) 保温材相互のすきまはできる限り少なくし，保温材の重ね部の継目は同一線上とならないようにする。

(3) 保温材の取付けが必要な機器の扉，点検口廻りは，その開閉に支障がなく，保温効果を減じないように施工する。

(4) テープ巻き仕上げの重ね幅は 15 mm 以上とし，垂直な配管の場合は，上方から下方へ巻く。

解答 解説

(4) 重ね幅 15 mm 以上はよいが，下方から上方に向かって巻かなければならない（ⓑの 6.7. 参照）。

演習問題 26

保温材の施工方法に関する次の記述のうち，不適当なものはどれか。

(1) 保温材は水を吸うと断熱性能が低下するので濡らさないようにする。

(2) 保温剤の重ね部の継目は一直線上にそろえる。

(3) 配管の保温は，水圧試験後に施工する。

(4) テープ巻きは配管の下方より上方向に巻き上げる。

解答 解説

(2) 保温材の重ね部の継目は同一線上を避ける（前頁，ⓑの 1. 参照）。

演習問題 27

保温材とその使用最高温度との組合せで，不適当なものはどれか。

(1) ロックウールブランケット　600 ℃

(2) 硬質ウレタンフォーム保温筒　150 ℃

(3) グラスウール保温筒　300 ℃

(4) ポリスチレンフォーム保温筒　70 ℃

(2) 硬質ウレタンフォーム保温筒は，100 ℃である。

3　設計図書

1. 規格

ⓐ 管工事機材規格

1. 管材の JIS 規格

（管材）	（JIS）	（記号）
配管用炭素鋼鋼管	G−3452	**SGP**
圧力配管用炭素鋼鋼管	G−3454	**STPG**
水道用亜鉛めっき鋼管	G−3442	**SGPW**
水道用ポリエチレン二層管	K−6762	
銅及び銅合金継目無管	H−3300	〔管厚 K>L>M〕
一般配管用ステンレス鋼鋼管	G−3448	SUS−TPD
配管用ステンレス鋼鋼管	G−3459	SUS−TP
ダクタイル鋳鉄管	G−5226	D
水道用硬質ポリ塩化ビニル管	K−6742	VP・HIVP
硬質ポリ塩化ビニル管	K−6741	VP・VM・VU・HIVP
リサイクル硬質ポリ塩化ビニル三層管	K−9797	RS−VU
リサイクル硬質ポリ塩化ビニル発泡三層管	K−9798	RF−VP

2. 材料の JIS 規格

球状黒鉛鋳鉄品	G−5502	FCD
青銅鋳物	H−5120	
ロックウール保温材	A−9504	
衛生陶器	A−5207	
ガラスクロス	R−3414	
塗装溶融亜鉛めっき鋼板（着色亜鉛鉄板）	G−3312	
ファンコイルユニット	A−4008	
排水用鋳鉄管	G−5525	

3. 日本水道鋼管協会規格

排水用ノンタールエポキシ塗装鋼管	WSP−032	SGP−NTA

排水用硬質塩化ビニルライニング鋼管 ―― WSP－042 ―― D－VA

4. 日本水道協会規格

水道用硬質塩化ビニルライニング鋼管 ―― JWWA－K－116

ライニング鋼管 A の原管は配管用炭素鋼鋼管の黒管 ―― SGP－VA

ライニング鋼管 B の原管は水道用亜鉛めっき鋼管 ―― SGP－VB

ライニング鋼管 D の原管は配管用炭素鋼鋼管の黒管（内外面塗布）

―― SGP－VD

ライニング鋼管 C 管もある。

水道用硬質塩化ポリエチレン粉体ライニング鋼管 ―― JWWA－K－132

―― SGP－PA，PB，PD

水道用耐熱性硬質塩化ビニルライニング鋼管 ―― JWWA－K－140

―― SGP－HVA

5. 配管用炭素鋼鋼管には黒管と白管があり，白管は黒管に亜鉛めっきを施した管である。

ⓑ 弁規格

1. 青銅弁（5 K ねじ込み仕切弁）の適用範囲（JIS－B－2011）

① 120 ℃以下の清流水 ―― 0.69 MPa

② 120 ℃以下の油，ガス，空気及び脈動水 ―― 0.49 MPa

③ 飽和蒸気 ―― 0.2 MPa

2. 青銅弁（10 K ねじ込み仕切弁）の適用範囲

① 120 ℃以下の清流水 ―― 1.37 MPa

② 120 ℃以下の油，ガス，空気及び脈動水 ―― 0.98 MPa

③ 飽和蒸気 ―― 0.69 MPa

ⓒ ポンプ規格

1. 小型多段遠心ポンプ（JIS－B－8319）

① ポンプの規定吐出し量におけるポンプ効率は，効率表の B 効率以上であること。

② 注文者に提出する書類は，検査合格書及びその性能曲線並びに取扱説明書を付けること。

③ ポンプの大きさは，吸込み口径及び吐出し口径の呼び径並びに段数によって表すこと。

④ ポンプの種類は，大きさ並びに電動機の周波数及び極数によって表す

こと。

2. 設計図にはポンプ形式，吸込み口径，水量，揚程のほか，必要に応じて背圧や電動機の電源の種別，出力，極数，始動方式などを記載すること。

演習問題 28

配管材料とその記号（規格）の組合せのうち，適当でないものはどれか。

	（配管材料）	（記号（規格））
(1)	リサイクル硬質ポリ塩化ビニル三層管	RS-VU（JIS）
(2)	一般配管用ステンレス鋼鋼管	SUS-TPD（JIS）
(3)	水道用硬質塩化ビニルライニング鋼管（黒管）	SGP-VA（JWWA）
(4)	排水用硬質塩化ビニルライニング鋼管	SGP-VD（JWWA）

解答 解説

(4) 排水用硬質塩化ビニルライニング鋼管の記号は D-VA で，規格は（WSP）である。また，SGP-VD は(3)と同じ黒管であるが，内外面に硬質塩化ビニル被覆を行ったものをいう。

演習問題 29

JIS に規定する配管に関する記述のうち，適当でないものはどれか。

(1) 配管用ステンレス鋼鋼管は，一般配管用ステンレス鋼鋼管に比べて，管の肉厚が厚く，ねじ加工が可能である。

(2) 一般配管用ステンレス鋼鋼管は，給水，給湯，冷温水，蒸気還水等の配管に用いる。

(3) 硬質ポリ塩化ビニル管には，VP，VM，VU の 3 種類があり，設計圧力の上限が最も低いものは VM である。

(4) 水道用硬質ポリ塩化ビニル管の VP 及び HIVP の最高使用圧力は，同じである。

解答 解説

(3) VP，VM，VU の 3 種の中で，一番上限圧力が低いのは VU である。

2. 工事契約書

ⓐ 用語の定義

1. 設計図書とは，設計図，仕様書，現場説明書，質問回答書をいう。
2. 工事用地とは，敷地及び設計図書において発注者が提供するものと定められた施工上必要な土地をいう。
3. 施工図とは，現寸図，工作図などをいう。
4. 図面とは，設計図，詳細図，施工図をいう。
5. 専門技術者とは，附帯工事をするときの技術者をいう。
6. 仕様書とは，図面で表現できない工事の技術上の事項を説明したもので，共通仕様書と特記仕様書に分けられる。
   イ. 共通仕様書は，各工事に共通する標準的な基準を定めたものである。
   ロ. 特記仕様書は，その工事のみに適用される基準を定めたものである。
7. 契約不適合とは，工事目的物に種類又は品質に関して契約の内容に適合しないものがあることをいう。
8. 監理者は，発注者の代理人の性格を有する。
9. 現場代理人は，通常現場の総監督をいう。
10. 監理技術者や監理技術者補佐，主任技術者は建設業法上その現場に選任が必要な有資格者をいう。

演習問題 30

建設業法等の用語の定義として，不適当なものはどれか。

(1) 設計図書とは，設計図，仕様書をいい，現場説明書，質問回答書は含まれない。
(2) 施工図とは，現寸図，工作図などをいう。
(3) 図面とは，設計図，詳細図，施工図をいう。
(4) 仕様書には，共通仕様書と特記仕様書とがある。

解答 解説

(1) 設計図書には，現場説明書や質問回答書も含まれる（前頁，ⓐの 1. 参照）。

ⓑ 工事契約書主要記載事項

1. 総則（第1条）

① 発注者及び受注者は，この約款（契約書を含む。以下同じ。）に基づき，設計図書（別冊の図面，仕様書，現場説明書及び現場説明に対する質問回答書をいう。以下同じ。）に従い，日本国の法令を遵守し，この契約（この約款及び設計図書を内容とする工事の請負契約をいう。以下同じ。）を履行しなければならない。

② 仮設，施工方法その他工事目的物を完成するために必要な一切の手段（「施工方法等」という。以下同じ。）については，この約款及び設計図書に特別の定めがある場合を除き，受注者がその責任において定める。

2. 一括下請負の禁止（第6条）

受注者は，工事の全部若しくはその主たる部分又は他の部分から独立してその機能を発揮する工作物の工事を一括して第三者に委任し，又は請け負わせてはならない。

3. 下請負人の通知（第7条）

発注者は，受注者に対して，下請負人の商号又は名称その他必要な事項の通知を請求することができる。

4. 監督員（第9条）

① 発注者は，監督員を置いたときは，その氏名を受注者に通知しなければならない。監督員を変更したときも同様とする。

② 監督員は，この約款の他の条項に定めるもの及びこの約款に基づく発注者の権限とされる事項のうち発注者が必要と認めて監督員に委任したもののほか，設計図書に定めるところにより，次に掲げる権限を有する。

・契約の履行についての受注者又は請負者の現場代理人に対する指示，承諾又は協議

・設計図書に基づく工事の施工のための詳細図等の作成及び交付又は受注者が作成した詳細図等の承諾

・設計図書に基づく工程の管理，立会い，工事の施工状況の検査又は工事材料の試験若しくは検査

③ 第二項（②）の規定に基づく監督員の指示又は承諾は，原則として，書面により行わなければならない。

④ 発注者が監督員を置いたときは，この約款に定める請求，通知，報

告，申出，承諾及び解除については，設計図書に定めるものを除き，監督員を経由して行うものとする。この場合においては，監督員に到達した日をもって発注者に到達したものとみなす。

5. 現場代理人及び主任技術者等（第10条）

① 受注者は，現場代理人，監理技術者等（監理技術者，監理技術者補佐または主任技術者）及び専門技術者を定めて工事現場に設置し，設計図書に定めるところにより，その氏名その他必要な事項を発注者に通知しなければならない。これらの者を変更したときも同様とする。

② 現場代理人は，この契約の履行に関し，**工事現場に常駐し**，その運営，取締りを行うほか，請負代金額の変更，請負代金の請求及び受領，第十二条第一項の請求の受理，同条第三項の決定及び通知並びにこの契約の解除に係る権限を除き，この契約に基づく受注者の一切の権限を行使することができる。

③ 現場代理人，監理技術者等（監理技術者，監理技術者補佐または主任技術者）及び専門技術者は，これを兼ねることができる。

6. 工事材料の品質及び検査等（第13条）

① 工事材料の品質については，設計図書に定めるところによる。設計図書にその品質が明示されていない場合にあっては，**中等の品質**を有するものとする。

② 受注者は，設計図書において監督員の検査（確認を含む。以下本条において同じ。）を受けて使用すべきものと指定された工事材料については，当該検査に合格したものを使用しなければならない。この場合において，検査に直接要する費用は，**受注者の負担**とする。

③ 受注者は，工事現場内に搬入した工事材料を監督員の承諾を受けないで工事現場外に搬出してはならない。

7. 設計図書不適合の場合の改造義務及び破壊検査等（第17条）

① 受注者は，工事の施工部分が設計図書に適合しない場合において，監督員がその改造を請求したときは，当該請求に従わなければならない。この場合において，当該不適合が監督員の指示によるときその他発注者の責に帰すべき事由によるときは，発注者は，必要があると認められるときは工期若しくは請負代金額を変更し，又は受注者に損害を及ぼしたときは必要な費用を負担しなければならない。

② 監督員は，受注者が法に定める規定に違反した場合において，必要があると認められるときは，工事の施工部分を破壊して検査することがで

きる。

③　前項（②）に規定するほか，監督員は，工事の施工部分が設計図書に適合しないと認められる相当の理由がある場合において，必要があると認められるときは，当該相当の理由を受注者に通知して，工事の施工部分を最小限度破壊して検査することができる。

④　前二項（②と③）の場合において，検査及び復旧に直接要する費用は**受注者の負担**とする。

8. 第三者に及ぼした損害（第29条）

工事の施工について第三者に損害を及ぼしたときは，**受注者**がその損害を賠償しなければならない。ただし，その損害（規定により付された保険等によりてん補された部分を除く。）のうち発注者の責に帰すべき事由により生じたものについては，発注者が負担する。

9. 検査及び引渡し（第32条）

①　受注者は，工事を完成したときは，その旨を発注者に通知しなければならない。

②　発注者は，前項の規定による通知を受けたときは，通知を受けた日から14日以内に受注者の立会いの上，設計図書に定めるところにより，工事の完成を確認するための検査を完了し，当該検査の結果を受注者に通知しなければならない。この場合において，発注者は，必要があると認められるときは，その理由を受注者に通知して，工事目的物を最小限度破壊して検査することができる。

③　前項の場合において，検査又は復旧に直接要する費用は，**受注者の負担**とする。

④　発注者は，第二項（②）の検査によって工事の完成を確認した後，受注者が工事目的物の引渡しを申し出たときは，直ちに当該工事目的物の引渡しを受けなければならない。

⑤　受注者は，工事が第二項（②）の検査に合格しないときは，直ちに修補して発注者の検査を受けなければならない。

10. 請負代金の支払（第32条）

①　受注者は，前条第二項（9の②）の検査に合格したときは，請負代金の支払を請求することができる。

②　発注者は，前項の規定による請求があったときは，請求を受けた日から**40日以内**に請負代金を支払わなければならない。

11. 契約不適合責（第45条）

① 発注者は，引き渡された工事目的物が種類又は品質に関して契約の内容に適合しないもの（以下「契約不適合」という。）であるときは，受注者に対し，目的物の修補又は代替物の引渡しによる履行の追完を請求することができる。ただし，その履行の追完に過分の費用を要するときは，発注者は履行の追完を請求することができない。

② 前項の場合において，受注者は，発注者に不相当な負担を課するものでないときは，発注者が請求した方法と異なる方法による履行の追完をすることができる。

③ 第一項（①）の場合において，発注者が相当の期間を定めて履行の追完の催告をし，その期間内に履行の追完がないときは，発注者は，その不適合の程度に応じて代金の減額を請求することができる。ただし，次の各号のいずれかに該当する場合は，催告をすることなく，直ちに代金の減額を請求することができる。

一 履行の追完が不能であるとき。

二 受注者が履行の追完を拒絶する意思を明確に表示したとき。

三 工事目的物の性質又は当事者の意思表示により，特定の日時又は一定の期間内に履行しなければ契約をした目的を達することができない場合において，受注者が履行の追完をしないでその時期を経過したとき。

四 前三号に掲げる場合のほか，発注者がこの項の規定による催告をしても履行の追完を受ける見込みがないことが明らかであるとき。

12. 発注者の催告による解除権（47 条）

発注者は，受注者が次の各号のいずれかに該当するときは相当の期間を定めてその履行の催告をし，その期間内に履行がないときはこの契約を解除することができる。ただし，その期間を経過した時における債務の不履行がこの契約及び取引上の社会通念に照らして軽微であるときは，この限りでない。

① 請負代金債権の譲渡により資金を得た場合に，その資金の使途を疎明する書類を提出せず，又は虚偽の記載をしてこれを提出したとき。

② 正当な理由なく，工事に着手すべき期日を過ぎても工事に着手しないとき。

③ 工期内に完成しないとき又は工期経過後相当の期間内に工事を完成する見込みがないと認められるとき。

④ 監理技術者等（監理技術者，監理技術者補佐または主任技術者）を設

置しなかったとき。

⑤　正当な理由なく，契約不適合のあった工事目的物の修補又は代替物の引渡しによる履行の追完がなされないとき。

⑥　前各号に掲げる場合のほか，この契約に違反したとき。

13. 受注者の催告によらない解除権（第52条）

受注者は，設計図書を変更したため請負代金額が3分の2以上減少したとき，直ちに契約を解除することができる。

14. 火災保険等（第58条）

受注者は，工事目的物及び工事材料（支給材料を含む。）等を設計図書に定めるところにより火災保険，建設工事保険その他の保険（これに準ずるものを含む。）に付さなければならない。

演習問題 31

「公共工事標準請負契約約款」に関する記述のうち，適当でないものはどれか。

(1)　受注者は，この約款及び設計図書に特別の定めがない仮設，施工方法等を定める場合は，監督員の指示によらなければならない。

(2)　受注者は，工事目的物及び工事材料等を設計図書に定めるところにより，火災保険，建設工事保険その他の保険に付さなければならない。

(3)　受注者は，工事現場内に搬入した工事材料を監督員の承諾を受けないで工事現場外に搬出してはならない。

(4)　発注者は，受注者が正当な理由なく，工事に着手すべき期日を過ぎても工事に着手しないときは，契約を解除することができる。

解答　解説

(1)　この約款及び設計図書に特別な定めがある場合を除き，受注者がその責任において定める。と規定されていて，仮設，施工方法その他工事目的物を完成させるために必要な一切の手段は，受注者が決める。

演習問題 32

「公共工事標準請負契約約款」に関する記述のうち，適当でないものはどれか。

(1)　受注者は，設計図書に基づいて請負代金内訳書及び工程表を作成し，発注者に提出しなければならない。

(2) 発注者が監督員を置いたときは，約款に定める請求，通知，報告，承諾及び解除については，設計図書に定めるものを除き，監督員を経由して行う。
(3) 現場代理人は，契約の履行に関し，工事現場に常駐し，その運営，取締りを行うほか，受注者の一切の権限を行使することができる。
(4) 発注者は，完成通知を受けたときは，通知を受けた日から14日以内に完成検査を完了し，検査結果を受注者に通知しなければならない。

解答 解説

(3) 現場代理人は，請負代金額の変更，請負代金の請求及び受領，この契約の解除に係る権限を除き，この契約に基づく受注者の一切の権限を行使することができる。

演習問題 33

「公共工事標準請負契約約款」に関する記述のうち，適当でないものはどれか。

(1) 受注者は，工事目的物及び工事材料等を設計図書に定めるところにより，火災保険，建設工事保険等に付さなければならない。
(2) 現場代理人は，主任技術者を兼ねることができるが，専門技術者を兼ねることはできない。
(3) 発注者は，受注者が正当な理由なく，工事に着手すべき期日を過ぎても工事に着手しないときは，必要な手続きを経た後，契約を解除することができる。
(4) 設計図書とは，図面，仕様書，現場説明書及び現場説明に対する質問回答書をいう。

解答 解説

(2) 専門技術者も兼ねることができる。(専門技術者とは，附帯工事をするときの技術者である。)

演習問題 34

「公共工事標準請負契約約款」に関する記述のうち，適当でないものはどれか。

(1) 発注者は，完成通知を受けたときは，通知を受けた日から14日以内に完成検査を完了し，検査結果を受注者に通知しなければならない。

(2) 約款及び設計図書に特別の定めがない仮設，施工方法等については，監督員の指示によらなければならない。

(3) 工事材料の品質については，設計図書にその品質が明示されていない場合にあっては，中等の品質を有するものとする。

(4) 受注者は，工事現場内に搬入した工事材料を監督員の承諾を受けないで工事現場外に搬出してはならない。

解答 解説

(2) 約款及び設計図書に特別の定めがない仮設，施工方法等については，受注者がその責任において定める。

演習問題 35

「公共工事標準請負契約約款」に関する記述のうち，適当でないものはどれか。

(1) 受注者は，設計図書に基づいて請負代金内訳書及び工程表を作成し，発注者に提出する。

(2) 発注者は，完成検査に当たって，必要と認められる理由を受注者に通知した上で，工事目的物を最小限度破壊して検査できる。この場合において，検査又は復旧に直接要する費用は発注者の負担とする。

(3) 完成検査合格後，発注者は，受注者から請負代金の支払いの請求があったときは，請求を受けた日から40日以内に請負代金を支払わなければならない。

(4) 発注者が監督員を置いたときは，約款に定める請求，通知，報告，申出，承諾及び解除については，設計図書に定めるものを除き，監督員を経由して行う。

解答 解説

(2) 検査又は復旧に直接要する費用は，発注者ではなく，受注者の負担である。

演習問題 36

「公共工事標準請負契約約款」の定めに基づいて受注者との契約を必要な手続きを経た後，解除することができる場合として，次のうち不適当なものはどれか。

(1) 受注者が正当な理由なく，工事に着手すべき期日を過ぎても工事に着手しないとき。

(2) 受注者が監理技術者等（監理技術者，監理技術者補佐または主任技術者）を設置しなかったとき。

(3) 正当な理由なく，契約不適合のあった工事目的物の修補または代替物の引き合渡しによる履行の追完がなされないとき。

(4) 設計図書を変更したため請負代金額が3分の2以上減少したとき。

解答 解説

(4) 設計図書を変更したため請負代金額が3分の2以上減少したとき，契約を解除することができるのは，発注者ではなく受注者であり，また催告を経ず直ちに解除できる。

(1) 約款第47条第2項により正しい。

(2) 同　　　　第4項により正しい。

(3) 同　　　　第5項により正しい。

復習問題

問題1　ボイラーの構造に関する次の記述のうち，適当でないものはどれか。

(1)　水管ボイラーは気水ドラムと水ドラムの間を水管で結び，火力発電用などの比較的大規模のものが多い。

(2)　炉筒煙管ボイラーは炉筒と煙管で構成され，ビルの暖房用など中規模容量に主に使用される。炉筒に伸縮に強い平形炉筒を用いているのが特徴である。

(3)　鋳鉄ボイラーは組合せ式のため，搬入口の狭いビルの地下などに分解して搬入し現場で組み立てて完成させる。鋳鉄のため腐食に強いが蒸気圧力0.1 MPa以下でしか使用できないので小規模容量のものが多い。

(4)　真空ボイラーは，ボイラーの内部が大気圧以下のため，蒸気の発生が早く，爆発の危険性がないため，法令上はボイラーではない。

問題2　冷凍機の構造に関する次の記述のうち，適当でないものはどれか。

(1)　圧縮式冷凍機は電力をエネルギー源としているのに対し，吸収式冷凍機は熱をエネルギー源としている。

(2)　吸収式を採用する理由のひとつとして，契約電力を低く押さえることで電気料金の節減を図ることがあげられる。

(3)　0℃の1トンの水を1時間かけて0℃の1トンの氷にする能力を1日本冷凍トンといい，〔JRt〕の単位で表示する。

(4)　1日本冷凍トンを熱量に換算すると3.87 Wとなる。

問題3　冷却塔に関する次の記述のうち，適当でないものはどれか。

(1)　冷却水の滴下方向に対し，送風方向が上方に向かう方式の冷却塔を向流型冷却塔といい，冷却能力が小～中程度のものに使用される。

(2)　冷却水の滴下方向に対し，送風方向が横方向に向かう方式の冷却塔を直交流型冷却塔といい，冷却能力が中～大程度のものに使用される。

(3)　冷却塔における冷却水出入口の温度差をレンジといい，通常5℃程度である。

(4)　冷却塔出口水温と外気乾球温度との差をアプローチといい，4℃程度が限度で，この温度差の小さい冷却塔ほど効率がよいことを示す。

問題4　渦巻ポンプに関する記述のうち，適当でないものはどれか。

(1)　ポンプの有効吸込みヘッドは，吸込み水温が高くなると小さくなる。

(2)　キャビテーションは，ポンプの吸込み側の弁で水量を調整すると生じやすい。

(3)　同一配管系で，同じ特性のポンプを2台直列運転して得られる揚程は，ポンプを単独運転した場合の揚程の2倍よりも小さくなる。

(4)　同一配管系で，同じ特性のポンプを2台並列運転して得られる吐出し量は，ポンプを単独運転した場合の吐出し量の2倍である。

問題5　送風機に関する記述のうち，適当でないものはどれか。

(1)　軸流送風機は，構造的に高圧力を必要とする場合に適している。

(2)　斜流送風機は，羽根車の形状や風量・静圧特性が遠心式と軸流式のほぼ中間に位置している。

(3)　後向き羽根送風機は，羽根形状などから多翼送風機に比べ高速回転が可能な特性を有している。

(4)　多翼送風機の軸動力は，風量の増加とともに増加する。

問題6　給水配管方式に関する次の記述のうち，適当でないものはどれか。

(1)　下向式配管方式では，給水立て主管に故障が起こると全系統が機能を停止したりすることが起こり得る。

(2)　上向式配管方式では，天井高が高くて比較的スペースに余裕のある機械室で主管を展開できる。

(3)　下向式配管方式では，最上階の天井で主管を展開するため，上向式の場合のように太い給水主管を下の階まで下げる必要がなく設備費が割合に経済的である。

(4)　上向式配管方式では，弁の調整，操作などを機械室で行うことができ，系統的に配管することができる。

問題7　冷温水配管方式に関する次の記述のうち，適当でないものはどれか。

(1)　リバースリターン方式は密閉回路方式に属し，どの放熱器についても往きと返りの配管損失の合計がほぼ等しくなる配管方式である。

(2)　開放回路方式では，密閉回路方式に比べて，一般にポンプ動力が大きくなる。

(3)　開放回路方式では，循環水が空気に接しているため，水中の酸素量が多くなり腐食が起こりやすい。

⑷　冷温水配管において，往きと返りの温度差を小さくするほど搬送動力を小さくできる。

問題 8　**ダクトの摩擦抵抗に関する次の記述のうち適当でないものはどれか。**

⑴　同一断面積，同一風量の場合，円形ダクトの方が長方形ダクトよりも摩擦抵抗は少ない。

⑵　同一断面積，同一風量の場合，長方形ダクトの摩擦抵抗はアスペクト比が大きいほど大さくなる。

⑶　同一断面積，同一風量，同一形状の場合，曲がり部の抵抗は曲率半径が小さいほど大きくなる。

⑷　局部抵抗は風速に比例する。

問題 9　**冷却塔に関する記述のうち，適当でないものはどれか。**

⑴　冷却塔の微小水滴が気流によって塔外へ飛散することを，キャリオーバという。

⑵　冷却塔の冷却水入口温度と出口温度の差をレンジという。

⑶　冷却水のスケールは硬度成分が濃縮されて塩類が析出したもので，ブローダウンなどによりその発生を抑制できる。

⑷　冷却塔の熱交換量は，主に外気乾球温度と冷却水入口温度の差に左右される。

問題 10　**工事契約書に関する次の記述のうち，適当でないものはどれか。**

⑴　設計図書とは，設計図，仕様書，現場説明書，質問回答書をいう。

⑵　施工図とは，現寸図，工作図等をいい，図面とは，設計図，詳細図，施工図をいう。

⑶　専門技術者とは，建築基準法に規定する技術者をいい，附帯工事をするときの技術者をいう。

⑷　仕様書とは，図面で表現できない工事の技術上の事項を説明したもので，共通仕様書と特記仕様書に分けられる。

復習問題　解答解説

問題 1　(2)　炉筒煙管ボイラーは，炉筒に伸縮に強い波形炉筒を用いているのが特徴である（P.250，ⓑの 2. 参照）。

問題 2　(3)　0 ℃の 1 トンの水を 24 時間かけて 0 ℃の 1 トンの氷にする能力を 1 日本冷凍トンという（P.255，ⓑの 1. 参照）。

問題 3　(4)　冷却塔出口水温と外気湿球温度との差をアプローチという（P.255，ⓓの 3. 参照）。

問題 4　(4)　ポンプを単独運転した場合の吐出し量の 2 倍より（和より）少なくなる。

問題 5　(1)　一般に建築設備に使用されている軸流送風機は，低圧力・大風量に適した送風機で，ベーン軸流送風機，チューブ軸流送風機，プロペラ送風機の 3 種類がある。構造的に高速回転が可能なため全体的に形状が小さくなり，設置スペースが小さくなるという長所を持つが，同一圧力を出すのに遠心送風機に比べて約 2 倍の羽根車周速を必要とするため，騒音が大きいのが短所である。

問題 6　(1)　上向式配管方式では，給水立て主管に故障が起こると全系統が機能を停止したりすることが起こり得る（P.266，ⓔの 1. 参照）。

問題 7　(4)　冷温水配管において，往きと返りの温度差を大きくするほど搬送動力を小さくできる（P.267，ⓖの 7. 参照）。

問題 8　(4)　局部抵抗は風速の 2 乗に比例する（P.274，ⓓの 4. 参照）。

問題 9　(4)　冷却塔の熱交換量は，主に外気湿球温度と冷却水入口水温の差に左右される。

問題 10　(3)　P.285 ⓐの 5．専門技術者とは，建設業法に規定する技術者をいい，附帯工事をするときの技術者をいう。

第7章

施工管理

1 施工計画

1. 官庁手続き

重要 重要 重要

諸官庁への各種申請・届出手続きは，次のとおりである。

<table>
<tr><th>法</th><th colspan="2">書 類 名</th><th>提出時期</th><th>提 出 先</th><th>提 出 者</th></tr>
<tr><td>建</td><td colspan="2">建築確認申請</td><td>着工前</td><td>建築主事</td><td>建築主</td></tr>
<tr><td>建</td><td colspan="2">建築工事届</td><td>着工前</td><td>都道府県知事</td><td>建築主</td></tr>
<tr><td>建</td><td colspan="2">建築物除却届</td><td>着工前</td><td>都道府県知事</td><td>施工者</td></tr>
<tr><td>道</td><td colspan="2">道路占用許可申請</td><td>着工1か月前まで</td><td>道路管理者</td><td>道路占用者</td></tr>
<tr><td>道</td><td colspan="2">道路使用許可申請</td><td>着工前</td><td>警察署長</td><td>作業者か請負人</td></tr>
<tr><td>建</td><td colspan="2">高架水槽確認申請</td><td>着工前</td><td>建築主事</td><td>建築主</td></tr>
<tr><td>建</td><td colspan="2">工事完了届</td><td>完了日から4日以内</td><td>建築主事</td><td>建築主</td></tr>
<tr><td>消</td><td rowspan="3">危険物 貯・取</td><td>設置許可申請</td><td>着工前</td><td>市町村長</td><td>設置者</td></tr>
<tr><td>消</td><td>完成検査前検査</td><td>施工中</td><td>市町村長</td><td>設置者</td></tr>
<tr><td>消</td><td>設置完成検査</td><td>完成時</td><td>市町村長</td><td>設置者</td></tr>
<tr><td>条</td><td colspan="2">少量危険物取扱所設置</td><td>設置前</td><td>市町村長</td><td>設置者</td></tr>
<tr><td>消</td><td colspan="2">防火対象物使用届</td><td>使用前</td><td>消防長・署長</td><td>建物所有者</td></tr>
<tr><td>消</td><td colspan="2">消防用設備等着工届</td><td>着工10日前まで</td><td>消防長・署長</td><td>甲種消防設備士</td></tr>
<tr><td>消</td><td colspan="2">消防用設備等設置届</td><td>完了日から4日以内</td><td>消防長・署長</td><td>関係者</td></tr>
<tr><td>騒</td><td rowspan="3">特定施設 設置</td><td>騒音施設</td><td>着工30日前まで</td><td>市町村長</td><td>特定施設設置者</td></tr>
<tr><td>濁</td><td>河川放流排水</td><td>着工60日前まで</td><td>都道府県知事</td><td>特定施設設置者</td></tr>
<tr><td>下</td><td>下水道放流排水</td><td>着工60日前まで</td><td>下水道管理者</td><td>特定施設設置者</td></tr>
<tr><td>気</td><td colspan="2">煤煙発生施設設置届</td><td>着工60日前まで</td><td>都道府県知事</td><td>排出者（設置者）</td></tr>
<tr><td>特</td><td colspan="2">特定建設作業実施届</td><td>着工7日前まで</td><td>市町村長</td><td>施工者</td></tr>
<tr><td>労</td><td colspan="2">ボイラー設置届</td><td>着工30日前まで</td><td>労基署長</td><td>設置者</td></tr>
<tr><td>労</td><td colspan="2">第一種圧力容器設置届</td><td>着工30日前まで</td><td>労基署長</td><td>設置者</td></tr>
<tr><td>圧</td><td colspan="2">高圧ガス製造許可申請</td><td>製造開始20日前まで</td><td>都道府県知事</td><td>製造者</td></tr>
<tr><td>浄</td><td colspan="2">浄化槽設置届（認定品）</td><td>着工10日前まで</td><td>都道府県知事</td><td>設置者</td></tr>
<tr><td>L</td><td colspan="2">液化石油ガス設備工事</td><td>工事完了時</td><td>都道府県知事</td><td>製造者</td></tr>
</table>

法の欄は該当法令を示し，建は建築基準法，消は消防法，労は労働安全衛生法，圧は高圧ガス保安法，廃は（略称）廃棄物処理法，下は下水道法，濁は水質汚濁防止法，気は大気汚染防止法，浄は浄化槽法，騒は騒音規制法，道は道路法，Ｌは（略称）LP ガス法，条は市町村条例，特は騒音規制法又は振動規制法を示す。

提出先の欄で，知事・市長は都道府県知事又は市町村長，消防長・署長は消防長又は消防署長，労基署長は労働基準監督署長。

書類名の欄で，貯・取は貯蔵所又は取扱所。

演習問題 1

工事の申請・届出書類と提出先の組合せとして，適当でないものはどれか。

	（申請・届出書類）	（法律上の提出先）
(1)	高圧ガス保安法の高圧ガス製造許可申請書	都道府県知事
(2)	消防法の指定数量以上の危険物貯蔵所設置許可申請書	消防長又は消防署長
(3)	労働安全衛生法の第一種圧力容器設備設置届	労働基準監督署長
(4)	振動規制法の特定建設作業実施届出書	市町

解答 解説

(2) 消防法の指定数量以上の危険物貯蔵所設置許可申請書は，消防本部及び消防署を置く市町村の場合は市町村長に，それ以外の場合は都道府県知事に，危険物の種類や数量などを記載した申請書を提出して許可を得なければならないと規定されている。

演習問題 2

申請・届出書類とその提出時期との組合せで，誤っているものはどれか。

	（申請・届出書類の名称）	（提出時期）
(1)	騒音の特定施設設置届出	着工 30 日前まで
(2)	型式認定品浄化槽設置届	着工 10 日前まで
(3)	新設のボイラー設置届	着工 30 日前まで
(4)	消防用設備等設置届	着工 10 日前まで

解答 解説

(4) 消防用設備等設置届は，完了日から 4 日以内に届け出る。

演習問題 3

申請・届出書類と提出先及び根拠法令との組合せで不適当なものはどれか。

	（申請・届出書類）	（提出先）	（根拠法令）
(1)	建築確認申請	建築主事	建築基準法
(2)	道路使用許可申請	警察署長	道路法
(3)	浄化槽設置届	都道府県知事	浄化槽法
(4)	特定建設作業実施届	都道府県知事	建設業法

解答 解説

(4) 特定建設作業実施届の根拠法令は，騒音作業の場合は騒音規制法，振動作業では振動規制法である。また，提出先は市町村長である。

2. 施工計画

ⓐ 契約図書の確認

1. 契約書と設計図書を合わせて契約図書というが，請負者側の現場を代表する現場代理人及び現場担当者は，かならずしも契約の過程でその内容を知る立場にないことが多い。したがって，施工に先立ちそれらの図書の内容を確認し，十分に把握する必要がある。
2. 調査，確認事項には次のようなものがある。

① 契約書

契約書には請負代金額，工期，引渡しの時期，請負代金の支払（前払い，部分払い）及び契約内容を示す図書名（約款，設計図書等）などが記載されている。これらはいずれも重要であるのでよく確認しておく。

② 契約約款

契約約款は，契約の内容を細かく記載した契約書の添付文書である。

一般に使用するものとしては，官公庁，公団関係では「建設工事請負契約書（日本建設業団体連合会）」や「公共工事標準請負契約約款（中央建設業審議会）」があり，民間関係では「工事請負契約書・工事請負契約約款（日本建築学会，日本建築協会，日本建築家協会，全国建設業協会の四会連合協定）」が使用されることが多い。

それぞれ多少の違いがあるので，その工事の契約に使用されるものの内容を確認しておく。

ⓑ 設計図書の検討

1. 設計図書は，建設する建物等がどのようなものであるかを詳細に表現した文書であり，いわゆる設計図と仕様書であるが，この設計図書の事前の検討は特に重要であり，内容の不一致や疑問点が発見された場合は，なるべく早い時期に文書で設計者に問合せ，回答を得ておく必要がある。
2. 構造上の疑問については，構造計算書を取り寄せて調べるのがよい。また，重要な工事については数量を把握し，工程の決定や工事の手配などに手違いのないようにする必要がある。

ⓒ 総合工程表の作成

1. 総合工程表とは，各部門の工事の順序や工期を総体的に把握し，工事全体の進捗状況を大局的に統括するためのもので，現場の仮設工事から始まり，完成時における試運転調整，さらには清掃，後片付けまでの全工事の工程の大要を示すもので，実行予算書とともに，資材の発注及び搬入計画，並びに労務計画を立てる基本となるもので，一般に工事区分ごとに示す。着工前，あるいは着工早期に作られるのが普通である。
2. 実行予算書は，工事監理者が自ら施工中の工事費が常に適切であるかどうか工事原価の検討と確認を行い，所要利益確保の見通しを立て，原価管理を行うために作成する基本資料である。
3. 労務計画は，労務者の人数や作業能力を把握し，必要な作業場に必要な職種の労務者を幾人配置するかなどの調達管理のために作成する資料である。
4. 搬入計画に当たっては，作業量に適合した数量を搬入するようにし，機材の保管数量は必要最小限度とするよう考慮する。
5. 仮設計画とは，現場事務所や作業場などの仮設建物のほか，作業用足場や安全保安設備，仮設給排水設備，仮設電力設備などの配置計画をいい，火災予防，盗難防止，安全管理，作業騒音対策などにも配慮しなければならない。
6. 工事価格は，一般に次のように構成される。

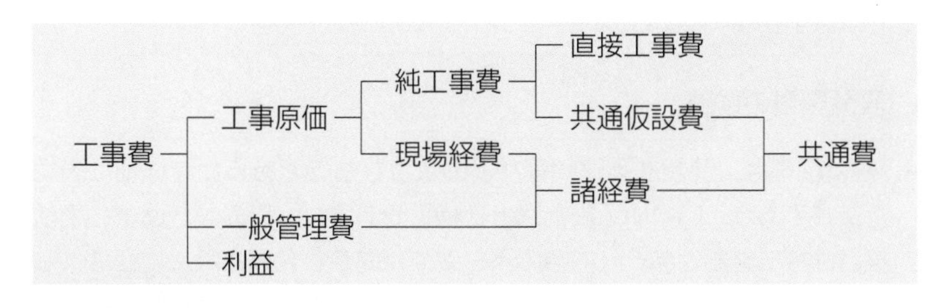

演習問題 4

施工計画に関する記述のうち，最も適当でないものはどれか。

(1) 仮設計画は，施工中に必要な諸設備を整えることであり，主として受注者がその責任において計画するものである。

(2) 実行予算書作成の目的は，工事原価の検討と確認を行って利益確保の見通しを立てることである。

(3) 総合工程表は，現場の仮設工事から完成時における試運転調整，後片付け，清掃までの全工程の大要を表すもので，一般に，工事区分ごとに示す。

(4) 一般に，工事原価とは共通仮設費と直接工事費を合わせた費用であり，現場従業員人件費などの現場管理費は一般管理費に含まれる。

解答 解説

(4) 工事原価とは，直接工事費と間接工事費を合わせた費用であり，現場従業員人件費などの現場管理費は，間接工事費に含まれる。

2 工程管理

1. 各種工程表の比較

ⓐ バーチャート

1. たて方向にすべての作業を順番に書き，横方向に暦日を記入し，作業予定期間を白枠で示し，実施状況を黒く塗りつぶす工程表をいう。
2. この方式は，作業時期や日数はつかめるが，作業相互の関連が不明なのが欠点である。
3. 各作業の工期に対する影響の度合いを把握しにくい。

	8月	9月	10月	11月
仮設工事				
土工事				
山止め工事				
地業工事				
型枠工事				

バーチャート

ⓑ ガントチャート

1. たて方向はバーチャートと同じであるが，横方向は作業の出来高をパーセントで表す工程表をいう。これも作業相互の関連は不明である。
2. 各工程の開始日，終了日，所要日数は不明である。
3. 各作業の前後の関連の状況が分かりにくい。

%	20	40	60	80	100
仮設工事					
土　工　事					
山止め工事					
地業工事					
型枠工事					

ガントチャート

ⓒ ネットワーク

1. バーチャートやガントチャートの欠点である作業相互の関連を明確にした工程表で，作成には熟練を要する。
2. ネットワーク工程表の詳細は別項で記述する。

ⓓ 工程表の比較

次の表は，3 種類の工程表を比較したものである。

工　程　表	バーチャート	ガントチャート	ネットワーク
作成の難易	やや複雑	容易	複雑熟練要す
作業の手順	漫然	不明	判明
作業の日程・日数	判明	不明	判明
各作業の進行度合	漫然	判明	漫然
全体進行度	漫然*	不明	判明
工期上の問題点	漫然	不明	判明

＊ S カーブを記入すると判明

演習問題 5

工程表に関する次の記述のうち，不適当なものはどれか。

(1) ガントチャート工程表は，各作業の完了時点を 100 %として，横軸にその達成度を取る工程表である。

(2) ガントチャート工程表の作成には熟練を要する。

(3) バーチャート工程表は，作業時期や日数はつかめるが，作業相互の関連が不明である。

(4) バーチャート工程表は，作業相互の関連が分かりにくい。

解答 解説

(2) ガントチャート工程表の作成は容易である。

2. 工事予定進度曲線

ⓐ Sカーブ

1. 工事予定進度曲線は出来高進度曲線ともいい，工事の出来高累計を工程に従って示したもので，Sに似た形になるのでSカーブと呼ばれる。
2. 標準的な工事の進度は，工期の初期と終期では遅く中間では早くなる。

ⓑ バナナ曲線

工事予定進度曲線を上方許容限界曲線と下方許容限界曲線で表すと，この上下の曲線で囲まれた形がバナナの形に似ていることから，これをバナナ曲線と呼ぶ。

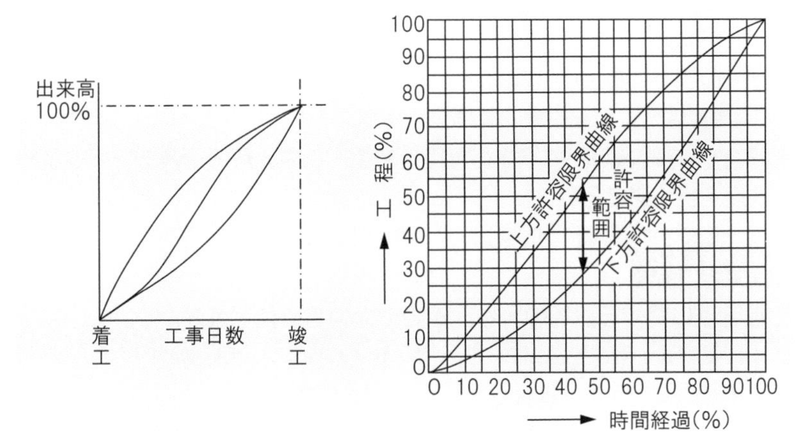

ⓒ 工程・費用曲線

1. 工期と工事費用の関係を図示したものを工程・費用曲線という。

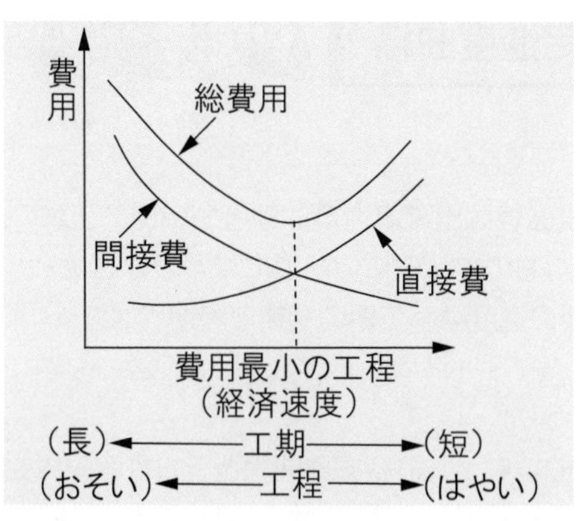

2. 工事費用は，材料費，労務費等の直接費と，仮設費，現場管理費等の間接費に大別される。
3. 直接費は，工期を短縮しようとすれば残業や増員等で費用の増加をまねき，図表では右上がりの曲線となる。
4. 間接費は，工期を短縮すれば経費等が減少し，右下がりの曲線となる。
5. これらを総合した曲線が総費用であり，この総費用が最も安くなる施工速度を経済速度という。

演習問題 6

工程管理に関する記述のうち，適当でないものはどれか。

(1) ネットワーク工程表において，デュレイションとは所要時間のことで，アクティビティ（作業）に付された数字のことである。
(2) ガントチャート工程表は，各作業の完了時点を 100 %としたもので，作成は容易だが，各作業の開始日，所要日数が不明という欠点がある。
(3) 労務費，材料費，仮設費などの直接費が最小となる経済的な施工速度を臨界速度といい，このときの工期を最小工期という。
(4) バーチャート工程表で作成する予定進度曲線（S カーブ）を実施進度曲線と比較して大幅に差がある場合は，原因を追究して工程を調整する必要がある。

解答 解説

(3) 労務費，材料費，仮設費などの直接費が最小となる経済的な施工速度を経済速度といい，このときの工期を最適工期という。

演習問題 7

工事現場での工事管理の一般的注意事項のうち，不適当なものはどれか。

(1)　各種材料を現場搬入する際には，規格，外観寸法を検査する。

(2)　機器類の工場立会い検査を行う際には，機器能力が仕様通りであれば外観寸法は承認図と異なっていてもよい。

(3)　発注者より指定された検査事項は早めに内容及び予定日を打合せる。

(4)　図面及び仕様書に明記のない事項は，発注者とよく協議する。

(2)　外観寸法が承認図と異なると施工時の納まりに支障を生ずる。

演習問題 8

工事が工程表より著しく遅れた場合，工事管理者がまず最初にとらなければならない処置として適当なものはどれか。

(1)　工程表を新しく作り換える。

(2)　機械の搬入を早める。

(3)　工事の遅れている原因を究明する。

(4)　労務者を増員する。

(3)　適切。

(1)，(2)，(4)は原因を究明した後に取るべき手段である。

3. ネットワーク手法

ⓐ ネットワークの種類

ネットワークには，作業を矢線で表示するアロー形と，作業を丸印で表示するザクル形（イベント形）があるが，ここでは広く使われているアロー形について説明する。

ⓑ 基本用語

1. アクティビティ（作業）

ネットワーク表示に使われている矢線は，一般にアクティビティと呼ばれ，作業活動，見積り，材料入手など時間を必要とする諸活動を示す。アクティビティの基本要点は次のとおりである。

① 作業に必要な時間の大きさを矢線の下に書く。
　この時間は矢線の長さとは無関係である。

② 矢線は，作業が進行する方向に表す。

③ 作業の内容は，矢線の上に表示する。

2. イベント（結合点）

丸印は作業の結合点を表し，これをイベントと称し作業の開始及び終了時点を示す。

イベントの基本要点は次のとおりである。

① イベントには正整数の番号を付ける。これをイベント番号と呼び，作業を番号で呼ぶことができる。

② イベント番号は，同じ番号が 2 つ以上あってはならない。

③ 番号は作業の進行する方向に向かって大きな数字になるように付ける。

④ 作業は，その矢線の尾が接する結合点に入ってくる矢線群（作業群）がすべて終了してからでないと着手できない。

3. ダミー

作業の前後関係のみを表し，作業及び時間の要素を含まないものをダミーと称し，架空の作業の意味で，工程表上では点線の矢印で示す。

次図の（a）のような作業において，作業 R は作業 A のほかに作業 B，C にも関係があり，作業 A，B，C が終わらないと着手できない場合は，次図の（b）のような表示になる。

このようにダミーは作業とは区別され，作業の相互関係を結び付けるのに用いる。

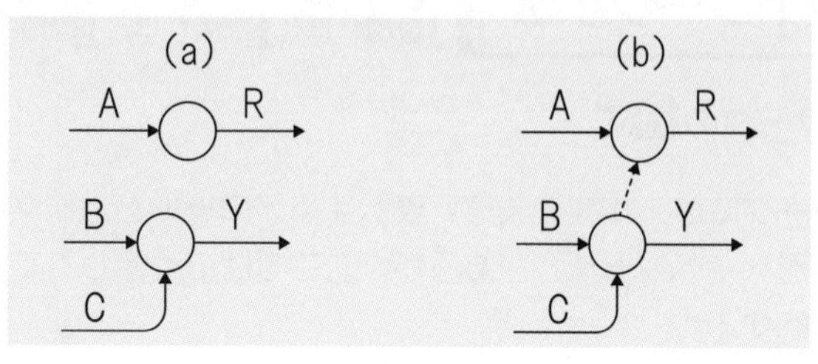

Ⓒ 基本ルール

1. 先行作業と後続作業

結合点に入ってくる矢線（先行作業）がすべて完了した後でないと結合

点から出る矢線（後続作業）は開始できない。

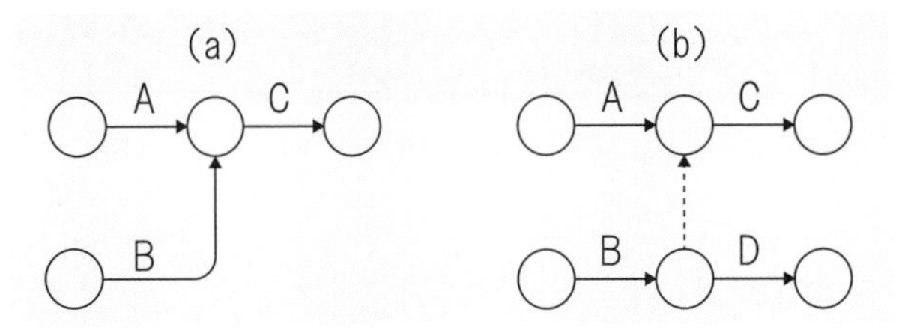

上図の（a）ではA及びBの両方の作業とも完了しないとCは開始できないという意味である。

上図の（b）ではDはBが完了すれば開始できるが（注：Dの開始にAは無関係である），CはA及びBが完了しないと開始できない。

2. 同一結合点からの矢線の数の制限

1つの結合点に入ってくる矢線の数は何本あってもよいが，1つの結合点から次の後続結合点に入る矢線の数は1本に制限される。

たとえば下図のように結合点2と4の間にBとDの2つの矢線を入れてしまうと，2→4と書いたのではどちらのルートを示しているのかわからなくなるからである。

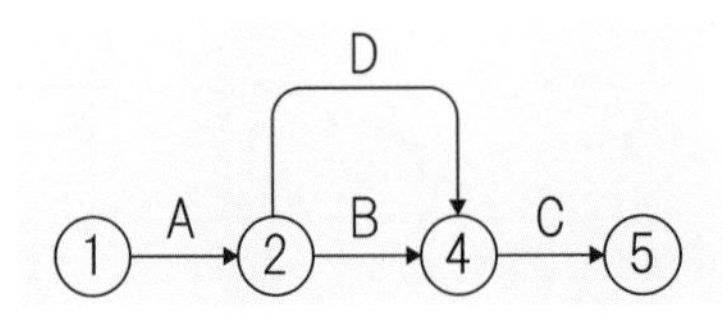

3. 開始点と終了点

1つのネットワークでは，開始の結合点と終了の結合点は，それぞれ1つでなければならない。

4. サイクルを入れない

下図のようなネットワークでは，C，D，Eの作業がサイクル状に循環し作業は進行せず日程計算が不能になるので，このような工程表を作ってはならない。

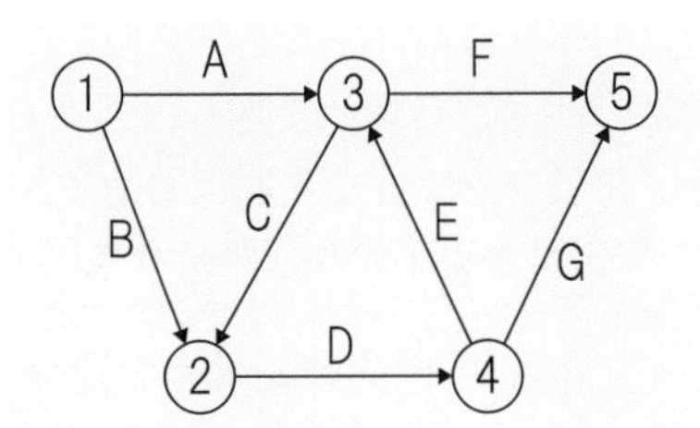

5. 作業時刻

作業順序の組立てが終わり，ネットワークの図が完成すれば，次には時間の要素を組み込んで日程計画を立てる。

開始結合点と終了結合点との間の所要作業日数は，通常，矢線の下側に記入する。

ⓓ クリティカルパス

1. 開始点から終了点までのすべての経路の中で，最も時間が長い経路をクリティカルパスという。
2. クリティカルパスは，言いかえると，この経路によって工期が支配されている。
3. 工程短縮の手段は，この経路に着目しなければならない。
4. クリティカルパスは，必ずしも1本ではない。
5. ネットワークでは，クリティカルパスを通常太線で表す。
6. 例えば，下図のネットワーク工程表におけるクリティカルパスは，

①→②→⑤→⑧→⑨→⑩である。

また，この工事の工期は 10＋10＋15＋20＋10 ＝ 65 日である。

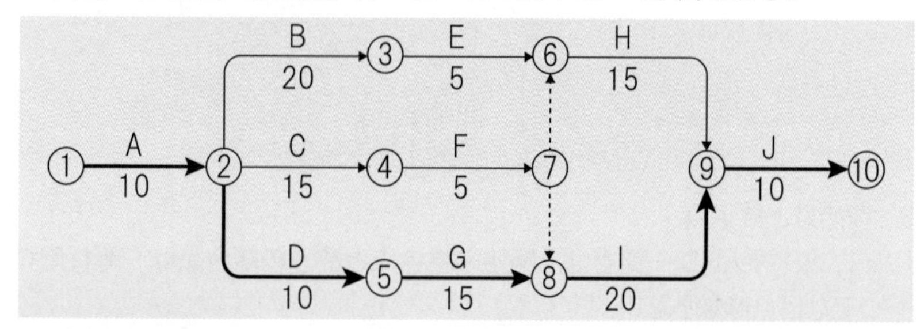

演習問題 9

図に示すネットワーク工程表の各作業に関する次の記述のうち，誤りはどれか。

(1) 作業 D，E 及び F は，平行して行うことができる。

(2) 作業 F は，作業 C が完了すれば開始できる。

(3) 作業 G は，作業 D，E 及び F が完了すれば開始できる。

(4) 作業 H は，作業 E 及び F が完了すれば開始できる。

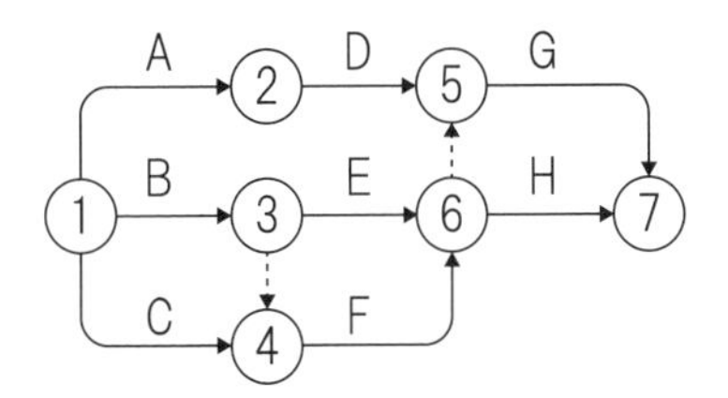

(2)　作業 F は，作業 C と作業 B が完了しないと開始できない。

4. ネットワーク解法

（以降は，演習問題を，解説を交えて解く方式で進めていく。）

演習問題 10

図に示すネットワーク工程表に関し，下記の設問について答えよ。

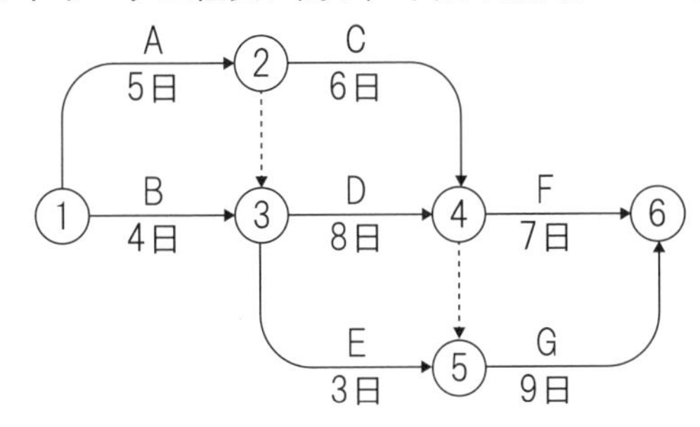

(1)　記号──►（注．実線の矢線）の名称を述べよ。

(2)　記号-----►（注．点線の矢線）の名称を述べよ。

(3)　記号○の名称を述べよ。

(4)　クリティカルパスの所要日数を求めよ。

解答 解説

(1)　アクティビティ

(2)　ダミー

(3)　イベント

(4)　22 日

クリティカルパスは，①→②→③→④→⑤→⑥
所要日数は，　5 + 0 + 8 + 0 + 9 = 22日

演習問題 11

図に示すネットワーク工程表において，下記の設問について答えよ。

(1) クリティカルパスを求め，イベント番号で示せ。

(2) クリティカルパスの所要日数を求めよ。

(3) 作業Dを5日短縮した場合，クリティカルパスの所要日数が何日短縮されるか答えよ。

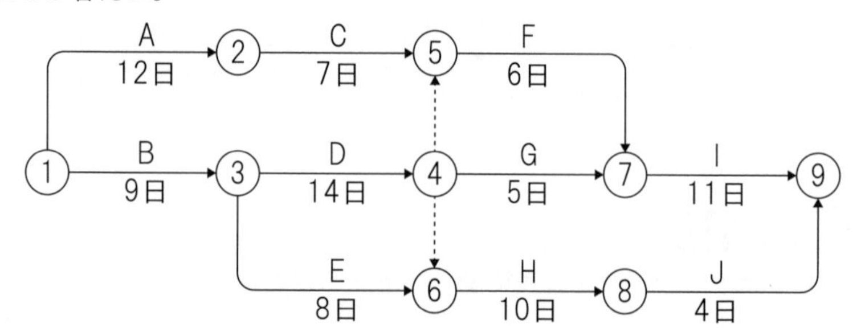

解答 解説

(1) クリティカルパス　①→③→④→⑤→⑦→⑨

(2) 所要日数　9 + 14 + 0 + 6 + 11 = 40日

(3) 作業Dを5日短縮して9日とした場合，クリティカルパスは下記のようにルートが変わる　①→②→⑤→⑦→⑨

そこで所要日数は　12 + 7 + 6 + 11 = 36日

従って4日短縮される。

クリティカルパスは最も長くかかるコースであるから，工程表の上で，それをさぐりながら前に進めて行きルートをさぐり当てる。

演習問題 12

図に示すネットワーク工程表において，次の設問について答えよ。

(1) クリティカルパスを求めよ。

(2) 所要日数を求めよ。

(3) アクティビティCのフリーフロートを求めよ。

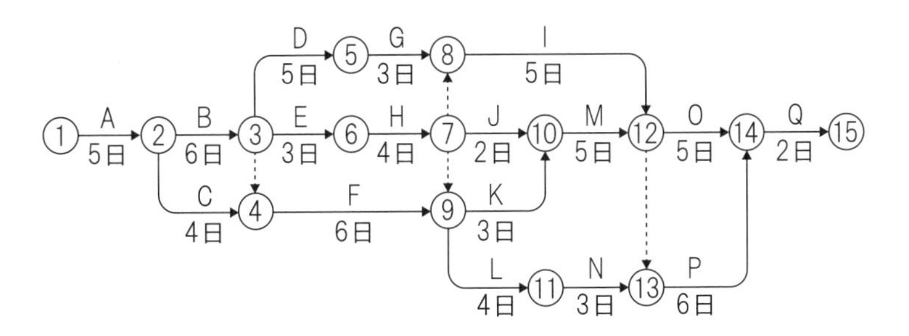

解答 解説

(1) クリティカルパス

①→②→③→⑥→⑦→⑨→⑩→⑫→⑬→⑭→⑮

5＋6＋3＋4＋0＋3＋5＋0＋6＋2

(2) 所要日数＝34日

フリーフロートとは「余裕時間」つまり「手待ち時間」のことをいう。

図において，Cの作業が完了するまでに，Aの5日とCの4日の計9日を要する。しかし，Bの作業が完了しないと④から先に進めないので，AとBを合わせた11日が終わらないと先に進めない。つまり11日−9日＝2日が手待ちとなる。この手待ちの2日をフリーフロートという。

(3) Cのフリーフロート＝2日

演習問題 13

下図のネットワーク工程表における各イベントの最早開始時刻を（　）内に，最遅完了時刻を□内に，トータルフロートを〔　〕内に解答欄の図にそれぞれ記入し，クリティカルパスを解答欄の図に太線で表示せよ。

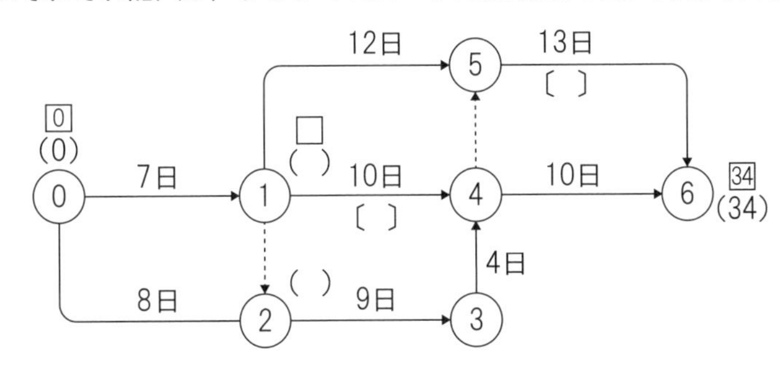

注

最早開始時刻とは，各イベントにおいて最も早く次の作業が開始できる時刻をいう。

最遅完了時刻とは，作業の全体を計画の所要時間内に完了させることを前提とし，各イベントにおいて前の作業が遅くとも完了していなければならない時刻をいう。

トータルフロートとは，最大余裕時間ともいい，任意のアクティビティ内で取り得る最大の余裕時間をいう。

解答 解説

1. まず，この図からクリティカルパスのルートを特定する。
   クリティカルパスは　⓪ → ② → ③ → ④ → ⑤ → ⑥
   所要日数は　8 ＋ 9 ＋ 4 ＋ 0 ＋ 13 ＝ 34 日
2. イベント①の最早開始時刻は，作業の⓪－①終了後で（7）となる。
3. イベント②の最早開始時刻は，作業⓪－①終了後の 7 及び作業⓪－②終了後の 8 のうち，遅い方の（8）となる。
4. イベント①の最遅完了時刻は，作業⓪－①がクリティカルパスに関係する作業②－③の始まる前に完了していなければならないので（8）である。
5. 〔クリティカルパス上の各イベントにおける最早開始時刻と最遅完了時刻は同じであって，かつ，そこまでの所要日数に等しい〕ことに留意する。
6. イベント④の最早開始時刻と最遅完了時刻は（8＋9＋4 ＝ 21 日）であるから，⓪→①の作業はそれまでに終わればよいわけで，この日数は 7＋10 ＝ 17 日で，21－17 ＝ 4 日の余裕があることになる。
7. 従って①－④間のトータルフロートは〔4〕となる。
8. 〔クリティカルパス上では，トータルフロートは零である〕ことに留意する。つまり，クリティカルパスは最も所要日数の多いルートであり，従って余裕時間，つまりゆとり（フロート）はないのである。
9. 従って⑤－⑥間のトータルフロートは〔0〕である。

最終解答図

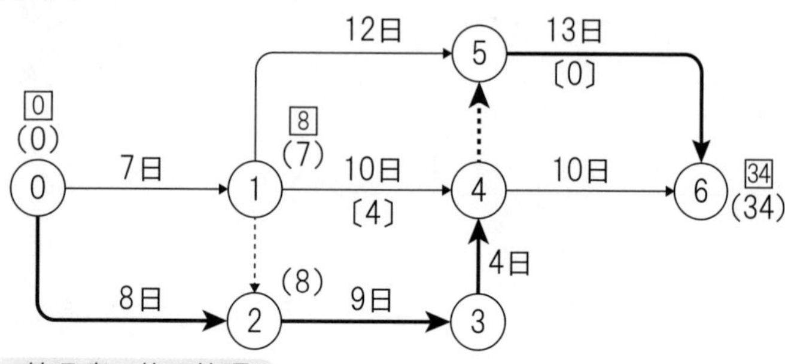

演習問題 14

図のネットワーク工程表において，各イベントの最早開始時刻を（　）内に最遅完了時刻は□内にそれぞれ記入し，クリティカルパスを太線で表示せよ。

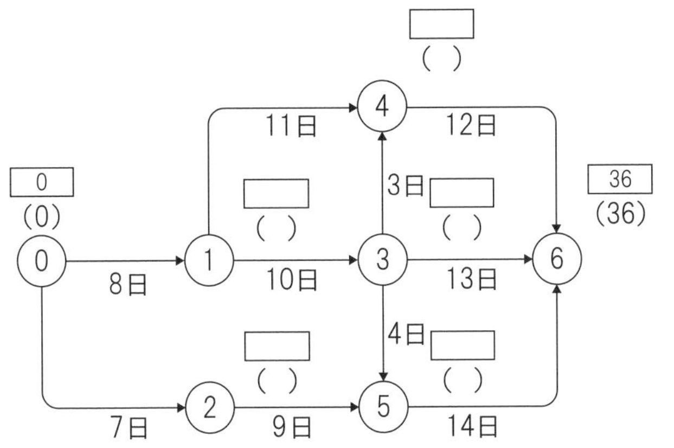

1. 最早開始時刻を計算で求める場合そのイベントまでの所要時間を累計する。ルートが複数ある場合は，所要日数の多い方を取る。

イベント No.	作業	作業の最早完了時刻		最早開始時刻
⓪	〔開始〕	0		(0)
①	⓪→①	0＋8 ＝ 8		(8)
②	⓪→②	0＋7 ＝ 7		(7)
③	①→③	8＋10 ＝ 18		(18)
④	①→④	8＋11 ＝ 19		
	③→④	8＋10＋3 ＝ 21	21	(21)
⑤	②→⑤	7＋9 ＝ 16		
	③→⑤	8＋10＋4 ＝ 22	22	(22)
⑥	③→⑥	8＋10＋13 ＝ 31		
	④→⑥	8＋10＋3＋12 ＝ 33		
	⑤→⑥	8＋10＋4＋14 ＝ 36	36	(36)

2. 最遅完了時刻を計算で求める場合，完了所要日数から逆に数えてイベントまでの所要日数を差し引く。ルートが複数ある場合は，所要日数の少ない方を取る。

イベント No.	作業	作業の最遅開始時刻		最遅完了時刻
⑥	〔完了〕	36		36
⑤	⑤→⑥	36 − 14 = 22		22
④	④→⑥	36 − 12 = 24		24
③	③→⑥	36 − 13 = 23		
	③→⑤	36 − 14 − 4 = 18	18	18
	③→④	36 − 12 − 3 = 21		
②	②→⑤	36 − 14 − 9 = 13		13
①	①→④	36 − 12 − 11 = 13		
	①→③	36 − 14 − 4 − 10 = 8	8	8
⓪	⓪→②	36 − 14 − 9 − 7 = 6		
	⓪→①	36 − 14 − 4 − 10 − 8 = 0	0	0

解答図

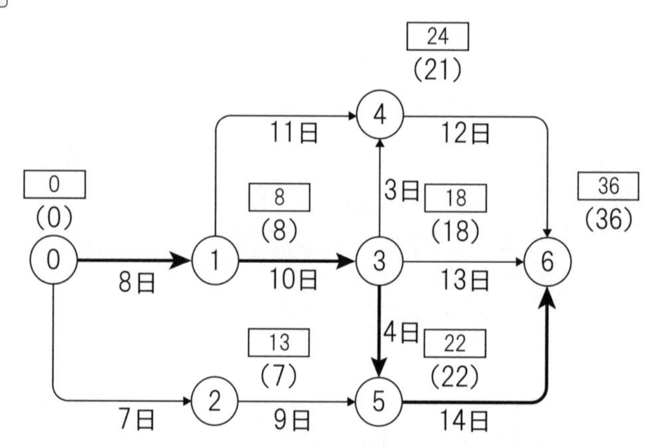

演習問題 15

図に示すネットワーク工程表に関する記述のうち，適当でないものはどれか。

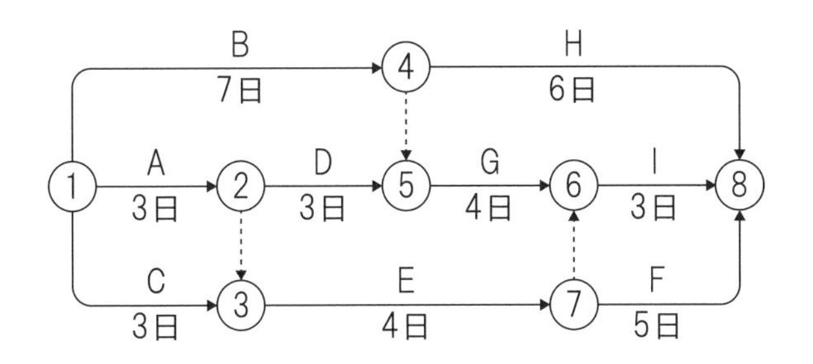

(1) クリティカルパスは，①→④→⑤→⑥→⑧で所要日数は 14 日である。

(2) 作業Ｃのトータルフロートは，２日である。

(3) 作業Ｄのフリーフロートは，２日である。

(4) イベント④と⑤の最遅完了時刻と最早開始時刻は同じで，７日である。

解答 解説

(3) 作業Ｄのフリーフロートは，FF ＝ ⑦－(③＋3) ＝１日である。

イベント番号⑤の最早開始時刻７日から，イベント番号②の最早開始時刻３日とＤの作業日数３日を足したものを，マイナスすれば作業Ｄのフリーフロート１日が求まる。

演習問題 16

ネットワーク工程表に関する次の記述のうち，不適当なものはどれか。

(1) フォローアップとは，放置しておけば現実から遊離してしまう計画に対し，現実の推移を入れて調整することである。

(2) クリティカルパス上のアクティビティのフロートは，ゼロである。

(3) クリティカルパス以外の作業でも，アクティビティのフロートを消化してしまうとクリティカルパスになる。

(4) クリティカルパスとは，最も時間のかかる作業経路のことで，一つの経路しかなく，また，この経路の通算日数で工期が決定される。

解答 解説

(4) クリティカルパスの作業経路は，一つとは限らず複数の場合もある。

演習問題 17

ネットワーク工程表に関する次の記述のうち，不適当なものはどれか。

(1) 最遅完了時刻とは，各結合点が遅くとも完了していなくてはならない時刻である。

(2) スケジューリングとは，計画全体を所定の目標に適合するように調整することをいう。

(3) フロートとは，各作業についてその作業がとりうる余裕時間のことをいう。

(4) クリティカルパスの各イベントにおける最早開始時刻と最遅完了時刻は一致しない。

解答 解説

(4) 最早開始時刻と最遅完了時刻は，クリティカルパスの各イベントでは同じである。

演習問題 18

ネットワーク工程表に関する次の記述のうち，不適当なものはどれか。

(1) プランニングとは，ネットワークを作成し，各作業の所要時間を見積り標準ベースでその工事が何日で完成するか計算する段階までをいう。

(2) イベントタイムには，最早開始時刻と最遅完了時刻とがある。

(3) 最早開始時刻は，各イベントにおいて最も早く次の作業が開始できる時刻である。

(4) ネットワーク工程表の描き方には，作業内容を矢線で表すアロー形と丸で示すイベント形があり，建設工事では，主にイベント形が使用されている。

解答 解説

(4) 建設工事では，主にアロー形が使用されている。

演習問題 19

ネットワーク工程表に関する次の記述のうち，不適当なものはどれか。

(1) 一つの経路上では，各アクティビティのトータルフロートの和だけその経路に余裕時間がある。

(2) トータルフロートとは，作業を最早開始時刻で始め，最遅完了時刻で完了するときに生ずる余裕時間である。

(3) フリーフロートは使用しても後続する各作業には影響を及ぼさない。

(4) クリティカルパス以外の経路の作業には，常にフロートがある。

(1) トータルフロートは，そのアクティビティのみでなく，前後のアクティビティに関係があり，一つの経路上では，トータルフロートは共有されている。

演習問題 20

下記のネットワーク工程表より，クリティカルパスのルートをイベント番号順に示し，所要日数を求めよ。

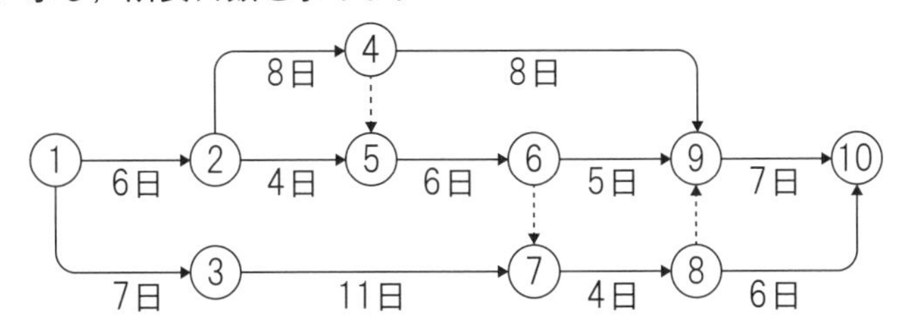

クリティカルパスルートは，①→②→④→⑤→⑥→⑨→⑩

所要日数 = 6+8+0+6+5+7 = 32 日

第7章 施工管理

3　品質管理

1. 管理図

ⓐ 管理図からわかること

① データの時間的変化
② 異常なバラツキの早期発見

ⓑ 管理図の例

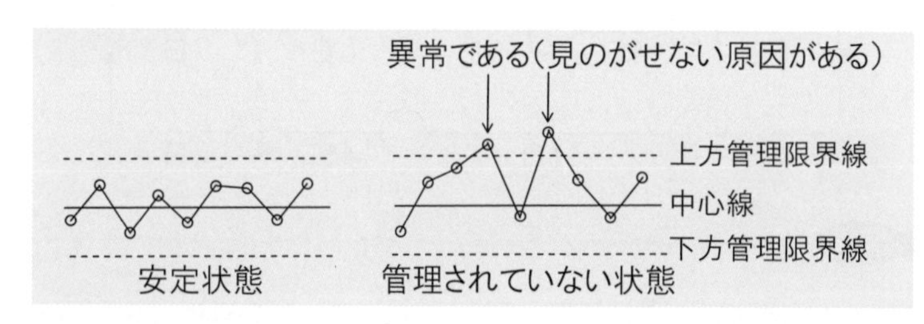

ⓒ 管理図の用語

1. 中心線とは，平均値を示すために引かれる直線。
2. 管理限界線とは，中心線をはさんでこれの上下に平行に引かれた一対の直線。
3. 上方管理限界線とは，中心線の上にある管理限界ライン。
4. 下方管理限界線とは，中心線の下にある管理限界ライン。
5. 管理線とは，中心線と管理限界線を総称したもの。
6. 見逃せない原因とは，製品の品質がばらつく原因の中で，突き止めて取り除くことが経済的であるもの。
7. 安定状態とは，管理図に記入された点が管理限界の内側に収まっている状態。
8. 予備データとは，管理線を決めるために集めた測定値。

ⓓ 安定状態の調べ方

1. 記入した点が全部管理限界内にあれば，そのデータを採った工程は安定状態にあると考えてよい。
2. 管理限界の外に飛び出す点があれば，見逃せない原因があるから，この原因を調べる。
3. 点が管理限界線上にある場合は，外に出たものとみなす。

2. ヒストグラム

ⓐ ヒストグラムの概要

1. ヒストグラムとは，長さ，重さ，時間など計量したデータがどんな分布をしているかを，縦軸に度数，横軸にその計量値をある幅ごとに区分し，その幅を底辺とした柱状図で示したものをいい，通常上限と下限の規格値の線を入れたものである（データの時間的変化は不明）。
2. 一般には，左右対称な山形が正常な形だとされている。

ⓑ ヒストグラムの例

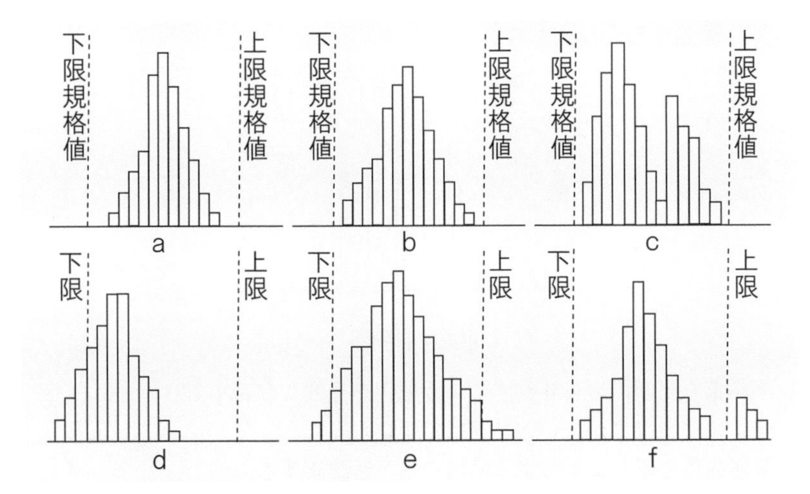

ⓒ ヒストグラムからわかること

① 規格や標準値から外れている度合い
② データの全体分布
③ だいたいの平均やばらつき
④ 工程の異常

ⓓ ヒストグラムの見方

1. 規格値を満足しているか。(a)
2. 分布の位置は適当か。(b)
3. 分布の山が2つ以上ないか。(c)
4. 分布の右か左かが絶壁形となっていないか。(d)
5. 分布の幅はどうか。(e)
6. 離れ島のように飛び離れたデータはないか。(f)

ⓔ パレート図

1. ヒストグラムに似ているが，製品や部材の不良品や欠点を原因別に分類して，大きさの順に並べて示した棒グラフをいう。
2. 不良や欠陥の大きい項目がひと目でわかる。

演習問題 21

図はある製品を製造したときのヒストグラムである。今後とるべき措置として，適当なものはどれか。

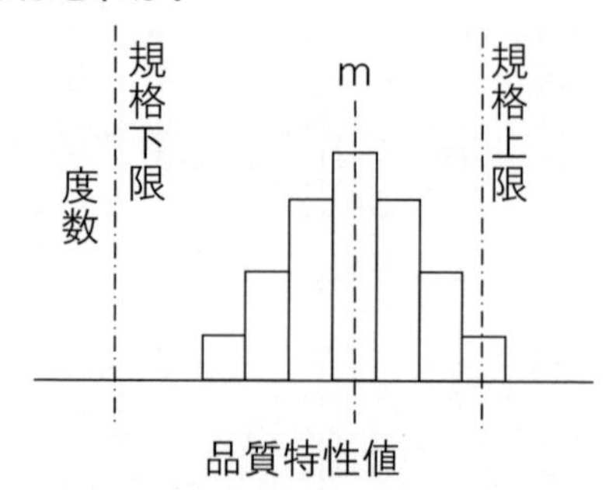

(1) 平均値を下限の方に移動するよう原因を追及し改善する。
(2) 全体にバラツキがないので現状でよい。
(3) 分布の山を平らにするよう原因を追及し改善する。
(4) 規格上限を超えているが，下限にゆとりがあるので現状でよい。

解答 解説

(1) 左右のバランスはとれているが，全体的に規格上限側に偏っているので平均値を下限の方に移動するよう原因を追及し改善する。

3. 特性要因図

ⓐ 特性要因図

1. 特性要因図とは，問題としている特性（結果）と，それに影響を与える要因（原因）との関係を一目でわかるように体系的に整理した図で，図の形が魚の骨に似ていることから「魚の骨」と呼ばれている。
2. 特性要因図は次のように利用される。
   ① 不良の原因を整理する。
   ② 会議でこの図を中心に話し合い，関係者の意見を引き出す（ブレーンストーミング）。
   ③ 原因を深く追及し，改善の手段を決める。
   ④ 問題に対する全員の思想統一をする。
   ⑤ 仕事や管理の要領を知らせる教育に用いる。

演習問題 22

給湯用銅管の腐食に関する特性要因図中，（　　）内に当てはまる語句の組合せとして，適当なものはどれか。

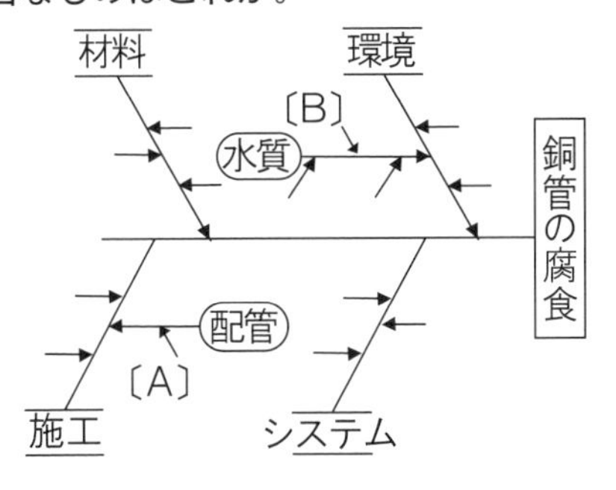

	(A)	(B)
(1)	乱流	異種金属との接合
(2)	フラックス溶け込み	異種金属との接合
(3)	乱流	pH
(4)	フラックス溶け込み	pH

解答 解説

(4) 銅管のろう付け接続の際に，ろう材の流動性を高めるためにフラックスを用いるが，フラックスの使用量が多過ぎると銅管腐食の原因となる。また，給湯の水質で pH が低いと銅管腐食の原因となる。

異種金属との接合は材料の枝に属し，乱流は流速と関係があるのでシステムの枝に属する。

4. デミングサイクル

ⓐ デミングサイクル

1. 品質管理とは，買手の要求に合った品質の品物又はサービスを経済的に作り出すための手段の体系をいい，次の手順に従って進める。
   ① 計画（設計）　目的を決め，その目的を達成するための方法を決める。
   ② 実施（施工）　計画で決められた基準通り実施する。
   ③ 検査（確認）　実施の結果を調べ評価し確認する。
   ④ 処置（検討）　結果に基づいて処置する。
2. 品質管理活動を，計画→実施→検査→処置，の 4 段階として捉え，この 4 段階を経て次の新しい計画に至る回転を繰返しつつ前進を続けることを図示したものをデミングサイクルという。
3. デミングとは，これを考案し提唱した人の人名である。

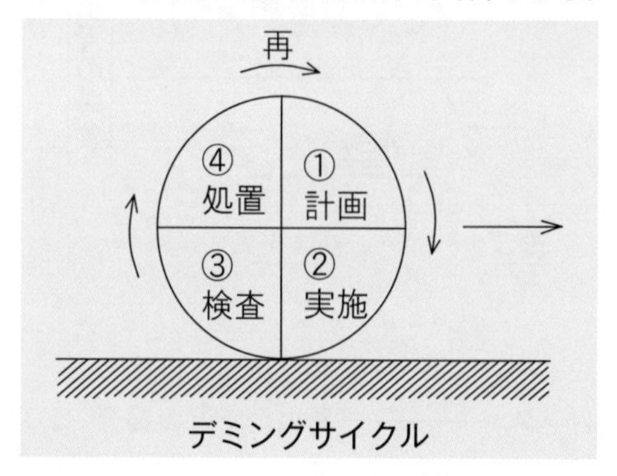

デミングサイクル

ⓑ 品質管理の手順

① 管理しようとする対象の品質特性値を決める。
② 品質標準を決める。
③ 作業の方法を決める。

④　作業標準に従って施工し，データを取る。

⑤　各データが十分余裕をもって品質規格を満足しているかを確かめる。

⑥　作業過程で異常なデータや傾向が発見されたら，その原因を追及し，再発防止の処置を取る。

⑦　一定の時間的経過ごとか，データ数がある数に達するごとに，⑤の手順を繰り返す。

演習問題 23

品質管理を実施する手順で適当なものは，次のうちどれか。

ただし，A.　作業標準を決める

B.　品質特性を決める

C.　品質標準を決める

D.　作業状態の良否の確認判定をする

E.　データを取る

F.　異常原因の追及，再発防止措置

(1)　B→C→A→E→D→F

(2)　E→A→C→B→D→F

(3)　C→E→A→B→F→D

(4)　B→A→C→E→D→F

(1)　B→C→A→E→D→Fの手順による。

5.　抜取り検査

ⓐ　計量抜取り検査

1.　検査に熟練を要するほか，検査設備が複雑で，測定や計量も複雑で手数がかかる。

2.　サンプルの大きさが小さくてすむので，破壊試験の場合や検査費用が高額な場合などに使用して有利なことが多い。

　しかし，サンプルの数が多い場合には適していない。

3.　正規分布を仮定しているので，明らかに正規分布と異なる分布形の製品には適用できない。

ⓑ 計数抜取り検査

検査に熟練を要せず，検査設備も簡単で，計算も簡単である。

演習問題 24

抜取り検査に関する次の記述のうち，不適当なものはどれか。

(1) 抜取り検査は，不良品が判明した場合でも，生産者に対する影響が少ない。

(2) 試料の抜取りがランダムにでき，品質基準が明確であることが必要である。

(3) 抜取り検査の品質の表し方には，良，不良の区別によるもの，欠点数によるもの，特性値によるもの等がある。

(4) 抜取り検査は，多数，多量のものでも，ある程度の不良の混入が許される場合に行われる。

解答 解説

(1) ロット毎の判定のため，不合格の場合に受ける影響は大きい。

演習問題 25

品質管理の手法に関する記述のうち，適当でないものはどれか。

(1) 散布図は，縦・横軸のグラフに点でデータをプロットしたものであるが，2つのデータに強い相関関係があれば，点の分布は直線又は曲線に近づく。

(2) 特性要因図は，不良箇所と原因の関係を「魚の骨」状に表した図で，不良とその原因が体系的に整理される。

(3) ヒストグラムは，データの分析を柱状図で表したもので，データの全体分布や，規格の上限・下限からはずれている度合いがわかる。

(4) パレート図は，データをプロットした点を直線で結んだ折れ線グラフと管理限界線からなり，データの時間的変化や異常なばらつきがわかる。

解答 解説

(4) パレート図は，不良品，欠点，故障などの発生個数（又は損失金額）を現象や原因別に分類し，大きい順に並べて，その大きさを棒グラフとし，さらにこれらの大きさを順次累積した折線グラフで表した図をいう。不良原因が一目で分かる表である。設問の文章は，管理図の説明になっている。

演習問題 26

品質管理に関する記述のうち，適当でないものはどれか。

(1) デミングサイクルの目的は，作業を計画（P）→検討（C）→実施（D）→処置（A）→計画（P）と繰り返すことによって，品質の改善を図ることである。

(2) 品質管理として行う内容には，製作図や施工図の検討，水圧試験，風量調整の確認等が含まれる。

(3) 管工事の品質に影響を与える要因としては，現場加工材料の良否，機器の据付け状況などがある。

(4) 品質管理を行うことによる効果には，手直しの減少，工事原価の低減などがある。

第7章 施工管理

解答 解説

(1) デミングサイクルの目的は，作業を計画（P）→実施（D）→検討（C）→処置（A）→計画（P）と繰り返す。手順がP→D→C→Aとなるため，手順が間違っている。

4 安全管理

1. 災害発生率の指標

(厚生労働省では，災害発生の程度を次の指標によって表している。)

ⓐ 度数率

百万延べ労働時間当たりの労働災害による死傷者数で表すもので，災害発生の頻度を示す。

$$度数率 = \frac{死傷者数}{延べ労働時間数} \times 1{,}000{,}000$$

ⓑ 強度率

千延べ労働時間当たりの労働損失日数で表すもので，災害の規模程度を示す。

$$強度率 = \frac{労働損失日数}{延べ労働時間数} \times 1{,}000$$

労働損失日数は，次のように定められている。

① 死亡及び永久全労働不能（身体障害 1～3 級）の場合は，休業日数に関係なく 1 件につき 7,500 日とする。

② 永久一部労働不能の場合は，休業日数に関係なく次表による。

身体障害等級（級）	4	5	6	7	8	9
労働損失日数（日）	5,500	4,000	3,000	2,200	1,500	1,000
身体障害等級（級）	10	11	12	13	14	
労働損失日数（日）	600	400	200	100	50	

③ 一時全労働不能による損失は次式による。

$$暦日による休業日数 \times \frac{300}{365}$$

ⓒ 年千人率

労働者千人当たりの 1 年間に発生した死傷者数で表すもので，発生頻度を示す。

$$年千人率 = \frac{年間死傷者数}{年間1日当たり平均労働者数} \times 1,000$$

演習問題 27

安全管理の成績評価方法に関する用語の説明として，次のうち適当でないものはどれか。

(1)　$年千人率 = \frac{年間死傷者数}{年間1日当たり平均労働者数} \times 1,000$

(2)　$強度率 = \frac{労働損失日数}{延べ労働時間数} \times 1,000,000$

(3)　$度数率 = \frac{死傷者数}{延べ労働時間数} \times 1,000,000$

(4)　死亡による労働損失日数 ＝ 7,500 日

(2)　強度率は×1,000,000 ではなく×1,000 である（前頁，ⓑ参照）。

演習問題 28

年間 1 日当たり平均労働者数が 1,000 人の事業場において，年間死傷者数が 10 人である場合の年千人率として次のうち正しいものはどれか。

(1)　1,000

(2)　100

(3)　10

(4)　1

解答 解説

(3)　年千人率 ＝ 年間死傷者数÷年間 1 日当たり平均労働者数×1,000 より

10÷1,000×1,000 ＝ 10

2. 作業現場の安全対策

ⓐ 作業足場

1. 吊り足場の作業床は幅を 40 cm 以上とし，かつ隙間がないようにする。
2. 鋼管を用いた単管足場の地上第 1 の布は，2 m 以下の位置に設ける。
3. 丸太足場の地上第 1 の布は，3 m 以下の位置に設ける。
4. 高さ 5 m 以上の足場の組立てで，足場材を緊結する作業をする場合は，幅 40 cm 以上の足場板を設けて行う。
5. 鋼管足場で固定式のものにあっては，脚部にはベース金具を用い，根がらみを設ける等の措置を講ずること。
6. 鋼管足場で脚輪を取付けた移動式のものにあっては，ブレーキ等で脚輪を確実に固定し，足場の一部を堅固な建設物に固定する等の措置を講ずること。
7. 鋼管足場の鋼管の接続部又は交差部は，これに適合した付属金具を用いて確実に接続し，又は緊結すること。
8. 鋼管足場は，筋かいで補強すること。
9. 仮設通路で勾配が 15 度を超えるものには，踏みさんその他の滑り止めを設けなければならない。
10. 脚立の脚と水平面との角度は 75 度以下とし，折りたたみ式のものでは，角度を保つための金具を付けなければならない。

ⓑ 作業床

1. 高さが 2 m 以上の箇所で作業を行う場合には，作業床を設けなければならない。
2. 高さが 2 m 以上の作業場所に設ける作業床の幅は 40 cm 以上とし，床材間のすき間は 3 cm 以下とする。建地と床材のすき間は 12 cm 未満とする。
3. 高さが 2 m 以上の箇所で作業床を設けることが困難なときは，防網を張り，労働者に要求性能墜落制止用器具を使用させる等の措置を講じなければならない。
4. 高さが 2 m 以上の作業床の端，開口部等の危険箇所には囲い，手すり，覆い等を設けなければならない。

ⓒ 墜落防止対策

1. 高さが 2 m 以上の箇所で作業を行う場合，労働者に要求性能墜落制止用器具を使用させるときは，要求性能墜落制止用器具等を安全に取り付けるための設備等を設けなければならない。
2. 高さが 2 m 以上の箇所で作業を行うときは，当該作業を安全に行うため必要な照度を保持しなければならない。

ⓓ 物品投下対策

3 m 以上の高所から物体を投下するときは，適当な投下設備を設け，監視人を置く等の措置を講じなければならない。

ⓔ 作業主任者の選任

作業主任者の選任を必要とする作業（当該法令）

1. し尿を入れたことのある浄化槽の内部作業（酸欠則）
2. 高さ 5 m 以上の構造の足場の組立て又は解体作業（安衛則）
3. 掘削面の高さが 2 m 以上となる地山の掘削作業（掘削則）
4. ケーブル，ガス管その他地下に敷設される物を収容するための暗きょ，マンホール又はピット内部の作業（酸欠則）
5. 伝熱面積が 3 m^2 を超える蒸気ボイラーの据付（ボイラー則）
6. 伝熱面積が 14 m^2 を超える温水ボイラーの据付（ボイラー則）

ⓕ 感電事故防止対策

1. 交流アーク溶接機の電撃防止装置は，電圧を無負荷時に 25 V 以下に保っておき，起動時のみ所定の電圧が発生するように電圧制御する装置で，アークの出ていないときの感電事故を防ぐためのものである。
2. 人体を通る電流が大きいほど，感電時の危険度は大きくなる。
3. 人体の抵抗は，皮膚の乾燥状態によって変化する。
4. 人体の抵抗は，約 500～1,000 オームである。
5. 100 V 以下の電圧では，交流の方が直流よりも感電時の危険度が高い。
6. 感電の危険度は，直接的には主として電流の値，電撃時間，電源の種類及び通電経路によって定まる。
7. 苦痛は感じても耐えられる限界の電流値を苦痛電流という。
8. 充電中の架空電線に近接する場所で工作物の建設作業を行う場合には，

架空電線に絶縁用防具を装着し，監視人を置いて作業を監視させるほか，必要な場合は，架空電線を移設する処置が必要である。

ⓖ 酸欠事故防止対策

酸素欠乏危険場所に労働者を従事させる場合

1. 事業者は，労働者に対して，酸素欠乏症の防止に関する特別の教育を行わなければならない。
2. 酸素欠乏危険作業主任者を選任するとともに，監視人を置かなければならない。
3. 作業場所の空気中の酸素の濃度を 18 %以上に保つように換気をしなければならない。
4. 酸素欠乏危険場所の作業環境測定を行い，測定方法，測定結果，実施した者の氏名等を記録しなければならない。

ⓗ 有機溶剤塗装作業

有機溶剤含有物を用いて塗装工事を行う場合

1. 有機ガス用防毒マスクの防護具は，同時に就業する労働者の人数と同数以上を備え，常時有効かつ清潔に保持しなければならない。
2. ピットの内部で工事を行う場合は，有機溶剤作業主任者技能講習を修了した者のうちから有機溶剤作業主任者を選任しなければならない。
3. 暗きょの内部で工事を行う場合は，第 1 種有機溶剤等は赤，第 2 種有機溶剤等は黄，及び第 3 種有機溶剤等は青の色で有機溶剤の区分を見やすい場所に表示しなければならない。
4. 規定により設ける全体換気装置は，消費する有機溶剤の区分に応じて，作業時間 1 時間に消費する有機溶剤等の量により計算した 1 分間当たりの換気量を出し得る能力を有するものでなければならない。

ⓘ クレーン作業

1. 移動式クレーンは，定められたジブの傾斜角の範囲を超えて使用してはならない。
2. クレーンを用いて作業を行うときは，クレーンの運転について一定の合図を定め，合図を行う者を指名して，その者に合図を行わせなければならない。
3. 移動式クレーンを用いて作業を行うときは，クレーン検査証を備え付けておかなければならない。

4. 使用を休止した移動式クレーンを再使用しようとする者は，所轄労働基準監督署長の検査を受けなければならない。
5. 移動式クレーンの自主検査結果の記録は，3 年間保存しなければならない。
6. 移動式クレーンにより労働者を吊り上げて作業させてはならない。
7. 移動式クレーン検査証の有効期間は 2 年である。
8. 吊り上げ荷重が 1 トン以上の移動式クレーンの運転の業務は，小型移動式クレーン運転技能講習修了者又は，移動式クレーン運転士免許を受けた者でなければ行ってはならない。
9. 移動式クレーンを用いて荷を吊り上げるときは，外れ止め装置を使用しなければならない。
10. 吊り上げ荷重が 1 トン以上の移動式クレーンの玉掛け業務は，玉掛け技能講習を修了した者でなければ行ってはならない。

ⓙ 掘削作業

1. 地山の掘削作業を行う場合，地山の掘削等により労働者に危険を及ぼすおそれのあるときは，作業箇所及びその周辺の地山について調査を行わなければならない。
2. 掘削面の高さが 5 m 未満の堅い粘土からなる地山を手掘りにより掘削する場合は，掘削面の勾配を 90 度以下とし，5 m 以上の場合は 75 度以下としなければならない。
3. 手掘りによる砂からなる地山の掘削作業を行う場合は，掘削面の勾配を 35 度以下とし，又は掘削面の高さを 5 m 未満としなければならない。
4. 掘削面の高さが 2 m 以上となる地山の掘削作業を行う場合は，掘削作業主任者を選任しなければならない。

ⓚ ガス溶接作業

1. ガス容器を運搬するときは，キャップを施すこと。
2. 溶解アセチレンの容器は，立てて置くこと。
3. ホース内の異物の除去には，窒素又は油気のない乾燥空気を用い，圧縮酸素は使用してはならない。
4. 酸素用のホースは黒色，可燃性ガス用のホースは褐色のものを使用すること。（容器則 40－1－1）

❶ 作業場の環境

1. 機械間又はこれと他の設備との間に設ける通路の幅は80 cm以上としなければならない。
2. 危険物を扱う作業場から地上に直接通ずる出入口の戸は，外開きとしなければならない。
3. 高さ又は深さが1.5 m を超える箇所で作業を行うときは，当該作業に従事する労働者が安全に昇降するための設備を設けなければならない。
4. 明り掘削の作業を行う場合において，運搬機械等が労働者の作業箇所に後進して接近するとき，又は転落する恐れのあるときは，誘導者を配置して誘導させるとともに，運搬機械等の運転者は，誘導員の誘導に従わなければならない。

ⓜ 一般的注意事項

ボール盤等の回転する刃物に作業中の労働者がまきこまれるおそれのあるときは，当該労働者に手袋をさせてはならない。

演習問題 29

作業現場の安全対策に関する次の記述のうち，不適当なものはどれか。

(1) 仮設通路で勾配が15度を超えるものには，踏みさんその他の滑り止めを設けなければならない。

(2) 脚立の脚と水平面との角度は75度以下とし，折りたたみ式のものでは角度を保つための金具を付けなければならない。

(3) 高さが2 m以上の箇所で作業を行う場合には，作業床を設けること。

(4) 高さが2 m以上の作業場所に設ける作業床の幅は40 cm以上とし，床材間のすき間は5 cm以下とする。

解答 解説

(4) 高さが2 m以上の作業場所に設ける作業床の幅は40 cm以上とし，床材間のすき間は3 cm以下とする（P.332，ⓑの2. 参照）。

演習問題 30

建設業における安全管理に関する記述のうち，適当でないものはどれか。

(1) 安全衛生責任者は，関係請負人が行う労働者の安全のための教育に対する指導及び援助を行う措置を講じなければならない。

(2) 一つの荷物で重量が100 kg以上のものを貨物自動車に積む作業を行うときは，当該作業を指揮する者を定めなければならない。

(3) 安全施工サイクルとは，安全朝礼から始まり，安全ミーティング，安全巡回，工程打合せ，片付けまでの日常活動サイクルのことである。

(4) 事業者は，労働者を雇い入れたときは，当該労働者に対して，その従事する業務に関する安全又は衛生のため必要な事項の教育を行わなければならない。

解答 解説

(1) 安全衛生責任者は，関係請負人から選任され，その者に統括安全衛生責任者との連絡，統括安全衛生責任者からの連絡を受けた事項の，関係者への連絡が職務である。

関係請負人が行う労働者の安全のための教育に対する指導及び援助は，特定元方事業者が講ずべき措置である。

演習問題 31

建設工事現場における危険防止に関する記述のうち，適当でないものはどれか。

(1) 交流アーク溶接機の自動電撃防止装置は，その日の使用を開始する前に，作動状態を点検しなければならない。

(2) 架設通路の高さ8 m以上の登りさん橋には，高さ8 mごとに踊場を設けた。

(3) 吊り上げ荷重1トンの移動式クレーンの運転業務には，小型移動式クレーン運転技能講習を修了した者を就かせた。

(4) はしご道は，はしごの転位防止のための措置を行い，はしごの上端を床から60㎝以上突出させなければならない。

解答 解説

(2) 高さ8 m以上の登りさん橋には，7 m以内ごとに踊場を設けること。

復習問題

問題 1　**申請・届出書類と提出時期及び提出先との組合せで，適当でないものはどれか。**

	(申請・届出書類)	(提出時期)	(提出先)
(1)	建築確認申請	着工前	建築主事
(2)	道路使用許可申請	着工前	警察署長
(3)	浄化槽設置届	着工1か月前まで	都道府県知事
(4)	ボイラー設置届	着工30日前まで	労働基準監督署長

問題 2　**施工計画に関する次の記述のうち，適当でないものはどれか。**

(1)　総合工程表は，工事完了までの工事全体の作業の進捗を大局的に統括するためのもので，試運転調整や跡片付けは含まない。

(2)　資材計画の目的は，仕様書に適合した資材を，必要な時期に必要な数量を必要とする場所に供給することにある。

(3)　仮設計画は，施工者が自主的に作成するもので，仮設建物や仮設設備の配置等を計画するものである。

(4)　実行予算書は，工事原価の検討と確認を行い，施工中の工事費を管理するために作成するものである。

問題 3　**工程管理に関する次の記述のうち，適当でないものはどれか。**

(1)　たて方向にすべての作業を順番に書き，横方向に暦日を記入し，作業予定期間を白枠で示し，実施状況を黒く塗りつぶす工程表をバーチャートという。

(2)　バーチャート工程表は，作業時期や日数はつかめるが，作業相互の関連が不明なのが欠点である。

(3)　たて方向はバーチャートと同じであるが，横方向は作業の出来高をパーセントで表す工程表をガントチャートといい，作業相互の関連は不明である。

(4)　ネットワーク工程表は，バーチャートやガントチャートの欠点である作業相互の関連を明確にした工程表で，作成も比較的容易である。

問題 4　**工事費用に関する次の記述のうち。適当でないものはどれか。**

(1) 工事費用は，材料費，労務費等の直接費と，仮設費，現場管理費等の間接費に大別される。
(2) 直接費は，工期を短縮すれば費用を減少できる。
(3) 間接費は，工期を短縮すれば経費等を減少できる。
(4) 総費用が最も安くなる施工速度を経済速度という。

問題 5　**ネットワーク工程表に関する次の記述のうち，適当でないものはどれか。**
(1) 日程短縮をするためには，クリティカルパスを検討する。
(2) クリティカルパスは，必ず 1 本だけである。
(3) ダミーは，関連する作業の相互関係を示すもので，日数は無関係で点線の矢線で示す。
(4) アクティビティは，左から右に向かって進み，矢線で示され，逆行は許されない。

問題 6　**品質管理に関する次の記述のうち，〔　　〕内に挿入する語句の組合せとして適当なものはどれか。**
品質管理活動を〔A〕→〔B〕→〔C〕→〔D〕の 4 段階として捉え，この 4 段階を経て次の新しい計画に至る回転を繰返しつつ前進を続けることを図示したものをデミングサイクルという。

	〔A〕	→	〔B〕	→	〔C〕	→	〔D〕
(1)	検査	→	計画	→	処置	→	実施
(2)	計画	→	実施	→	検査	→	処置
(3)	実施	→	検査	→	計画	→	処置
(4)	検査	→	実施	→	処置	→	計画

問題 7　**抜取り検査に関する次の記述のうち，適当でないものはどれか。**
(1) 計量抜取り検査は，検査に熟練を要するほか，検査設備が複雑で，測定や計量も複雑で手数がかかる。
(2) 計数抜取り検査は，検査に熟練を要せず，検査設備も簡単で，計算も簡単である。
(3) 計数抜取り検査は，サンプルの大きさが小さくてすむので，破壊試験の場合や検査費用が高額な場合などに使用して有利なことが多い。
(4) 計量抜取り検査は，正規分布を仮定しているので，明らかに正規分布と

異なる分布形の製品には適用できない。

問題 8　**年間 1 日当たり平均労働者数が 5,000 人の事業場において，年間死傷者数が 10 人である場合の年千人率として，次のうち正しいものはどれか。**

⑴　50
⑵　20
⑶　5
⑷　2

問題 9　**作業足場に関する次の記述のうち，適当でないものはどれか。**

⑴　吊り足場の作業床は幅を 30 cm 以上とし，かつ隙間がないようにする。
⑵　鋼管を用いた単管足場の地上第 1 の布は，2 m 以下の位置に設ける。
⑶　丸太足場の地上第 1 の布は，3 m 以下の位置に設ける。
⑷　高さ 5 m 以上の足場の組立てで，足場材を緊結する作業をする場合は，幅 20 cm 以上の足場板を設けて行う。

問題 10　**次の作業のうち，作業主任者の選任を要しない作業はどれか。**

⑴　高さ 5 m の構造の足場の組立て又は解体作業
⑵　掘削面の高さが 1.5 m の地山の掘削作業
⑶　ケーブル，ガス管その他地下に敷設される物を収容するための暗きょ，マンホール又はピット内部の作業
⑷　切ばり，腹起しの取付または取外しの作業

問題 11　**クレーン作業に関する次の記述のうち，適当でないものはどれか。**

⑴　移動式クレーンは，定められたジブの傾斜角の範囲を超えて使用してはならない。
⑵　クレーンを用いて作業を行うときは，クレーンの運転について一定の合図を定め，合図を行う者を指名して，その者に合図を行わせなければならない。
⑶　使用を休止した移動式クレーンを再使用しようとする者は，所轄労働基準局長の検査を受けなければならない。
⑷　移動式クレーンの自主検査結果の記録は，3 年間保存しておくこと。

復習問題　解答解説

問題 1　(3)　浄化槽設置届の提出時期は，着工 10 日前まで（P.300 の表の下から 2 番目）。

問題 2　(1)　総合工程表には，試運転調整や跡片付けも含む（P.303，ⓒの 1. 参照）。

問題 3　(4)　ネットワーク工程表の作成には熟練を要する。

問題 4　(2)　直接費は，工期を短縮しようとすれば残業や増員等で費用の増加をまねく（P.308，ⓒの 3. 参照）。

問題 5　(2)　クリティカルパスは 1 本だけとは限らず 2 本以上の場合もある（P.312，ⓓの 4. 参照）。

問題 6　(2)　計画→実施→検査→処置→の順序で行う（P.326，ⓐの 1. 参照）。

問題 7　(3)　の記述は計数抜取り検査についてではなく，計量抜取り検査についての記述である（P.327，ⓐの 2. 参照）。

問題 8　(4)

$$年千人率 = \frac{年間死傷者数}{年間1日当たり平均労働者数} \times 1{,}000 \quad より$$

$$年千人率 = \frac{10}{5{,}000} \times 1{,}000 = 2$$

（P.330 のⓒ参照）。

問題 9　(1)　吊り足場の作業床は幅を 40 cm 以上とし，かつ隙間がないようにする（P.332，ⓐの 1. 参照）。

問題 10　(2)　掘削面の高さが 2 m 以上となる地山の掘削作業では，作業主任者の選任が必要となる。

問題 11　(3)　使用を休止した移動式クレーンを再使用しようとする者は，所轄労働基準監督署長の検査を受けなければならない（P.335，ⓘの 4. 参照）。

第7章　施工管理

第8章

工事施工

1　機器・据付・調整

2　配管・ダクト・保冷

1　機器・据付・調整

1. 基礎

ⓐ コンクリート基礎

1. コンクリート基礎は，コンクリート打ち込み後適切な養生を行い，10日以内に機器を据え付けてはならない。
2. 機器類のコンクリート基礎は，満水時重量又は運転時重量の3倍以上の長期荷重に十分耐えるものでなければならない。
3. ポンプのコンクリート基礎の高さは200 mm～300 mmとする。
4. ポンプ基礎表面に排水溝を設け，呼び径25 Aの配管で最寄りの排水系統に排水する。
5. 機器据付用埋め込みアンカーボルトの埋め込み部分を錆止め塗装すると，ボルトとコンクリートの付着力が低下するので行わない。
6. 現場練りコンクリートの容積調合比は，通常セメント1，砂2，砂利4とする。
7. 基礎コンクリートに多量のコンクリートを打設する場合は，工場生産によるレディーミクストコンクリートの設計基準強度180 kgf／cm^2，スランプ18 cmのものを使用する。
8. コンクリート基礎の平面形状は，一般に機器の設置面の輪郭より100 mm～150 mm大きくとって，アンカーボルト埋め込みに適応した大きさとする。

ⓑ アンカーボルト

1. アンカーボルトの引抜力は次式で求める。

$$R = \frac{F_1 \cdot h + (W - F_2) \cdot \ell_1}{\ell_2 \cdot n}$$

R = アンカーボルト1本当たりの引抜力〔kgf〕
W = 機器の重量〔kgf〕
F_1 = 設計用水平地震力〔kgf〕= K_1W　　K_1 = 水平震度
F_2 = 設計用鉛直地震力〔kgf〕= K_2W　　K_2 = 鉛直震度

$= (通常)\ 1/2\,F_1$

n　= 地震時に引張りを受ける側のアンカーボルト総本数

h　= 据付面より機器重心までの高さ〔cm〕

ℓ_1 = 検討方面から見たボルト中心から機器重心までの距離〔cm〕

ℓ_2 = 検討方面から見たボルトの間隔〔cm〕

演習問題 1

下図のように天井から吊り下げられた機器のアンカーボルト１本当たりに働く引抜力として，適当なものはどれか。

ただし，機器重量 = 200 kgf

水平震度 = 1.0

鉛直震度は

考慮しないものとする。

(1)　50 kgf

(2)　100 kgf

(3)　150 kgf

(4)　200 kgf

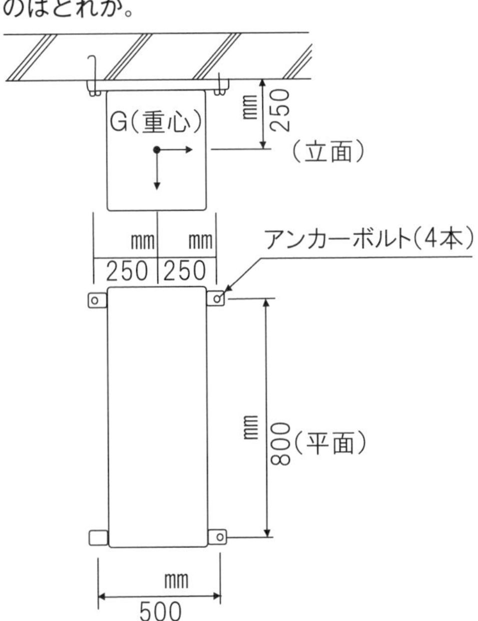

解答　解説

(2)　(b より，$F_1 = K_1W$，$F_2 = K_2W$ を代入する)

公式　$R = \dfrac{F_1 \cdot h + (W - F_2) \cdot \ell_1}{\ell_2 \cdot n} = \dfrac{K_1Wh + (W - K_2W)\ \ell_1}{\ell_2 n}$

において，題意により　$K_1 = 1.0$　　$W = 200$　　$K_2 = 0$

図面より　$h = 250$　　$\ell_1 = 250$　　$\ell_2 = 500$　　$n = 2$　これを代入して

$$R = \frac{(1.0 \times 200 \times 250) + (200 \times 250)}{500 \times 2} = \frac{50{,}000 + 50{,}000}{1{,}000} = 100\ \text{kgf}$$

演習問題 2

機器の基礎及びアンカーボルトに関する記述のうち，適当でないものはどれか。

(1) コンクリートを現場練りとする場合，調合（容積比）はセメント 1，砂 2，砂利 4 程度とする。

(2) チリングユニットで防振基礎とする場合は，耐震ストッパーを設ける。

(3) アンカーボルトは，J 形より許容引抜き荷重が大きい L 形を用いた。

(4) あと施工アンカーボルトは，基礎コンクリートの強度が，規定以上であることを確認してから打設した。

解答 解説

(3) L 形アンカーボルトはコンクリートの付着力しか期待できないので，許容引抜き荷重が最も小さく，J 形アンカーボルトは許容引抜き荷重が大きく信頼性も高い。

2. 据付・試運転・調整

ⓐ 空調機の据付・試運転・調整

1. ファンコイルユニットは，エア抜きを完全に行い，冷温水ポンプを運転し，変速スイッチによる送風機の作動及びドレンの排水状態を確認する。
2. 冷温水配管のコイルへの接続は，空気抜きを容易に行うために，水はコイル下方の入口より上方の出口に通るように配管する。
3. 冷温水コイル廻りの電動 3 方弁は混合型を使用し，返り管に取付ける。
4. 空調機のドレンパンは運転中に負圧となるため，排水管にはドレン管からの空気の侵入を防止するためにトラップを設け，トラップの封水深は送風機の静圧以上としなければならない。
5. 機器のチャンネル架台とコンクリート基礎の固定用アンカーボルトのナットは，テーパーワッシャーを挟んで締め付ける。

ⓑ ポンプの据付・試運転・調整

1. うず巻ポンプの流量調整は，ポンプ吐出側の弁で行う。
2. ポンプに配管の荷重が直接かからないように配管を支持する。
3. ポンプは心出しを終わって出荷されるが，輸送中に心狂いが生ずるので据付け後に軸心の再調整を行う。

4. 開放回路のポンプの据付け位置は，吸水面にできるだけ近く設置し，吸込配管の抵抗を少なくする。常温の水では，吸水面からポンプ中心までの許容最大高さは6 m程度である。
5. 飲料用貯水槽は単体の構造とし，架台上に設置して，周囲及び底面には60 cm以上，上部は100 cm以上の保守点検用スペースを確保する。
6. フート弁を有する横形ポンプの吸い込み配管は，流体が流れやすいようにポンプに向かって上がり勾配とする。
7. 軸心を正確に調整し，カップリング外周の段違いや面間の誤差がないようにする。
8. 銅管の吊り金物は，異種金属との接触を防ぐためゴム付き吊りバンド等を用いる。
9. 玉形弁は，流体の流れ方向が指定されているので取付けに留意する。

演習問題 3

機器の据付けに関する記述のうち，適当でないものはどれか。

(1) Vベルト駆動の送風機は，Vベルトの回転方向でベルトの下側引張りとなるように設置した。
(2) 排水用水中モーターポンプの据付け位置は，排水槽への排水流入口から離れた場所とした。
(3) 渦巻ポンプの吸込み管内が負圧になるおそれがあったため，連成計を取り付けた。
(4) 呼び番号3の送風機は，天井より吊りボルトにて吊下げ，振れ防止のためターンバックルをつけた斜材を4方向に設けた。

解答 解説

(4) 呼び番号3の送風機は，機器重量が重くなるので形鋼でかご型に溶接した架台上に据え付ける。2番未満の送風機であれば，設問のように吊りボルトで固定する。

C ファンの据付・試運転・調整

1. 多翼送風機は，吐出ダンパを全閉にし，回転方向を確認して運転調整を始める。
2. Vベルトは，日がたつにつれ長さが変化するので，ときどきプーリー間の距離を調整する。

3. Ｖベルトの張力は，指で押してＶベルトの厚さ位たわむ程度とする。
4. 送風機とモーター側のプーリーの心出しは，外側面に定規や水糸などを当てて出入りを調整して行う。
5. ゴム製Ｖベルトは油によって侵されることがある。
6. 防振を考慮する場合には，送風機とモーターは共通の架台の上に据え付ける。
7. Ｖベルトの張りの調整の際には，送風機の軸心とモーターの軸心との平行が狂いやすいので，充分注意して行う。
8. 大型の送風機を天井吊りする場合は，建築構造体に強固に固定した溶接形鋼製架台に設置する。

演習問題 4

ファンの据付・試運転・調整に関する次の記述で，不適当なものはどれか。

(1) 多翼送風機は，吐出ダンパを全閉にし，回転方向を確認して運転調整を始める。

(2) 送風機とモーター側のプーリーの心出しは，外側面に定規や水糸などを当てて出入りを調整して行う。

(3) ゴム製Ｖベルトは油によって侵されることがある。

(4) Ｖベルトは，使用するにつれて伸びるので，最初はできるだけ強く張るようにする。

解答 解説

(4) Ｖベルトの張りは，指で押したときにＶベルトの厚み程度たわむのがよい（上記，ⓒの 3. 参照）。

ⓓ 冷凍機の据付・試運転・調整

1. 冷凍機は，冷水ポンプ，冷却水ポンプ，冷却塔などのインターロックの作動を確認して始動する。
2. 吸収冷凍機は，工場出荷時の気密が保持されているかチェックし，抽気操作を行ってから試運転を始める。
3. 冷凍機は，一般に冷却水ポンプ→冷却塔→冷水ポンプ→冷凍機の順序で運転を開始する。

4. 吸収冷凍機は，形状や重量が遠心式冷凍機に比べて大きい事に留意しなければならない。
5. 冷凍機は，小型のものはパッケージ式になっているが，大型のものは一般に分割搬入される。
6. 吸収冷凍機の運転騒音や振動は，圧縮式冷凍機に比べて一般に小さい。
7. 凝縮器や冷却器には，チューブを引き抜くスペースが必要で，チューブの清掃の上でも必要である。
8. 冷却塔の給水口の高さは，高置水槽の低水位より 2 m 以上の落差をとることが望ましい。

ⓔ ボイラーの据付・試運転・調整

1. 蒸気ボイラーは，低水位燃料遮断装置用の水位検出器の水位を下げることにより，バーナーが停止し警報装置が作動することを確認する。
2. 鋳鉄製ボイラーの真空給水ポンプは，本体タンクに補給水を入れ，還水側弁及び補給水弁を閉じて到達真空度を確認する。

演習問題 5

熱源機器の据付・試運転・調整に関する次の記述で，不適当なものはどれか。

(1) 冷凍機は，一般に冷却水ポンプ→冷却塔→冷水ポンプ→冷凍機の順序で運転を開始する。
(2) 吸収冷凍機の運転騒音や振動は圧縮式冷凍機に比べて一般に大きい。
(3) 凝縮器や冷却器には，チューブを引き抜くスペースが必要で，チューブの清掃の上でも必要である。
(4) 蒸気ボイラーは，低水位燃料遮断装置用の水位検出器の水位を下げることにより，バーナーが停止し警報装置が作動することを確認する。

解答 解説

(2) 吸収冷凍機の運転騒音や振動は圧縮式冷凍機に比べて小さい（上記，ⓓの6.）。

ⓕ 集塵機の据付・試運転・調整

電気集塵機は，運転に当たって電源表示灯，荷電表示灯，荷電部の安全装置などの作動を確認する。

ⓖ 機器の防振

1. 防振基礎には，地震時に防振基礎が移動しないようにストッパーを設ける。また，必要に応じて転倒防止金具を取付ける。
2. エアハンドリングユニットでは，機器と基礎の間に防振装置を設け，電動機と送風機は機器本体と一体とし，電動機及び送風機と機器本体との間には防振装置は設けない。
3. 圧縮形防振ゴムは，減衰特性がよいので配管の防振に適している。
4. 防振基礎の固有振動数は，定常運転時の機器の強制振動数よりできるだけ小さい値とする。
5. 防振材上の架台の重量を大きくすれば，定常運転時の機器の振幅は小さくなる。
6. 金属バネは，防振ゴムに比べ一般にばね定数が小さい。
7. 送風機の振動を直接ダクトに伝えないためにたわみ継手が使用される。
8. ホンプの振動を直接建物構造体に伝えないために，金属コイルばねを用いた防振架台が使用される。
9. ポンプの振動を直接配管に伝えないために，防振継手が使用される。
10. 配管の振動を直接建物構造体に伝えないために，防振ゴムを用いた吊り金具が使用される。

演習問題 6

機器の防振に関する次の記述のうち，不適当なものはどれか。

(1) 防振基礎には，地震時に防振基礎が移動しないようにストッパーを設ける。また，必要に応じて転倒防止金具を取付ける。

(2) エアハンドリングユニットでは，機器と基礎の間に防振装置を設け，電動機と送風機は機器本体と一体とし，電動機及び送風機と機器本体との間には防振装置は設けない。

(3) 金属バネは，防振ゴムに比べ一般にばね定数が小さい。

(4) ポンプの振動を直接配管に伝えないために，伸縮継手が使用される。

解答 解説

(4) ポンプの振動を直接配管に伝えないために，防振継手が使用される。伸縮継手は防振の効果はない（上記，9参照）。

ⓗ 検査・測定

1. 遠心送風機の風速測定口は，気流が整流された直線部に設ける。
2. ユニバーサル形吹出口の風量測定は，開口面の数点の風速を測定し全体の平均を求め，これに開口面積を乗じて求める。なお，グリル形吹出口の場合は，開口部の実質開口面積を用いなければならない。
3. 室内環境の測定に用いられるものに次のものがある。
   ① デジタル粉塵計は空気中の浮遊粉塵の測定に用い，室内の床上 75 cm 以上 120 cm 以下の高さで測定する。
   ② アスマン温湿度計は，温湿度の測定に用い，①と同じ高さで測定する。
   ③ カタ計は，室内の気流の測定に用いられる。
   ④ 騒音計は，聴感補正回路は，一般に A 特性を使用する。
4. JIS では，試験に関して次のように規定している。
   ① 指示騒音計を用いて騒音測定を行う場合，変動する音のレベルは，等価騒音レベル又は時間率騒音レベルで測定する。
   ② 排煙口の風量は，面風速の平均値より求めるので，受感部を排煙口面にできるだけ近付けて測定する。
   ③ 遠心ポンプの試験の場合，規定全揚程における吐出し量は，規定吐出し量か又はそれより大でなければならない。
   ④ 送風機の空気量は，試験によって算出した空気量を標準吸込み状態の体積に換算した値とする。
5. 測定項目とその計測機器との関係の一例は次の通りである。
   ① ダクト内静圧 —— U 字管
   ② 室内気流 ———— カタ計
   ③ 配管内圧力 ——— ブルドン管
   ④ ダクト内風速 —— ピトー管
   ⑤ 管路内の流量 —— ベンチュリー管

ⓘ 吹出口調整

1. 壁付き吹出口は，誘引作用による天井面の汚れを防止するため，吹出口上端と天井面との間隔を 150 mm 以上とする。
2. アネモ型吹出口とダクトとの接続は，一般にボックスを用いて行う。
3. 吹出口で発生する騒音を減少させるには，吹出口風速を小さくすると効果的である。

4. 吹出し温度差が大きいとドラフトの原因となるので，吹出し空気が室内空気とよく混合する誘引比の大きい吹出口を選定しドラフトを防止する。

演習問題 7

検査測定に関する次の記述のうち，不適当なものはどれか。

(1) 遠心送風機の風速測定口は，吐出し口の直近に設ける。

(2) グリル形吹出口の風量測定は，開口面の数点の風速を測定し全体の平均を求め，これに実質開口面積を乗じて求める。

(3) 室内空気環境測定では，測定機器を室内の床上 75 cm 以上 120 cm 以下の高さで測定する。

(4) 騒音計には A，B，C の 3 つの補正回路つまみがあり，通常，つまみを A に合わせて測定する。

解答 解説

(1) 遠心送風機の風速測定口は気流が整流された直線部に設ける。

演習問題 8

機器の運転状態に関する記述のうち，不適当なものはどれか。

(1) 遠心冷凍機の機内への空気の漏れ込みが増えると，抽気装置の作動回数は少なくなる。

(2) 揚水ポンプがキャビテーションを起こすと，振動が発生し，揚水不能になることがある。

(3) 冷却塔の散水装置が目詰まりを起こすと，水と空気との熱交換作用が妨げられる。

(4) 送風機がサージングを起こすと，運転状態が不安定となり，振動や騒音を発生する。

解答 解説

(1) 遠心冷凍機の機内への空気の漏れ込みが増えると，抽気装置の作動回数は多くなる。

演習問題 9

防振に関する記述のうち，不適当なものはどれか。

(1)　防振基礎の固有振動数は，常時運転時の機械の強制振動数に近い値にならないように選ぶ。

(2)　加振力の大きい機器は，構造躯体の中でも質量の大きい剛性の高い部位で支持する。

(3)　共通架台に複数の回転機械を設置する場合，共通架台の防振装置は，最も低い回転数に合わせて検討する。

(4)　防振基礎の固有振動数を小さくするには，一般に金属ばねよりも防振ゴムの方が適している。

解答 解説

(4)　防振基礎の固有振動数を小さくするには，バネ定数を小さくする必要があり，防振ゴムよりも金属ばねの方がバネ定数も小さく強度も強い。

演習問題 10

JIS に基づく普通騒音計と騒音測定に関する記述のうち，適当でないものはどれか。

(1)　騒音レベルは，騒音計で測定された値を一般にデシベルで表す。

(2)　測定対象の音がある時とない時との騒音計の指示値の差が 10 以上のときは，暗騒音の影響を無視することができる。

(3)　定常騒音を測定するときは，動特性を選定する必要がある。

(4)　騒音計で使用する周波数補正回路は，A 特性と C 特性である。

解答 解説

(3)　騒音が定常騒音とみなせる場合は，騒音計の指示値の平均を読みとり，特定の間欠音や衝撃騒音を測定する場合は動特性を用いる。

演習問題 11

JIS に規定されている溶接部の非破壊試験として不適当なものはどれか。

(1)　浸透探傷試験

(2)　放射線透過試験

(3)　超音波探傷試験

(4)　マクロ組織試験

(4)　マクロ組織試験は，溶接部の金属組織変化を顕微鏡などによって観察するため，溶接部の削り取りや破壊などを行う破壊試験である。

演習問題 12

ファンコイルユニットの試験項目のうち，JIS に規定されていないものはどれか。

(1)　吐出風量
(2)　機外静圧
(3)　消費電力
(4)　通水抵抗

(2)　機外静圧は規定されていない。

2　配管・ダクト・保冷

1. 空調配管施工

ⓐ 冷温水配管

冷却水配管は，原則として冷却塔に向かって 200 分の 1 程度の上り勾配とする。

ⓑ 蒸気配管

1. 横走り配管において管径を縮小する場合は，凝縮水の流れを円滑にするため，偏心異径継手を使用し，下側をまっすぐにする。
2. 蒸気主管からの分岐管を下向きに取り出す場合は，分岐管下部にトラップを設けて凝縮水を排出する。
3. 真空還水式は，重力還水式に比べて還水配管を細くできる。
4. 高圧還水管は，フラッシュタンクにて一度減圧させてから低圧還水管に接続する。
5. 予熱コイルと再熱コイルの還水管には，それぞれ単独にトラップを設ける。
6. 低圧蒸気の還水方式は，一般に真空還水式が用いられる。
7. 蒸気ボイラーの吹出し管は，ボイラーごとに単独に間接排水とする。
8. 低圧蒸気配管におけるベローズ形熱動トラップは，水平に取付ける。
9. リフト継手を真空ポンプの近くで使用する場合は，1 段の吸上げ高さを 1.5 m 以下とする。
10. 蒸気横走り主管より立ち上げ分岐をする場合，立上り管はスイベル継手部分の管径より 1 サイズ小さくしなければならない。
11. 蒸気横走り管の途中に障害物がある場合はループ配管とし，下部にはドレントラップを設ける。
12. 凝縮水がたまるおそれのある配管に玉形弁を設ける場合は，弁棒が水平になるように取付ける。
13. 主管より枝管を分岐する場合，3~4 個のエルボを用いる。
14. 真空還水式配管において，リフトフィッティングを用いる場合は，真空ポンプから最も近い位置に設ける。

15. リフト継手を使用する場合の立上り管は，横走りの還水管より1サイズ管径を小さくする。
16. トラップは，凝縮水の滞留するおそれのある部分及び蒸気主管の末端や立上り箇所に設ける。
17. 逆勾配の蒸気管は順勾配の場合より勾配を大きくする。

ⓒ 給湯配管

伸縮継手を設ける配管には，その伸縮を考慮して有効な箇所に固定支持又はガイド支持を設ける。

演習問題 13

蒸気配管に関する次の記述のうち，不適当なものはどれか。

(1) 高圧還水管はリフトフィッティングを介して低圧還水管に接続する。
(2) 凝縮水がたまるおそれのある配管に玉形弁を設ける場合は，弁棒が水平になるように取付ける。
(3) トラップは，凝縮水の滞留するおそれのある部分及び蒸気主管の末端や立上り箇所に設ける。
(4) 伸縮継手を設ける給湯配管には，その伸縮を考慮して有効な箇所に固定支持又はガイド支持を設ける。

解答 解説

(1) 高圧還水管は，フラッシュタンクにて一度減圧させてから低圧還水管に接続する（前頁，ⓑの4.参照）。

2. 給排水配管施工

ⓐ 給水配管

1. 塩化ビニルライニング鋼管のねじ切りには，自動切上げ装置付きねじ切り機を使用する。
2. 上記の接合は，手でねじ込んだのちパイプレンチで締め付け，余ねじ山数をチェックする。
3. 上記に用いるシール材は，防食シール材とし，ねじ部及び管端部に塗布する。
4. 上記鋼管の切断は，金鋸盤を使用し，発熱を伴う高速砥石切断機やガス切断は不適当で，また，パイプカッターのように管径を絞って変形を伴うものは使用してはならない。
5. 高置水槽からの給水配管の水圧試験圧力は，最低 0.75 MPa，保持時間は最小 60 分間とする。
6. 配管のプレハブユニット工法は，集約している配管の立てシャフトに適している。
7. 上記工法は，現場施工方式に比べて品質管理面で優れている。
8. 上記工法は，搬入計画を入念に検討する必要がある。
9. 上記工法は，工場から現場までの運搬コストは割高となる。

ⓑ 排水配管

1. 間接排水管の排水口空間は，その排水管の呼び径が 30 mm～50 mm の場合は 100 mm とする。
2. 間接排水管の配管が長い場合は機器に近接して排水トラップを設ける。
3. 屋内横走り排水管の勾配は，呼び径 75A 以下は 1／50，呼び径 75 A を超えるものは 1／100 を標準とする。
4. 排水横枝管を合流させる場合は，必ず 45 度以内の鋭角とし，水平に近い勾配で合流させる。
5. 排水管の煙試験は，すべてのトラップに水を入れ封水し，煙発生機を使用し配管内に濃煙を送り，通気管頂部から煙が出始めてから，これを密閉して漏煙を検査する。
6. 排水用鋳鉄管の横走り管の吊りは，直管及び異径管各 1 本につき 1 箇所とする。
7. 3 階以上にわたる汚水排水立て管には，原則として各階ごとに満水試験継手を取付ける。
8. 屋外排水桝の間隔は，直管部では管内径の 120 倍以内とする。
9. 掃除口の大きさは，配管の管径が 100 mm 以下の場合は配管と同径とし，管径が 100 mm を超える場合は最小 100 mm とする。
10. 超高層建物の排水立て管内の排水の流下速度は，空気抵抗により終局流速までしか至らないので，オフセットを設ける必要はない。

演習問題 14

給水管及び排水管の施工に関する記述のうち，適当でないものはどれか。

(1) 屋内給水主配管の適当な箇所に，保守及び改修を考慮してフランジ継手を設けた。

(2) 管径が 100 mm の屋内排水管の直管部に，15 m 間隔で掃除口を設けた。

(3) 揚水管の試験圧力は，揚水ポンプの全揚程に相当する圧力とした。

(4) 排水管の満水試験において，満水後 30 分放置してから減水がないことを確認した。

解答 解説

(3) 一般に当該ポンプの全揚程に相当する圧力の 2 倍の圧力（ただし，最小 0.75 MPa）で行い，試験圧力の保持時間は最小 60 分とする。

ⓒ 通気配管

1. 立ち上げたループ通気管は，その排水系統の最高位衛生器具のあふれ縁より 15 cm 以上上方で通気立て管に接続する。
2. ループ通気管の取出しは，最上流器具の器具排水管が，排水横枝管に接続した位置より下流側とする。
3. 排水管から通気管を取出す場合は，排水管断面の垂直中心線上部から 45 度以内の角度で取出す。
4. 通気立て管は，最下位の排水横枝管よりも低い位置で，排水立て管と接続する。
5. 通気立て管の上部は，最高位の衛生器具のあふれ縁より 150 mm 以上高い位置で伸頂通気管に接続する。
6. 通気管の末端は，戸や窓の開口部に近いとき，その頂部より少なくとも 60 cm 以上立ち上げて開放する。
7. 通気管の大気開口部は，外気取入れ口又は窓等の上部より 60 cm 以上立ち上げ，かつ，水平距離で 3 m 以上離して開口する。

演習問題 15

配管の切断・接合に関する記述のうち，適当でないものはどれか。

(1) 硬質塩化ビニルライニング鋼管の切断に，チップソーカッターを使用した。

(2) 管の厚さが 4 mm のステンレス鋼管を突合せ溶接する際の開先を V 形開

先とした。
(3) 飲料用に使用する鋼管のねじ接合に，ペーストシール剤を使用した。
(4) 冷媒配管を差込接合する際に，配管内に不活性ガスを流しながら接合した。

解答 解説

(1) 硬質塩化ビニルライニング鋼管の切断に，チップソーカッターを用いると発熱による塩化ビニルのはく離が起こるため，帯のこ盤や丸のこ切断機等が適している。

ⓓ 配管スリーブ

1. 防水層を貫通する箇所には，つば付きスリーブを使用する。
2. 梁や耐震壁を貫通する箇所には，鋼管又は鋼板製スリーブを使用する。
3. 保温を施す配管に用いるスリーブの大きさは，配管径に保温材の厚さを加味して決定する。
4. スリーブは，コンクリート打設時に移動しないように，上下左右を鉄筋などで固定するか型枠に釘などで固定する。
5. 水密を要しない地中梁を貫通する鋼管用のスリーブとしては，塩化ビニル管が使用される。
6. 防火区画の床を貫通するダクトの実管スリーブは，厚さ 1.5 mm 以上の鉄板を使用しなければならない。

ⓔ 梁貫通穴

1. 梁の貫通穴の径は，梁せいの 3 分の 1 以下とする。
2. 梁の貫通穴の上下方向の位置は，梁せいの中心付近とする。
3. 並列する二つの梁の貫通穴の中心間隔は，穴の径の平均値の 3 倍以上取る必要がある。
4. 貫通穴の径が梁せいの 10 分の 1 以下の場合は補強を必要としないが，穴の径が 150 mm 以上となる場合には補強を必要とする。

ⓕ 配管の接続

1. 鋼管のアーク溶接では，帰線用のケーブルはホルダー側と同じ太さのケーブルを使用する。
2. 床が油で汚れている場合の二次側の配線は，天然ゴム以外の外装の溶接用ケーブルを使用する。

3. ホルダーは，充電部が露出しない絶縁形を使用する。
4. 電撃防止装置を取付けた場合でも，必ず帰線側の溶接端子には接地を施さなければならない。
5. 吸湿の疑いのある溶接棒は使用しない。

ⓖ 配管検査

1. 配管溶接の非破壊検査方法とその対象との関係は次の通りである。
   放射線透過検査 ―――― ブローホール等の内部欠陥検査
   電磁気粉深傷検査 ――― 割れなどの表面欠陥検査
   浸透深傷検査 ――――― 割れなどの表面欠陥検査
   外観検査 ―――――――― 変形，損傷の発見
2. 配管の水圧試験を階別に行う場合は，試験を行う管の最上部で試験値の確認を行う。
3. 配管の水圧試験で水漏れにより重大な損害を生じさせてはならない場合は，気圧試験を行ってから水圧試験を行うようにする。
4. 水圧試験を行う場合は，ベローズ形伸縮継手のセットボルトは固定しておく。
5. 配管途中に設けられている仕切弁は開放状態とし，水圧試験閉塞用として用いてはならない。

ⓗ 配管識別

JIS で定める配管識別の一例を次に示す。

蒸気管 ―― 暗い赤
給水管 ―― 青
消火管 ―― 赤
ガス管 ―― 黄

ⓐ ダクト施工

1. 長方形ダクトのアスペクト比は，極力 1 対 4 以下とする。
2. 長方形ダクトのわん曲部の内側半径は，原則として半径方向の幅以上と

する。

3. 長方形ダクトの分岐法には，割込み分岐（ベント形）と直角分岐（直付(じかづ)け）とがあり，分岐の形状が適正でないと空気流に渦を生じ，圧力損失や騒音の増加となる。
4. 分岐風量が主ダクトの風量に比べて非常に少ない場合は，直角分岐としてよい。
5. 長方形ダクトに直角エルボを用いる場合は，数枚のガイドベーンを設ける。
6. 送風機の吐出口直後のダクトの曲がりは，吐出口から曲部までの距離を羽根径の1.5倍以上とし，急激な曲がりは避ける。
7. スパイラルダクトは，亜鉛鉄板をらせん状に甲はぜ掛け機械巻きしたものである。
8. スパイラルダクトの差込み継手には，継手外面に接着剤を塗布し，ダクトを差込みビス止めした後テープ巻仕上げを施す。
9. ダクトの板厚は，一般に長辺の長さをもとに決める。
10. 一般に高速ダクトは内圧が高いため，補強を兼ねるはぜ部のあるスパイラルダクトが適している。
11. 多翼送風機の吐出側につける風量調節ダンパは，ダンパ翼の回転軸が送風機の羽根車の軸と垂直になるように取付ける。

第8章 工事施工

演習問題 16

ダクトの施工に関する記述のうち，適当でないものはどれか。

(1) 共板フランジ工法の横走りダクトの吊り間隔は，アングルフランジ工法より短くする。

(2) 送風機の吐出し口直後にエルボを取り付ける場合，吐出し口からエルボまでの距離は，送風機の羽根径の1.5倍以上とする。

(3) 亜鉛鉄板製スパイラルダクトは，亜鉛鉄板をら旋状に甲はぜ機械掛けしたもので，高圧ダクトにも使用できる。

(4) 最上階等を横走りする主ダクトに設ける耐震支持は，25 m以内に1箇所，形鋼振止め支持とする。

(4) 形鋼振止め支持は，取付け間隔12 m以下とする。

ⓑ ダクト接続・補強

1. 共板工法ダクトの接続においては，フランジ部の四隅をボルトナットで締結し，フランジ辺部はフランジ押さえ金具で固定する。
2. 450 mm を超える保温を施さない長方形ダクトには，ダイヤモンドブレーキ又は 300 mm 以下の間隔で補強リブを施す。
3. ダイヤモンドブレーキや補強リブは，通常，保温を施さない長方形ダクトに施す。
4. アングル工法ダクトの補強には，リブ，ダイヤモンドブレーキ，形鋼などによる方法がある。
5. アングル工法ダクトの継目は，隅部はピッツバーグはぜ・ボタンパンチスナップはぜ又は角甲はぜを使用し，平板部の接続が必要な場合は内部甲はぜを使用する。
6. アングル工法のフランジ接合は，フランジと同じ幅のガスケットを使用する。
7. 共板工法はアングル工法に比べて強度が小さい。
8. ダクトの接続工法は，次のように分類される。

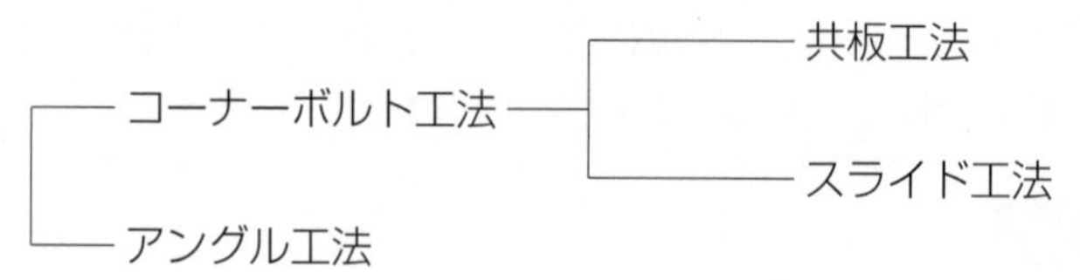

9. はぜの種類と使用部分との関係は次の通りである。

ピッツバーグはぜ ―――― ダクト角部
ボタンパンチスナップはぜ ―― ダクト角部
甲はぜ ―――― ダクト平面
角甲はぜ ―――― ダクト角部

10. ピッツバーグはぜは，一般にボタンパンチスナップはぜよりも空気漏れが少ない。

ⓒ 排煙ダクト

1. ダクトの接続はフランジ接続とする。
2. 鋼板製ダクトの板の継目は溶接とする。
3. 排煙ダクトには亜鉛鉄板製ダクトを使用する。
4. 立て主ダクトには防火ダンパは設けない。

5. 排煙設備の検査にあたっては，次の点に注意する。
  ① 排煙機から最も遠い排煙口1個を開放したとき，排煙機がサージング等によって性能低下がないこと。
  ② 排煙口の開放に伴い，排煙機が自動的に作動すること。
  ③ 排煙機に最も近い排煙口2個を開放したとき，排煙機が過負荷現象にならないこと。
  ④ 排煙口の風量測定は，排煙口の数点の平均風速を測定して算出する。
6. 排煙効果検査のための居室の試験用発煙量は，居室から廊下へ出るまでの避難所要時間をもとに算出する。
7. 排煙風道の漏煙の有無は，各排煙口，排煙出口を密閉し，試験用送風機によって煙を圧入し，目視によって確認する。
8. 排煙口の風量は，測定した風速の平均値より算出し，それを20℃の温度に換算したものとする。

演習問題 17

ダクト及びダクト付属品の施工に関する記述のうち，適当でないものはどれか。

(1) 一般系統用防火ダンパーの温度ヒューズの作動温度は，72℃程度とする。
(2) 風量調整ダンパーの取付け位置は，エルボ部よりダクト幅の2倍程度離れた直線部分とする。
(3) シーリングディフューザー形吹出口は，最小拡散半径が重ならないように配置する。
(4) シーリングディフューザー形吹出口は，暖冷房効果をあげるため，冷房時には，中コーンを下げ，暖房時には，中コーンを上げる。

解答 解説

(2) 風量調整ダンパーは，気流の整流されたところに設ける必要がある。正確な調整をするためには，ダクト幅の8倍以上の直線部の後の整流部に設ける必要がある。

ⓓ ダクトの消音

1. 消音ボックスは，内張りによる吸音効果とボックス入口及び出口での断面変化による音の反射を利用したものである。
2. マフラー形消音器は，内管壁面の細孔とその外側の空洞との共鳴作用による消音効果を利用したものである。

4. 配管腐食・防食

ⓐ 配管腐食

1. 蒸気配管系において，返り管は往き管に比べ腐食しやすい。
2. 電縫鋼管は，溶接部が溝状腐食を起こしやすく，この溝状腐食は電縫鋼管に特有の現象である。
3. 配管の腐食とその要因との関係は次の通りである。
   孔食 ―――――― 不動態皮膜の局部的破壊
   電食 ―――――― 外部電源からの迷走電流
   応力腐食 ―――― 製作加工時点での残留応力
4. 密閉配管系では，ほとんど酸素が供給されないので，配管の腐食速度は遅い。
5. ドレン中に溶解する酸素と炭酸ガスにより蒸気返り管が腐食されやすいため，ボイラーの水処理が重要である。

ⓑ 配管防食

1. ガス配管を土中埋設する場合は，合成樹脂等で外面が被覆された耐食性のある管材を用いる。
2. 銅管と鋼管を接続すると鋼管側が腐食しやすいので絶縁継手を用いる。
3. ステンレス貯湯タンクの保温施工前にエポキシ系樹脂塗装を行えば，応力腐食割れの防止となる。
4. ステンレス鋼管の支持に鋼製の金物を使用する場合は，ゴムシートや合成樹脂製絶縁テープなどを介して取付ける。
5. 土中埋設配管には，現場で防食処理を施す材料よりも耐食性のある材料を用いるようにする。
6. 水道用硬質塩化ビニルライニング鋼管のねじ接合には，管端防食継手を使用する。

演習問題 18

配管の腐食と防食に関する次の記述のうち，不適当なものはどれか。

(1) 鍛接鋼管は，電縫鋼管に比べて溝状腐食を起こしやすい。

(2) 蒸気配管系において，返り管は往き管に比べ腐食しやすい。

(3) ガス配管を土中埋設する場合は，合成樹脂等で外面が被覆された耐食性のある管材を用いる。

(4) 水道用硬質塩化ビニルライニング鋼管のねじ接合には，管端防食継手を使用する。

(1) 電縫鋼管は，溶接部が溝状腐食を起こしやすく，この溝状腐食は電縫鋼管に特有の現象である（前頁，ⓐの 2. 参照）。

5. 保温・保冷・塗装

ⓐ 保温・保冷

1. 各種保温材の使用最高温度は次の通りである。
   グラスウール保温筒 —— 350 ℃
   ロックウール保温筒 —— 600 ℃
2. 冷温水管支持部には，合成樹脂製支持受けを使用する。
3. 冷温水配管には，保温材の上にポリエチレンフィルムを重ね巻きする。
4. 大型バルブの保温には，取りはずし可能なように加工した分割保温カバーを取付ける。
5. 保温筒を複層で使用した場合は，重ね部の継目は同一箇所に重ならないよう施工する。
6. 冷温水管を鋼製の吊り金物で直接支持する場合は，保温外面から 150 mm 程度の長さまで吊り棒に保温を施す。
7. グラスウール保温材は，水分を含むと熱伝導率が大きくなる。
8. 断熱材の厚さを 2 倍にしても，熱損失は 1／2 にはならない。
9. 配管の保温保冷施工は，水圧試験で漏れのない事を確認した後に行う。
10. 一般に冷凍機の冷却水配管は保温を行わない。
11. ロックウール保温材を湿度の高い場所に使用するときは，保温外周からの透湿を防ぐため，ポリエチレンフイルムなどの防湿層を施す。

演習問題 19

保温・保冷に関する記述のうち，適当でないものはどれか。

(1) ポリスチレンフォーム保温材は，水にぬれた場合，グラスウール保温材に比べて熱伝導率の変化が大きい。

(2) 保温筒相互の間げきは，出来る限り少なくし，重ね部の継目は同一線上にならないようにずらして取り付ける。

(3) ポリエチレンフィルム巻きの場合は1/2重ね巻きとする。

(4) グラスウール保温材の24k，32k，40kという表示は，保温材の密度を表すもので，数値が大きいほど熱伝導率が小さい。

解答 解説

(1) ポリスチレンフォーム保温材は，独立気泡構造をしているので，吸水・吸湿がほとんどなく，水分による断熱性能の低下が小さい。それに対してグラスウール保温材は不規則に重なりあった繊維から構成されており，水にぬれた場合水分が繊維の間に吸収される為熱伝導率は大きくなる。

ⓑ 塗装

1. 一般に水槽類の防錆処理は，衛生設備用では樹脂によるライニング，空調設備用では金属の溶射が用いられる。
2. 吹付塗装は作業能率がよく，広い部分でも均一な塗装ができる。
3. 塗料は，製造所において調合されたものを現場で開封して，そのまま使用することが望ましい。
4. 塗装場所の気温が5℃以下，又は湿度が80％以上のときは，原則として作業を行わない。
5. 亜鉛めっき面は塗料がのりにくいので，下地処理としてエッチングプライマー塗りなどの化学処理を施す。

演習問題 20

蒸気配管に関する次の記述のうち，不適当なものはどれか。

(1) 2以上のボイラーの吹出し管は，吹出し弁の先を共通管として排水ますに導く。

(2) 主管より枝管を分岐する場合，3～4個のエルボを用いる。

(3) 真空還水式配管において，リフトフィッティングを用いる場合は，真空ポンプから最も近い位置に設ける。

(4) 逆勾配の蒸気管は順勾配の場合より勾配を大きくする。

解答 解説

(1) 蒸気ボイラーの吹出し管は，ボイラーごとに単独に間接排水とする。

演習問題 21

給排水管の施工に関する次の記述のうち，不適当なものはどれか。

(1) 配管のプレハブユニット工法は，集約している配管の立てシャフトに適している。
(2) 間接排水管の排水口空間は，その排水管の呼び径が 30 mm～50 mm の場合は 100 mm とする。
(3) 掃除口の大きさは，配管の管径が 100 mm 以下の場合は配管と同径とし管径が 100 mm を超える場合は最小 100 mm とする。
(4) 超高層建物の排水立て管は流速を減じる目的でオフセットを設ける。

解答 解説

(4) 超高層建物の排水立て管内の排水の流下速度は，空気抵抗により終局流速までしか至らないので，オフセットを設ける必要はない。

演習問題 22

配管スリーブに関する次の記述のうち，不適当なものはどれか。

(1) 防水層を貫通する箇所には，つば付きスリーブを使用する。
(2) スリーブは，コンクリート打設時に移動しないように，主筋に番線で緊結する。
(3) 水密を要しない地中梁を貫通する鋼管用のスリーブとしては，塩化ビニル管が使用される。
(4) 防火区画の床を貫通するダクトの実管スリーブは，厚さ 1.5 mm 以上の鉄板を使用しなければならない。

解答 解説

(2) スリーブは，コンクリート打設時に移動しないように上下左右を鉄筋などで固定するか型枠に釘などで固定する（P.359，ⓓの 4. 参照）。

演習問題 23

試運転調整に関する記述のうち，適当でないものはどれか。

(1) チリングユニットは，冷水ポンプ，冷却水ポンプ，冷却塔とのインターロックを確認する。

(2) 蒸気ボイラーは，低水位燃焼遮断装置用の水位検出器の水位を下げることにより，バーナーが停止することを確認する。

(3) ポンプは，吐出し側の弁を全開にして起動し，徐々に弁を閉じて，規定の水量になるように調整する。

(4) 送風機の風量は，風量測定口がない場合，試験成績表と運転電流値により確認する。

解答 解説

(3) ポンプは，吐出し弁を閉めて起動し，瞬時運転をして回転方向を確認する。過電流に注意して，吐出し弁を徐々に開いて，規定水量に調整する。

演習問題 24

機器の防振に関する記述のうち，適当でないものはどれか。

(1) ポンプの振動を直接構造体に伝えないために，防振ゴムを用いた架台を使用する。

(2) ポンプの振動を直接配管に伝えないために，防振継手を使用する。

(3) 送風機の振動を直接構造体に伝えないために，金属コイルバネを用いた架台を使用する。

(4) 送風機の振動を直接ダクトに伝えないために，伸縮継手を使用する。

解答 解説

(4) 送風機の振動を直接ダクトに伝えないために，たわみ継手（キャンパス継手）を使用する。

復習問題

問題 1　**コンクリート基礎に関する次の記述のうち，適当でないものはどれか。**

(1)　コンクリート基礎は，コンクリート打ち込み後適切な養生を行い，10 日以内に機器を据え付けてはならない。

(2)　機器類のコンクリート基礎は，満水時重量又は運転時重量の 3 倍以上の長期荷重に十分耐えるものでなければならない。

(3)　ポンプのコンクリート基礎の高さは 200 mm～300 mm とする。

(4)　機器据え付け用埋め込みアンカーボルトの埋め込み部分は，錆止めのため塗装する。

問題 2　**ポンプの据付・調整・試運転に関する次の記述のうち，適当でないものはどれか。**

(1)　うず巻ポンプの流量調整は，ポンプ吐出側の弁で行う。

(2)　ポンプは心出しを終わって出荷されるが，輸送中に心狂いが生ずるので据付け後に軸心の再調整を行う。

(3)　フート弁を有する横形ポンプの吸い込み配管は，流体が流れやすいようにポンプに向かって下がり勾配とする。

(4)　玉形弁は，流体の流れ方向が指定されているので取付けに留意する。

問題 3　**ファンの据付・調整・試運転に関する次の記述のうち，適当でないものはどれか。**

(1)　多翼送風機は，吐出ダンパを全開にし，回転方向を確認して運転調整を始める。

(2)　V ベルトの張力は，指で押して V ベルトの厚さ位たわむ程度とする。

(3)　防振を考慮する場合には，送風機とモーターは共通の架台の上に据え付ける。

(4)　V ベルトの張りの調整の際には。送風機の軸心とモーターの軸心との平行が狂いやすいので，充分注意して行う。

問題 4　**機器の防振に関する次の記述のうち，適当でないものはどれか。**

(1)　防振基礎には，地震時に防振基礎が移動しないようにストッパーを設ける。また，必要に応じて転倒防止金具を取付ける。

(2)　エアハンドリングユニットでは，機器と基礎の間に防振装置を設け，電動機と送風機は機器本体と一体とし，電動機及び送風機と機器本体との間にも防振装置を設ける。
(3)　金属バネは，防振ゴムに比べ一般にばね定数が小さい。
(4)　ポンプの振動を直接配管に伝えないために，防振継手が使用される。

問題 5　**吹出口の調整に関する次の記述のうち，適当でないものはどれか。**
(1)　壁付き吹出口は，誘引作用による天井面の汚れを防止するため，吹出口上端と天井面との間隔を 150 mm 以上とする。
(2)　アネモ型吹出口とダクトとの接続は，一般にボックスを用いて行う。
(3)　吹出口で発生する騒音を減少させるには，吹出口風速を大きくすると効果的である。
(4)　吹出し温度差が大きいとドラフトの原因となるので，吹出し空気が室内空気とよく混合する誘引比の大きい吹出口を選定しドラフトを防止する。

問題 6　**多翼送風機に関する次の記述のうち，適当でないものはどれか。**
(1)　軸動力は，規定風量で電動機定格出力以下でなければならない。
(2)　規定回転数は，電動機の正常な電源状態及び V ベルトの正常な駆動状態での回転数とする。
(3)　V ベルトは，滑りなどによる異常温度上昇があってはならない。
(4)　軸受温度は，周囲温度に 60 ℃を加えた値まで許容される。

問題 7　**気流又は風速の測定器と，その使用場所との組合せで，適当でないものはどれか。**
(1)　熱線風速計 ――――――― 室内気流の測定
(2)　カタ計（カタ寒暖計）――― 室内気流の測定
(3)　ビラム風速計 ―――――― ノズル型吹出口の吹出風速の測定
(4)　ロビンソン 3 (4)杯風速計 ―― ノズル型吹出口の吹出風速の測定

問題 8　**蒸気配管に関する次の記述のうち，適当でないものはどれか。**
(1)　横走り配管において管径を縮小する場合は，凝縮水の流れを円滑にするため，偏心異径継手を使用し，下側をまっすぐにする。
(2)　高圧還水管は，フラッシュタンクにて一度減圧させてから低圧還水管に接続する。

(3) 複数の蒸気ボイラーが比較的接近して設置されているところでは，蒸気ボイラーの吹出し管は，末端で1本に結合して間接排水とする。

(4) トラップは，凝縮水の滞留するおそれのある部分及び蒸気主管の末端や立上り箇所に設ける。

問題9 **給水配管施工に関する次の記述のうち，適当でないものはどれか。**

(1) 塩化ビニルライニング鋼管のねじ切りには，自動切上げ装置付きねじ切り機を使用する。

(2) 上記の接合は，手でねじ込んだのちパイプレンチで締め付け，余ねじ山数をチェックする。

(3) 上記に用いるシール材は，防食シール材とし，ねじ部及び管端部に塗布する。

(4) 上記鋼管の切断には，高速砥石切断機を使用する。

問題10 **ダクト施工に関する次の記述のうち，適当でないものはどれか。**

(1) 長方形ダクトのアスペクト比は，極力1対6以下とする。

(2) 長方形ダクトのわん曲部の内側半径は，原則として半径方向の幅以上とする。

(3) 長方形ダクトに直角エルボを用いる場合は，数枚のガイドベーンを設ける。

(4) 送風機の吐出口直後のダクトの曲がりは，吐出口から曲部までの距離を羽根径の1.5倍以上とし，急激な曲がりは避ける。

問題11 **塗装作業に関する次の記述のうち，適当でないものはどれか。**

(1) 一般に水槽類の防錆処理は，衛生設備用では樹脂によるライニング，空調設備用では金属の溶射が用いられる。

(2) 吹付塗装は作業能率がよく，広い部分でも均一な塗装ができる。

(3) 塗料は，製造所において調合されたものを現場で開封して，そのまま使用することが望ましい。

(4) 塗装場所の気温が10℃以下，又は湿度が70％以上のときは，原則として作業を行わない。

復習問題　解答解説

問題 1　(4)　機器据え付け用埋め込みアンカーボルトの埋め込み部分を錆止め塗装すると，ボルトとコンクリートの付着力が低下するので行わない（P.344，ⓐの 5. 参照）。

問題 2　(3)　フート弁を有する横形ポンプの吸い込み配管は，流体が流れやすいようにポンプに向かって上がり勾配とする（P.347，ⓑの 6. 参照）。

問題 3　(1)　多翼送風機は，吐出ダンパを全閉にし，回転方向を確認して運転調整を始める（P.347，ⓒの 1. 参照）。

問題 4　(2)　エアハンドリングユニットでは，機器と基礎の間に防振装置を設け，電動機と送風機は機器本体と一体とし，電動機及び送風機と機器本体との間には防振装置は設けない（P.350，ⓖの 2. 参照）。

問題 5　(3)　吹出口で発生する騒音を減少させるには，吹出口風速を小さくすると効果的である（P.351，ⓘの 3. 参照）。

問題 6　(4)　軸受温度は，周囲温度に 40 ℃を加えた値まで許容される。

問題 7　(4)　ロビンソン 3(4)杯風速計は，屋外風速の測定用である。

問題 8　(3)　蒸気ボイラーの吹出し管は，ボイラーごとに単独に間接排水とする（P.355，ⓑの 7. 参照）。

問題 9　(4)　塩化ビニルライニング鋼管の切断は金鋸盤を使用し，発熱を伴う高速砥石切断機は使用してはならない（P.357，ⓐの 4. 参照）。

問題 10　(1)　長方形ダクトのアスペクト比は，極力 1 対 4 以下とする（P.360，ⓐの 1. 参照）。

問題 11　(4)　塗装場所の気温が 5 ℃以下，又は湿度が 80 %以上のときは，原則として作業を行わない（P.366，ⓑの 4. 参照）。

第9章

法　　規

1　建築基準法

ⓐ 建築基準法の目的

この法律は，建築物の敷地，構造，設備及び用途に関する最低の基準を定めて，国民の生命，健康及び財産の保護を図り，もって公共の福祉の増進に資することを目的とする。

ⓑ 建築物の定義

1. 建築物とは，土地に定着する工作物のうち，屋根及び柱若しくは壁を有するもの，これに付随する門若しくは塀を言う。
2. 建築物であるものの例：地下街の店舗，野球場の野外スタンド，屋根と柱のみの自動車車庫，住宅に付随する塀。
3. 建築物でないものの例：駅のプラットホームの上家。
4. 特殊建築物とは次の建築物をいう。

   学校，体育館，病院，劇場，観覧場，集会場，展示場，百貨店，市場，ダンスホール，遊技場，公衆浴場，旅館，共同住宅，寄宿舎，下宿，工場，倉庫，自動車車庫，と畜場，火葬場，汚物処理場，その他これらに類する用途に供する建築物。

ⓒ 用語の定義

1. 建築とは建築物を新築し，増築し，改築し，又は移転することをいう。
2. 居室とは，居住，執務，作業，集会，娯楽その他これらに類する目的のために継続的に使用する室をいう。
3. 居室に該当するものとしては事務所の守衛室，商店の売場，ホテルのロビー，工場内の作業場など，該当しないものとして住宅の浴室がある。
4. 建築設備の定義には居室は含まれない。
5. 建築物の延べ面積とは，各階の壁その他の区画の中心線で囲まれた部分の水平投影面積の合計をいう。
6. 避難階とは，直接地上に通ずる出入口のある階をいう。
7. 地階とは，床が地盤面下にある階で，床面から地盤面までの高さが，その階の天井高さの1／3以上のものをいう。
8. 耐火建築物とは主要構造部を耐火構造とした建築物で，外壁の開口部で延焼のおそれのある部分に防火戸その他の防火設備を有するものをいう。
9. 設計者とは，その者の責任において設計図書を作成した者をいう。

ⓓ 建築確認を要するもの

1. 階数が2以上又は延べ面積が200 m^2 を超える木造以外の建築物。
2. 高さが8 m を超える高架水槽。
3. その用途に供する部分の床面積の合計が100 m^2 を超える特殊建築物。
4. エレベーターやエスカレーターその他の定期検査の対象建築設備。
5. 高さが6 m を超える煙突。

ⓔ 建築確認同意

1. 建築確認に際しては消防署長の同意を必要とする。
2. 保健所長は，必要があると認める場合に，特定建築物に該当する建築物の許可又は確認について，特定行政庁又は建築主事に対して意見を述べることができる。

ⓕ 建築主事

1. 政令で指定する人口25万人以上の市は，その長の指揮監督の下に，確認に関する事務をつかさどらせるために，建築主事を置く。
2. 建築主事の資格検定は国土交通大臣が行う。
3. 検査済証の交付は，建築主事，又は委任を受けた地方公共団体の職員が行う。

ⓖ 建築監視員

建築監視員は，特定行政庁が都道府県，市町村の吏員のうちから命ずる。

ⓗ 建築制限

1. 地階には原則として，住宅の居室，学校の教室，病院の病室，又は寄宿舎の寝室などを設けてはならない。
2. 避難階段の出入口に設ける防火戸は，避難階は外側に，その他は階段室側に向かって開く構造としなければならない。

ⓘ 建築物の敷地

1. 建築物の敷地は，これに接する道の境より高くしなければならず，建築物の地盤面は，これに接する周囲の土地より高くしなければならない。ただし，敷地内の排水に支障がない場合，又は建築物の用途により防湿の必要がない場合においては，この限りでない。

2. 敷地面積は，敷地の水平投影面積による。

ⓙ 採光，換気面積

採光又は換気に有効な部分の面積の床面積に対する割合は下記の通り。

採光　1／5 以上　幼稚園，小，中，高校の教室，保育所の保育室。
　　　1／7 以上　病院又は診療所の病室，住宅の居室，寄宿舎や下宿の宿泊室。
　　　1／10 以上　隣保館の居室。
換気　1／20 以上　居室。

演習問題 1

建築基準法に関する次の記述のうち，誤っているものはどれか。

(1) 建築物とは，土地に定着する工作物のうち，屋根及び柱若しくは壁を有するもの，及びこれに付随する門若しくは塀をいう。

(2) 居室とは，居住，執務，作業，集会，娯楽，その他これらに類する目的のために継続的に使用する室をいう。

(3) 建築確認を要する工作物として，高さ 8 m を超える高架水槽，高さ 6 m を超える煙突等が定められている。

(4) 居室の採光に有効な部分の面積の，その床面積に対する割合は 20 分の 1 以上でなければならない。

解答 解説

(4) 採光面積は床面積の 1／7 である。1／20 は換気面積。

演習問題 2

建築確認に関する次の記述のうち，不適当なものはどれか。

(1) 建築確認は，当該建築工事に着手する前に確認申請書を提出しなければならない。

(2) 建築確認の申請は，工事を請け負った建築業者が行う。

(3) 建築物に施設される消防用施設等については，確認に当たって所轄の消防長または消防署長の同意が必要である。

(4) 建築物がビル管理法で定める特定建築物に該当する場合は，所轄の保健所長が意見を述べることができる。

(2) 建築確認の申請は建築主が行う。

演習問題 3

建築基準法上「建築」の定義に含まれないものは次のうちどれか。

(1) 新築
(2) 改築
(3) 移転
(4) 大規模の修繕

(4) 建築の定義には大規模修繕は含まれていない（P.374，ⓒの 1. 参照）。

ⓚ その他細目規定（過去出題例）

1. 建築物に設ける自然換気設備の給気口は，居室の天井高さの 1／2 以下の位置に設け，常時外気に開放された構造としなければならない。
2. 電動ダムウェーターで，かごの床面積が 1 m^2 を超え，又は天井の高さが 1.2 m を超えるものは，エレベーターとして取扱われる。
3. エレベーターの機械室の床面積は，原則として昇降路の水平投影面積の 2 倍以上としなければならない。
4. 冷暖房設備の風道で防火区画を貫通する部分に設けるダンパの鉄板の厚さは 1.5 mm 以上でなければならない。
5. 非常用エレベーターの定格速度は，毎分 60 m 以上でなければならない。
6. 非常用エレベーターの乗降ロビーには，屋内消火栓，連結送水管の放水口，非常コンセント設備等の消火設備を設置できる構造とする。
7. エスカレーターの勾配は，30 度以下とする。
8. 非常用の照明装置は，直接照明とし，床面において 1 ルクス以上の照度が必要である。
9. 鉄筋コンクリート造の 2 階建の建築物は，設計に当たって構造計算を行わなければならない。
10. 高さが 20 m を超える建築物には，原則として避雷設備を設ける。

11. 建築主は，工事完了届を提出した日から7日を経過したときは，検査済証の交付を受ける前においても当該建築物を仮使用することができる。
12. 建築物に設ける油を燃料とするボイラーの煙突の高さは，防火上支障がない場合を除き9 m 以上とする。
13. 鉄板の戸で，鉄板の厚さが 1.5 mm 以上のものは甲種防火戸である。
14. 飲料用給水管の主要な分岐管には，分岐点の近くに止水弁を設ける。
15. 浄化槽は，満水にして 24 時間以上漏水しないことを確かめる。
16. 飲料用貯水槽に設けるマンホールは，内径 60 cm 以上のものとする。
17. 冷蔵庫，食器洗浄器，水飲器，洗濯機等は，間接排水とすること。
18. 建築設備の検査に係る定期報告は，特定行政庁に提出する。
19. 給水管などが防火区画を貫通する場合には，原則として，管の当該貫通する部分及びその両側1 m 以内の部分を不燃材料で造ること。
20. エレベーターの昇降路内には，給排水管等を設けてはならない。
21. 建築物に設ける排水のための配管設備の汚水に接する部分は，不浸透質の耐水材料で造ること。
22. 排水のための配管設備の末端は，公共下水道，都市下水路その他の排水施設に，排水上有効に連結すること。
23. 建築確認を必要としない増改築であっても，建築基準法の規定は守らなければならない。
24. 鉄造の階段は，耐火構造の階段である。
25. 寄宿舎の寝室は衛生上支障がない場合を除き地階に設けてはならない。
26. 劇場や映画館等の客席に設ける換気設備は，機械換気設備又は中央管理方式の空気調和設備でなければならない。
27. 応急仮設建築物を建築する場合は，確認申請は不要である。
28. 天井高が3 m 以上ある場合の，排煙口の設置高さは，床面からの高さが 2.1 m 以上で，かつ，天井の高さの 1／2 以上の部分に設ける。
29. 排煙口は，防煙区画の各部分から水平距離で 30 m 以下に設ける。
30. 排煙ダクトは，木材等の可燃材料から 15 cm 以上離すか，又は厚さ 10 cm 以上の金属以外の不燃材料で覆うこと。
31. 排煙機の排煙風量は，1つの防煙区画を対象とする場合，防煙区画面積 1 m^2 当たり 1 m^3／分以上，かつ，120 m^3／分以上とする。
32. 特別避難階段の付室の排煙をスモークタワー方式で行った場合は，自然給気口を設けなければならない。
33. 電源を必要とする排煙設備には，予備電源が必要である。

34. 一つの防煙区画専用の排煙設備の場合は，排煙口は常時開放状態を保持する構造のものとすることができる。
35. 中央管理方式の空気調和設備の風道は，吸湿せず，空気を汚染するおそれのない材料で造ること。
36. 中央管理方式の空気調和設備は，居室における炭酸ガスの含有率を百万分の千（1,000ppm，0.1％）以下とすることができる性能を有すること。
37. 非常用エレベーターの設置が義務付けられる建築物に設ける機械換気設備の制御及び作動状態の監視は，中央管理室において行うことができるものとすること。
38. 火気使用室の換気設備の排気口は，煙突又は排気フードを有する排気筒を設ける場合を除き，天井から下方 80 cm 以内の高さの位置に設ける。
39. 共同住宅の各戸の界壁は，遮音上有効な構造としなければならない。
40. 延べ面積が 3,000 m^2 を超える建築物は，主要構造部（床，屋根及び階段を除く）を木造としてはならない。
41. 居室の天井の高さは，2.1 m 以上でなければならない。
42. 学校の教室でその床面積が 50 m^2 を超えるものにあっては，天井の高さは 3 m 以上でなければならない。
43. 天井の高さの異なる部分がある居室の天井高さは，その平均の高さを天井高さとする。
44. 機械室のみからなる地階で，水平投影面積の合計が建築面積の 1／8 以下のものは，建築物の階数に算入しない。

演習問題 4

建築物に関する記述のうち，「建築基準法」上，誤っているものはどれか。

(1) 体育館は，特殊建築物である。
(2) 最下階の床は，主要構造部ではない。
(3) 屋上部分に設けた機械室等で，水平投影面積の合計が建築物の建築面積の 1/6 以下のものは，階数に算入しない。
(4) 床が地盤面下にある階で，床面から地盤面までの高さがその階の天井の高さの 1/3 以上のものは，地階である。

解答 解説

(3) 階数の算定方法は，「昇降機，装飾塔，物見等その他これらに類する建築物の屋上部分又は地階の倉庫，機械室の倉庫，機械室その他これらに類する

第9章 法規

建築物の部分で，水平投影面積の合計がそれぞれ当該建築物の建築面積の1/8以下のものは，当該建築物の階数に算入しない。」と規定されている。

演習問題 5

建築設備に関する記述のうち，「建築基準法」上，誤っているものはどれか。

(1) 空気調和設備の風道が防火区画を貫通する部分に設ける防火ダンパーと防火区画の間の鉄板の厚さは1.0 mm以上としなければならない。

(2) 通気管は，直接外気に衛生上有効に開放しなければならない。ただし，配管内の空気が屋内に漏れることを防止する装置が設けられている場合にあっては，この限りでない。

(3) 有効容量が5 m^3 を超える飲料用給水タンクに設けるマンホールは，直径60 cm以上の円が内接することができる大きさとしなければならない。

(4) 排水再利用水の配管設備は，洗面器や手洗器と連結してはならない。

解答 解説

(1) 当該防火設備と当該防火区画との間の風道は，厚さ1.5 mm以上の鉄板でつくり，又は鉄網(てつもう)モルタル塗(ぬり)その他の不燃材料で被覆すること。と規定されている。したがって，鉄板の厚さは，1.5 mm以上とする。

演習問題 6

次の記述のうち，「建築基準法」上，誤っているものはどれか。

(1) 工事現場に仮設として設ける2階建ての事務所について，建築の確認の申請を必要としない。

(2) 建築物の2階以上の部分で，隣地境界より10 m以下の距離にある部分は，延焼のおそれのある部分である。

(3) 機械室内の熱源機器の過半を更新する工事は，大規模の修繕に該当しない。

(4) 建築物でない工作物として，高さ8 mを超える高架水槽を設ける場合は，建築の確認の申請をしなければならない。

解答 解説

(2) 延焼のおそれのある部分として，「隣地境界線，道路中心線又は同一敷地内の2以上の建築物は，(中略) 相互の外壁間の中心線から，1階にあっては3m以下，2階以上にあっては5m以下の距離にある部分をいう。」と規定されている。

演習問題7

建築設備に関する記述のうち，「建築基準法」上，誤っているものはどれか。

(1) 地階を除く階数が3以上である建築物の屋内に設ける換気設備のダクトは，国土交通大臣が定める部分を除き，不燃材料で造らなければならない。

(2) 建築物に設ける排水のための配管設備で，汚水に接する部分は不浸透質の耐水材料で造らなければならない。

(3) 雨水排水立て管は，汚水排水管若しくは通気管と兼用し，又はこれらの管に連結してはならない。

(4) 排水トラップの深さ（封水深）は，阻集器（そしゅうき）を兼ねるものを除き，10cmを超え20cm以下としなければならない。

解答 解説

(4) 排水トラップの封水深は，「5cm以上10cm以下（阻集器を兼ねる排水トラップについては5cm以上）とすること。」と規定されている。

第9章 法規

2　建設業法

＊近年の工事費の上昇を踏まえ，金額要件の見直しにより，請負代金および下請け代金の金額が変更されました。ここでは金額はすでに変更されています。（P.387 参照）

ⓐ 建設業許可

1. 2以上の都道府県の区域内に営業所を設けて建設業を営もうとする者は，国土交通大臣の許可を受けなければならない。
2. 一の都道府県の区域内にのみ営業所を設けて，建設業を営もうとする者は，当該営業所の所在地を管轄する都道府県知事の許可を受けなければならない。
3. 建設業の許可を受けなくてもよいものとして，軽微な建設工事のみを請け負うことを営業とする者とは次の者をいう。
   ①　建築一式工事にあっては
      イ．工事一式の請負代金の額が 1,500 万円に満たない工事
      ロ．延べ面積が 150 m^2 に満たない木造住宅工事
   ②　建築一式工事以外の建設工事にあっては，500 万円に満たない工事
4. 発注者から直接請け負う1件の建設工事につき，その工事の下請け代金が 4,500 万円以上となる下請契約をして施工するものは，特定建設業の許可を受けなければならない。
5. 特定建設業に該当しない者は一般建設業の許可を受けなければならない。
6. 建設業の許可は，5年ごとに更新を受けなければ消滅する。

ⓑ 一括下請負の禁止

建設業者は，あらかじめ書面で承諾を得た場合を除き，請け負った建設工事を一括して他人に請け負わせてはならない。

ⓒ 主任技術者，監理技術者，現場代理人

1. 建設業者は，その請け負った建設工事を施工するときは，工事現場に主任技術者又は監理技術者（もしくは特例監理技術者及び監理技術者補佐）を置かなければならない。
2. 主任技術者は，工事現場における建設工事の施工の技術上の管理をつか

さどる。

3. 下請け代金の総額が4,500万円以上となる下請け契約を締結して施工しようとするとき（特定建設業）は，監理技術者（もしくは特例監理技術者及び監理技術者補佐）を置かなければならない。
4. 発注者から直接建設工事を請け負った建設業者は，当該請負金額の多寡には関係なく監理技術者を置く必要はない。
5. 現場代理人は，請負契約の履行を確保するため，工事現場に常駐し，その運営，取締りを行うほか，その他この契約に基づく請負人の一切の権限を行使し，工事の施工に関する一切の事項を処理する。
6. 公共性のある工作物に関する重要な工事のうち一定のものについては，主任技術者又は監理技術者は，工事現場ごとに専任の者でなければならない。ただし，監理技術者を専任で置くべき建設工事において，当該監理技術者の職務を補佐する者（監理技術者補佐）を専任で置く場合，特例監理技術者として2現場の兼務が可能となる。また，この監理技術者は監理技術者資格者証の交付を受けた者のうちから専任しなければならない。
7. 資格者証は5年ごとに更新する必要がある。
8. 複数の監理技術者資格を有するものには，これらの監理技術者資格を合わせて記載した資格者証を交付する。
9. 管工事の現場に置く監理技術者の資格としては，1級管工事施工管理技士や技術士がある。
10. 請負人は，請負契約の履行に関して工事現場に現場代理人を置く場合においては，当該現場代理人の権限に関する事項及び当該現場代理人の行為についての注文者の請負人に対する意見の申出の方法を書面により注文者に通知しなければならない。
11. 主任技術者と現場代理人は，兼ねることができる。

ⓓ 注文者

1. 注文者は，元請負人に対し，施工に著しく不適当と認められる下請負人の変更を求めることができる。
2. 注文者は，工事を入札の方法で競争に付する場合，入札以前に建設業者が当該工事の見積りをするために必要な，一定の期間を設けなければならない。

ⓔ 書面記載事項

建設工事の請負契約の締結に際しては，次の事項を書面に記載しなければならない。

1. 工事内容。
2. 請負代金の額。
3. 工事着手の時期及び工事完成の時期。
4. 前金払い又は出来高払いの定めをするときは，その時期及び方法。
5. 設計変更，工事着手の延期又は中止などの場合の工期の変更，請負額の変更，損害の負担等に関する定め。
6. 不可抗力による工期の変更，損害の負担等に関する定め。
7. 価格等の変動もしくは変更に基づく請負代金の額又は工事内容の変更。
8. 工事の施工により，第三者が損害を受けた場合における賠償金の負担に関する定め。
9. 注文者による工事資材の提供，建設機械の貸与があるときの定め。
10. 注文者による工事完成検査の時期及び方法並びに引渡しの時期。
11. 工事完成後における請負代金の支払の時期及び方法。
12. 当事者の債務不履行の場合における違約金等の定め。
13. 契約に関する紛争の解決方法。

演習問題 8

建設工事における施工体制に関する記述のうち，「建設業法」上，誤っているものはどれか。

(1) 一般建設業の建設業者が下請負人として建設工事を施工する場合，その請負代金の額にかかわらず，主任技術者を配置しなければならない。

(2) 発注者から直接建設工事を請け負った特定建設業者は，当該建設工事を施工するために締結した下請契約の請負代金の総額にかかわらず，監理技術者を配置しなければならない。

(3) 施工体制台帳の作成を要する建設工事を請けた建設業者は，当該建設工事に係るすべての建設業者名等を記載し，施工の分担関係を表示した施工体系図を作成しなければならない。

(4) 施工体制台帳の作成を要する建設工事を請けた建設業者は，その下請負人に関する事項として，健康保険等の加入状況を施工体制台帳に記載しなければならない。

(2) 特定建設業者は，当該建設工事を施工するために締結した下請契約の請負

代金の総額が4,500万円以上となる場合は，監理技術者を配置しなければならないが，「下請契約の請負代金の総額にかかわらず」となっているため，誤っている。

演習問題 9

建設業の種類のうち，「建設業法」上，指定建設業として定められていないものはどれか。

(1) 管工事業

(2) 造園工事業

(3) 鋼構造物工事業

(4) 水道施設工事業

解答 解説

(4) 「土木工事業」，「建築工事業」，「電気工事業」，「管工事業」，「鋼構造物工事業」，「舗装工事業」，「造園工事業」の7業種が指定建設業である。水道施設工事業は，該当しない。

f 元請負人

1. 元請負人は，下請負人からその請け負った建設工事が完成した旨の通知を受けたときは，当該通知を受けた日から20日以内で，かつ，できる限り短い期間内にその完成を確認するための検査を完了しなければならない。
2. 元請負人は，建設工事の完成を確認した後，その建設工事を請け負った下請負人が申し出たときは，直ちに当該建設工事の目的物の引渡しを受けなければならない。
3. 元請負人は，前払金の支払いを受けたときは，下請負人に対して資材の購入，労働者の募集その他建設工事の着手に必要な費用を前払金として支払うよう適切な配慮をしなければならない。
4. 元請負人は，工事完成後に注文者から請負代金の支払を受けたときは，当該支払を受けた日から1月以内で，かつ，できる限り短い期間内に下請負人に下請代金を支払わなければならない。
5. 元請負人は，その請け負った建設工事を施工するために必要な工程の細目，作業方法を定めようとするときは，あらかじめ下請負人の意見を聞かなければならない。

6. 元請負人である特定建設業者は，工事の施工に関し，その下請負人に対して労働基準法，労働安全衛生法，及び建築基準法等の法律の規定に違反しないように指導に務めなければならない。

演習問題 10

次のうち，「建設業法」上，請負契約書に記載しなければならない事項として，規定されていないものはどれか。

(1) 下請負人の選定の条件及び方法に関する定め

(2) 請負代金の全部又は一部の前金払又は出来形部分に対する支払の定めをするときは，その支払の時期及び方法

(3) 価格等の変動若しくは変更に基づく請負代金の額又は工事内容の変更

(4) 各当事者の履行の遅滞その他債務の不履行の場合における遅延利息，違約金その他の損害金

解答 解説

(1)「下請負人の選定の条件及び方法に関する定め」は，請負契約書に記載する事項ではない。

演習問題 11

建設業の許可を受けた管工事業者の置く主任技術者又は監理技術者に関する記述のうち，「建設業法」上，誤っているものはどれか。

(1) 発注者から直接請け負った工事を，下請け契約を行わずに自ら施工する場合は，主任技術者を置かなければならない。

(2) 主任技術者の専任が必要な工事で，密接な関係のある二つの工事を同一の場所において施工する場合は，同一の専任の主任技術者とすることができる。

(3) 地方公共団体が発注者の工事で，下請負人として請負代金の額が8,000万円の管工事を施工する場合は，監理技術者を置かなければならない。

(4) 共同住宅の工事で，下請負人として請負代金の額が4,000万円の管工事を施工する場合は，専任の主任技術者を置かなければならない。

解答 解説

(3) 下請負人として請負代金の額が8,000万円であっても，監理技術者を置くのは特定建設業者が元請負人として施工する場合だけである。したがって，

主任技術者を置けばよい。

演習問題 12

元請負人の義務に関する記述のうち，「建設業法」上，誤っているものはどれか。

(1) 元請負人は，工事完成後に請負代金の支払を受けた日から1ヶ月以内で，かつ，できる限り短い期間内に，下請負人に下請代金を支払わなければならない。

(2) 元請負人は，前払金の支払を受けたときは，資材の購入，その他建設工事の着手に必要な費用を，下請負人に前払金として支払うよう適切な配慮をしなければならない。

(3) 元請負人は，下請負人からその請け負った建設工事が完成した旨の通知を受けた日から20日以内で，かつ，できる限り短い期間内に，その完成を確認するための検査を完了しなければならない。

(4) 元請負人は，その請け負った建設工事を施工するために必要な工程の細目，作業方法その他元請負人において定めるべき事項を定めようとするときは，あらかじめ，発注者の意見を聞かなければならない。

解答 解説

(4) 元請負人は，その請け負った建設工事を施工するために必要な工程の細目，作業方法その他元請負人において定めるべき事項を定めようとするときは，あらかじめ，仕事をする下請負人の意見を聞かなければならない。

（建設業法施行令の一部を改正する政令　令和5年1月1日施行）

	改正前	改正後
特定建設業の許可・監理技術者の配置・施工体制台帳の作成を要する下請代金額の下限	4,000万円 (6,000万円)	4,500万円 (7,000万円)
主任技術者及び管理技術者の専任を要する請負代金額の下限	3,500万円 (7,000万円)	4,000万円 (8,000万円)

（　）建築一式工事

3　労働基準法

ⓐ 労働条件の明示

1. 必ず明示する事項
   ① 就業の場所及び従事すべき業務について
   ② 始業及び終業の時刻，休憩時間，休日，休暇について
   ③ 労働者を2組以上に分けて就業させる場合の就業時転換について
   ④ 賃金の決定，計算及び支払の方法について
   ⑤ 賃金の締切り，支払時期及び昇給について
   ⑥ 退職について（具体的には，就業規則に従う）
2. 定めのあるときに明示すべき事項
   ① 退職手当，その他の手当，賞与，最低賃金額について
   ② 労働者に負担させる食費及び作業用品について
   ③ 安全及び衛生について
   ④ 職業訓練について
   ⑤ 災害補償及び業務外の傷病扶助について
   ⑥ 表彰及び制裁について
   ⑦ 休職について

ⓑ 労働契約の解除

明示された労働条件と事実が相違する場合，労働者は直ちに労働契約を解除することができる。

ⓒ 使用者の行使禁止事項

1. 使用者は，労働者の意志に反して労働を強制してはならない。
2. 使用者は，労働者が労働することを条件とする前貸の債務と賃金を相殺してはならない。（ただし，信用貸とした債権と賃金とを相殺しても違法にはならない）
3. 使用者は，労働契約に付随して貯蓄の契約をさせたり，貯蓄金の管理をする契約をしてはならない。
4. 使用者は，他人の就業に介入して利益を得てはならない。

ⓓ 使用者の行うべき事項

1. 解雇の制限

① 原則として，業務上負傷したり疾病にかかり療養のために休業する期間とその後 30 日間，産前産後の女子が法の規定によって休業する期間とその後 30 日間は解雇してはならない。

② 療養開始後 3 か年経過しても負傷又は疾病がなおらず，打切り補償を支払う場合や（→平均賃金の 1,200 日分），天災などで事業が継続できないことが行政官庁から認定されたときは解雇できる。

2. 解雇の予告

使用者は，労働者を解雇しようとするとき，少なくとも 30 日前には予告をしなければならない。なお，30 日前に予告しなくても，1 日について平均賃金を支払えば，その日数を短縮することができる。ただし，日々雇入れられる者，2 か月以内の期間を定めて使用される者，季節的業務に 4 か月以内の期間を定めて使用される者，試みの使用期間中の者は，解雇の予告は適用されない。

3. 帳簿の保存

使用者は，各事業場ごとに労働者名簿，賃金台帳を調整し，3 年間保存しなければならない。

ⓔ 賃金

1. 賃金とは，賃金，給料，手当，賞与，その他名称のいかんにかかわらず労働の代償として支払われるものである。また，平均賃金とは，算定すべき日以前 3 か月間に支払われた賃金の総額を，その期間の総日数で割った額のことである。
2. 賃金支払 5 原則

① 毎月 1 回以上支払う

② 一定の支払期日を定める

③ 通貨とする

④ 全額を支払う

⑤ 直接労働者に支払う

3. 使用者の責任により労働者が休業する場合，使用者は，休業中平均賃金の 60 %以上の手当を支払わなければならない。

❻ 労働時間

1. 休憩時間を除き1日8時間，1週間について40時間以内とする。ただし，就業規則で4週平均して1週間の労働時間40時間以内と定めた場合，特定の日に8時間，特定の週に40時間を超えてもよい。
2. 労働時間が6時間を超えるときは45分以上，8時間を超えるときは少なくとも1時間の休憩を労働時間の途中に与えなければならない。
3. 休憩時間は，労働者に自由に利用させなければならない。
4. 休日は，毎週少なくとも1回，又は4週に4日以上与える。
5. 使用者は，労働者が公民権を行使しようとするとき拒否できない。
6. 1年間継続勤務し全労働日の8割以上出勤した者には，2年目に6日以上，2年勤続した者は，1年を超えた年数につき1日を加えた日数（最大20日）以上有給休暇を与えなければならない。
7. 時間外労働や休日労働は，労働者の過半数を代表とする者との書面による協定に基づいて行わせることができる。
8. 休日や時間外労働は，通常の25％以上の割増しを支払う。
9. 午後10時から午前5時までの労働を深夜労働といい，さらに25％の割増しを支払う。

演習問題 13

次の記述のうち，「労働基準法」上，誤っているものはどれか。

(1) 使用者は，労働者名簿，賃金台帳及び雇入，解雇，災害補償，賃金その他労働関係に関する重要な書類を3年間保存しなければならない。

(2) 使用者と労働者が対等な立場で決定した労働契約であっても，労働基準法に定める基準に達しない労働条件の部分については無効である。

(3) 使用者は，労働契約に付随して貯蓄の契約をさせ，又は貯蓄金を管理する契約をしてはならない。

(4) 常時5人以上の労働者を使用する使用者は，就業規則を作成して行政官庁に届け出なければならない。

解答 解説

(4) 常時10人以上の労働者を使用する使用者は，就業規則を作成して行政官庁に届け出なければならない。

ⓖ 女子及び年少者

1. 15才に満たない者を児童といい，原則として労働者として使用してはならない。
2. 満15才以上18才未満の者を年少労働者として，雇用労働の対象としている場合，その年齢を証明する戸籍証明書を事務所に備え付ける。
3. 満18才以上20才未満の者を女子年少者労働基準規則で未成年者としている。
4. 年少労働者や未成年者が労働契約を結ぶ場合，本人の自主性が優先されなければならない。
5. 労働契約は本人でなければ結べない。
6. 賃金は，本人でなければ受け取れない。
7. 満18才未満の者は毒劇薬等を取扱う有害業務につかせてはならない。
8. 使用者は，満18才未満の者を動力によるクレーンの運転の業務に就かせてはならない。

ⓗ 災害補償

1. 療養補償・業務上の負傷については，使用者が負担する。
2. 休業補償・休業中平均賃金の60％を支払う。
3. 障害補償・身体の障害の程度に応じて平均賃金の何日分かを補償する。
4. 遺族補償・業務上死亡したときは，平均賃金の千日分を補償する。
5. 葬 祭 料・業務上死亡したときは，平均賃金の60日分の葬祭料を支払う。
6. 打切補償・療養開始後3年を経過しても疾病が治らない場合，1,200日分の補償をして，その後の補償はしなくてもよい。
7. 補償を受ける権利は，労働者の退職によって変更されることはない。

ⓘ 就業規則

1. 使用者が労働者代表等と協議して定める就業すべき規則で，常時10人以上を使用する使用者は，行政官庁に届出なければならない。
2. 就業規則の作成に当たって，労働者代表等と協議するが合意の必要はない。労働者代表の署名がない届出も受理される。
3. 就業規則に必ず記載しなければならない事項
   ① 労働時間に関する事項

② 賃金に関する事項

③ 退職に関する事項

演習問題 14

有給休暇に関する文中，［　　　］内に当てはまる語句の組合せとして，「労働基準法」上，正しいものはどれか。

使用者は，その雇入れの日から起算して，［ A ］間継続勤務し全労働日の［ B ］以上出勤した労働者に対して，継続し，又は分割した10労働日の有給休暇を与えなければならない。

（A）　　（B）

(1) 3箇月 ―――― 8割

(2) 3箇月 ―――― 9割

(3) 6箇月 ―――― 8割

(4) 6箇月 ―――― 9割

解答 解説

(3) （A）は，6箇月（B）には8割　が入る。

ⓙ 寄宿舎設置場所規則

1. 付近に爆発性及び引火性の物を取扱ったり貯蔵する場所がないこと。
2. ガス又は粉塵が発散して有害でないこと。
3. 著しい騒音のないこと。
4. なだれ又は土砂崩壊のおそれがないこと。
5. 湿潤でなく出水のとき浸水のおそれがないこと。必要なときは，雨水，汚水の排水の処理の施設を設けなければならない。

演習問題 15

次の記述のうち，「労働基準法」上，誤っているものはどれか。

(1) 労働者とは，職業の種類を問わず，事業に使用される者で，賃金を支払われる者をいう。

(2) 使用者とは，事業主又は事業の経営担当者その他その事業の労働者に関する事項について，事業主のために行為するすべての者をいう。

(3) 使用者の責に帰すべき事由による休業の場合においては，使用者は，休業期間中当該労働者に，その平均賃金の100分の80以上の休業手当を支払わなければならない。

(4) 使用者は，労働時間が8時間を超える場合においては少なくとも1時間の休憩時間を労働時間の途中に与えなければならない。

解答 解説

(3) 休業補償は，その平均賃金の100分の60以上の休業手当を支払わなければならない。

演習問題16

次の記述のうち，「労働基準法」上，誤っているものはどれか。

(1) 使用者は，その雇入れの日から起算して6箇月間継続勤務し全労働日の8割以出勤した労働者に対して，原則として，継続し，又は分割した10労働日の有給休暇を与えなければならない。

(2) 使用者は，労働者名簿，賃金台帳及び雇入，解雇，災害補償，賃金その他労働関係に関する重要な書類を3年間保存しなければならない。

(3) 使用者は，満20才に満たない者について，その年齢を証明する戸籍証明書を事業場に備え付けなければならない。

(4) 常時10人以上の労働者を使用する使用者は，就業規則を作成して，行政官庁に届け出なければならない。

解答 解説

(3) 使用者は，満18才に満たない者について，その年齢を証明する戸籍証明書を事業場に備え付けなければならない。未成年者ではなく，年少者の場合に該当する。

4 水道法

ⓐ 水道法関連用語

1. 水道とは，導管及びその他の工作物により，水を人の飲用に適する水として供給する施設の総体を言う。但し臨時に施設されたものを除く。
2. 水道事業とは，一般の需要に応じて，水道により水を供給する事業を言う。但し，給水人口が 100 人以下である水道によるものを除く。
3. 簡易水道事業とは，給水人口が 5,000 人以下である水道により，水を供給する水道事業をいう。

ⓑ 水道事業者

1. 水道事業者は，業務従事者の定期健康診断をおおむね 6 か月ごとに行うこと。
2. 水道事業者は，定期及び臨時の水質検査を行うこと。
3. 水道事業者は，事業計画に定める給水区域内の需要者から給水契約の申込みを受けたときは，正当の理由がなければこれを拒んではならない。
4. 水道事業者は，当該水道によって水の供給を受ける者の給水装置の構造及び材質が政令で定める基準に適合していないときは，給水契約の申込みを拒むことができる。
5. 水道事業によって水の供給を受ける者は，水道事業者に対して給水装置の検査を請求することができる。
6. 水道の布設工事の施工の技術上の監督業務を行う者は，政令で定める資格を有する者でなければならない。
7. 水道事業者は，水道の布設工事を施工する場合，その職員を指名し，又は第三者に委嘱してその工事の施工に関する技術上の監督業務を行わせなければならない。
8. 水道事業によって供給される水は，清浄，豊富，低廉でなければならない。
9. 水道事業者は，当該水道により給水を受ける者が料金を支払わないときは，その者に対する給水を停止することができる。

ⓒ 簡易専用水道

1. 簡易専用水道とは，水道事業の用に供する水道及び専用水道以外の水道であって，水道事業の用に供する市水道など水道から供給を受ける水のみを水源とするものをいう。(人数による規制は無い)
2. 受水槽の有効容量（溢水管下端と集水弁上端の間の水量）の合計が 10 m^3 を超えるものに適用される。
3. 簡易専用水道の設置者は，定期に地方公共団体の機関又は厚生大臣の指定する者の水質検査及び点検を受けること。(1年以内ごとに1回)
4. 貯水槽の掃除を1年以内ごとに1回定期に行うこと。
5. 井戸水を水源とする貯水槽は簡易専用水道には該当しない。
6. 水道水のみを水源とする水槽のうち，全く飲用に供しない消火用水槽は，簡易専用水道に該当しない。

ⓓ 専用水道

専用水道とは，寄宿舎，社宅，療養所等における自家用の水道，その他水道事業の用に供する水道以外の水道であって，100人を超える者にその居住に必要な水を供給するものをいう。

ⓔ 給水装置

給水装置とは，需要者に水を供給するために水道事業者の施設した配水管から分岐して設けられた給水管及びこれに直結する給水用具をいう。

ⓕ 給水装置の構造及び材質

1. 配水管の水圧に影響を及ぼすおそれのあるポンプに直接連結されていないこと。
2. 水槽，プール等に給水する給水装置には，水の逆流防止の措置が講ぜられていること。
3. 給水装置以外の水管その他の設備に直接連結されていないこと。
4. 配水管への取付口の位置は，他の給水装置の取付口から 30 cm 以上離れていること。

ⓖ 水道施設一般

1. 取水施設は，できるだけ良質の原水を必要量取入れることができるものであること。

2. 送水施設は，必要量の浄水を送るのに必要なポンプ，送水管その他の設備を有すること。
3. 水道施設の位置及び配列は，その布設及び維持管理ができるだけ経済的で容易になるように定めること。
4. 水道施設の構造及び材質は，水圧，土圧，地震力等に対して充分な耐力を有するものであること。

ⓗ 水道技術管理者

水道事業者は，水道の管理について技術上の業務を担当させるため，水道技術管理者1人を置かなければならない。

ⓘ 飲料水の水質基準

飲料水の水質基準については第3章で取上げたが，出題頻度の多い項目をここに再録する。

項目	基準
一般細菌	1mℓの検水で形成される集落数が100以下であること
大腸菌群	検出されないこと
総トリハロメタン	0.1mg／ℓ以下であること
鉄	0.3　〃
塩化物イオン	200　〃
硬度	300　〃
PH値	5.8以上8.6以下であること
味	異常でないこと
臭気	異常でないこと
色度	5度以下であること
濁度	2度以下であること

ⓙ 水質検査

1. 水道事業者が1日1回行う水質検査の検査項目は次の通りである。
   ① 色
   ② 濁り
   ③ 残留塩素
2. 給水栓における水道水が，通常の場合，保持すべき最小残留塩素濃度は

次の通りである。
① 遊離残留塩素濃度 —— 0.1 mg／ℓ以上
② 結合残留塩素濃度 —— 0.4 mg／ℓ以上

演習問題 17

上水道に関する記述のうち「水道法」上，不適当なものはどれか。

(1) 水道とは，導管及びその他の工作物により，水を人の飲用に適する水として供給する施設の総体を言う。但し臨時に施設されたものを除く。
(2) 簡易水道事業とは，給水人口が5,000人以下である水道により，水を供給する水道事業をいう。
(3) 専用水道とは，寄宿舎，社宅，療養所等における自家用の水道，その他水道事業の用に供する水道以外の水道であって，100人以上の者にその居住に必要な水を供給するものをいう。
(4) 給水装置とは，需要者に水を供給するために，水道事業者の施設した配水管から分岐して設けられた給水管，及びこれに直結する給水用具をいう。

解答 解説

(3) (3)の記述中「100人以上の者」とあるのは「100人を超える者」が正しい(P.395のⓓ参照)。

演習問題 18

水道法に関する次の記述のうち，(　　)内に当てはまる語句又は数値の組合せとして正しいものはどれか。

水道事業者は，業務従事者の定期健康診断をおおむね(　A　)ごとに行わなければならない。

簡易専用水道は，受水槽の有効容量の合計が(　B　)m^3を超えるものに適用される。

	(　A　)	(　B　)
(1)	1か月ごと	10
(2)	3か月ごと	20
(3)	6か月ごと	10
(4)	6か月ごと	20

解答 解説

(3) 健康診断は6か月ごと，受水槽は10 m^3 を超えるものに適用（P.394 ❶ 1. と P.395 ❸ 2.）。

演習問題 19

水質基準に関する記述のうち「水道法」上，不適当なものはどれか。

(1) 鉄は，0.3 mg／ℓ以下であること。
(2) pH値は，5.8以上8.6以下であること。
(3) 濁度は，2度以下であること。
(4) 大腸菌群は，1 mℓの検水で形成される集落数が100以下であること。

解答 解説

(4) 大腸菌群は検出されないこと。設問の「1 mℓの検水で形成される集落数が100以下であること」は一般細菌の基準である（P.396の❶参照）。

演習問題 20

水道事業者に関する記述のうち「水道法」上，不適当なものはどれか。

(1) 水道事業者は，当該水道によって水の供給を受ける者の給水装置の構造及び材質が政令で定める基準に適合していないときは，給水装置の改善を命令することができる。
(2) 水道事業者は，事業計画に定める給水区域内の需要者から給水契約の申込みを受けたときは正当の理由がなければこれを拒んではならない。
(3) 水道事業者は，水道の布設工事を施工する場合，その職員を指名し，又は第三者に委嘱してその工事の施工に関する技術上の監督業務を行わせなければならない。
(4) 水道事業者は，当該水道により給水を受ける者が料金を支払わないときは，その者に対する給水を停止することができる。

解答 解説

(1) この場合は，給水契約の申込みを拒むことができるが，給水装置の改善を命令する権限はない（P.394，❶の4. 参照）。

演習問題 21

給水装置の構造及び材質に関する記述のうち「水道法」上，不適当なものはどれか。

(1) 配水管の水圧に影響を及ぼすおそれのあるポンプに直接連結されていないこと。

(2) 水槽，プール等に給水する給水装置には，水の逆流防止の措置が講ぜられていること。

(3) 給水装置以外の水管その他の設備に直接連結されていないこと。

(4) 配水管への取付口の位置は，他の給水装置の取付口から 15 cm 以上離れていること。

解答 解説

(4) 配水管への取付口の位置は，他の給水装置の取付口から 30 cm 以上離れていること（P.395，ⓕの 4. 参照）。

5　消防法

ⓐ 消防用設備等の工事に関する手続き

1. 工事に着手するときは，工事着手前の 10 日前までに工事着工届を提出する。
2. 工事着工届は，甲種消防設備士が所轄消防署に提出する。
3. 工事が完了すると，4 日以内に設置届を提出する。
4. 設置届は，施主の代表者が所轄消防署に提出する。
5. 完成検査を受けた後，検査済証の交付を受けてからでないと，使用してはならない。

ⓑ 消防用設備の体系

1. 消火設備 ―― 屋内消火栓設備，屋外消火栓設備，スプリンクラー設備，水噴霧消火設備，泡消火設備，二酸化炭素消火設備，ハロゲン化物消火設備，粉末消火設備，動力消防ポンプ設備，消火器，簡易消火用具等
2. 警報設備 ―― 火災報知設備，非常放送設備等
3. 避難設備 ―― 救助袋，緩降機，避難ばしご等
4. 消火活動上必要な施設
　―― 連結散水設備，排煙設備，連結送水管，非常コンセント設備，無線通信補助設備等
5. 消防用水 ――（超高層ビルなど巨大建築物に設置が義務付けられる）

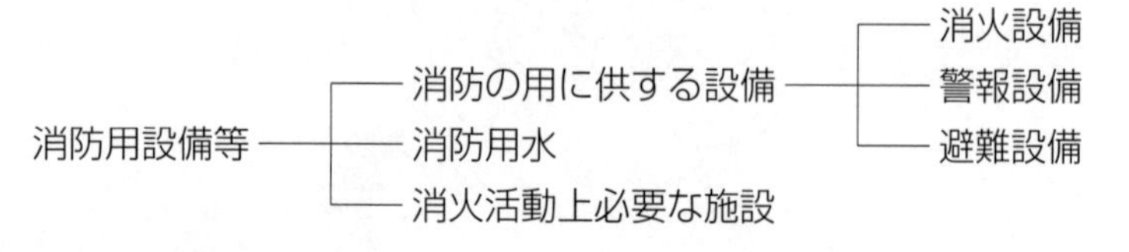

演習問題 22

次の消防用設備等のうち，「消防法」上，消火活動上必要な施設として定められていないものはどれか。

(1)　排煙設備

(2)　連結送水管

(3)　屋内消火栓設備
(4)　連結散水設備

(3)　屋内消火栓設備は，「消防法」上，消防の用に供する設備として定められ，一般の者が初期消火として使用する。

演習問題 23

次のうち「消防法」上，消防の用に供する設備として定められていないものはどれか。

(1)　連結散水設備
(2)　スプリンクラー設備
(3)　屋内消火栓設備
(4)　ハロゲン化物消火設備

(1)　連結散水設備は，「消防法」上，消火活動上必要な施設として定められ，消防隊が使用する。

第9章　法規

Ⓒ 自動火災報知設備（自火報）の分類

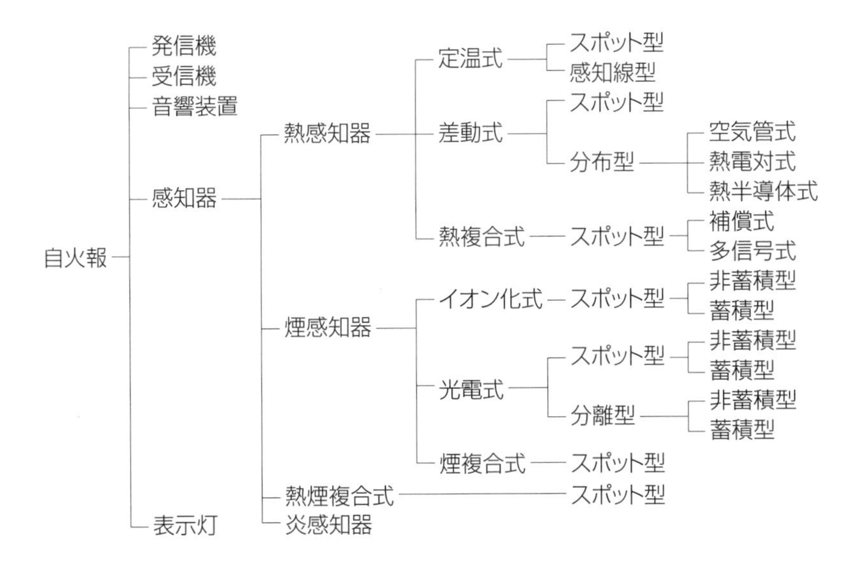

ⓓ 消防設備の点検

① 外観点検及び機能点検 ―― 6月ごと
② 作動点検 ―――――――― 6月ごと
③ 総合点検 ―――――――― 1年ごと

ⓔ 消防設備技術基準

1. 屋内消火栓設備，スプリンクラー設備，連結送水管等の技術基準の細目については第3章で表示したが，特に出題頻度の多いスプリンクラー設備について，そのうちの主な細目をここに再録する。

スプリンクラー設備主要技術基準

項目	主要技術基準
ヘッド間隔	劇場舞台部 1.7 m（ヘッドは開放型）
	準耐火建築物 2.1 m
	耐火建築物 2.3 m
ヘッド標示温度	79 ℃未満（最高周囲温度 39 ℃未満）
放水圧力	0.1 MPa 以上（1 MPa 以下）
放水量	1.6 m^3／個（80 ℓ／分・個×20 分）
水源	10 F 以下の建物　1.6 m^3×10 個 = 16 m^3
	11 F 以上の建物　1.6 m^3×15 個 = 24 m^3
呼水槽	100 ℓ 以上
非常電源	容量 30 分以上，自家発電設備または蓄電池
送水口	65 A，設置高さ 0.5～1 m　双口型

2. 加圧送水装置には，ヘッドにおける放水圧力が 1 MPa を超えないための措置を講ずる。
3. 劇場の舞台部にあっては，ヘッドは各部からヘッドまでの水平距離が 1.7 m 以下とする。
4. 閉鎖型ヘッドを用いるスプリンクラー設備の配管の末端には，流水検知装置又は圧力検知装置の作動を試験するための弁を設ける。
5. 非常コンセント設備は，単相交流 100 V，15 A 以上の電源を供給できるものとする。
6. 消防用水は，消防ポンプ車が 2 m 以内に接近できるよう設ける。

演習問題 24

スプリンクラー設備に関する記述のうち,「消防法」上,誤っているものはどれか。

(1) 消防ポンプ自動車が容易に接近することのできる位置に,双口形の送水口を設置しなければならない。

(2) 劇場の舞台に設けるスプリンクラーヘッドは,閉鎖型としなければならない。

(3) ポンプによる加圧送水装置には,締切運転時における水温上昇防止のための逃し配管を設ける。

(4) 末端試験弁は,閉鎖型スプリンクラーヘッドを用いるスプリンクラー設備の流水検知装置又は圧力検知装置の作動を試験するために設ける。

解答 解説

(2) 標準型ヘッドの選択,設置等に関する技術上の基準が規定されており,第1項で防火対象物又はその部分に設けるスプリンクラーヘッドの選択基準について定められており,舞台部については,開放型ヘッドとすることと規定されている。

f 消火設備の種類と設置義務場所

	二酸化炭素	ハロゲン化物	粉末	水噴霧	泡
ボイラー室(200 m^2 以上)	○	○	○		
厨房 (200 m^2 以上)	○	○	○		
通信機器室(500 m^2 以上)	○	○	○		
地下駐車場(200 m^2 以上)	○	○	○	○	○
発電機室 (200 m^2 以上)	○	○	○		

g 危険物施設

1. 危険物を取扱う建築物の窓又は出入口にガラスを用いる場合は,網入ガラスとすること。
2. 危険物を取扱う配管を地上に設置する場合には,地盤面に接しないようにするとともに,配管に外面の腐食を防止するための塗装をすること。
3. 屋内貯蔵タンクの弁は,鋳鋼又はこれと同等以上の材料で造り,かつ,危険物が漏れないものであること。
4. 危険物を取扱う配管は，最大常用圧力の 1.5 倍以上の圧力で水圧試験を行ったとき漏洩その他の異常がないものであること。
5. 危険物の地下貯蔵タンクとタンク室の壁の内側との間は，0.1 m 以上の間隔を保つものとする。
6. 地下貯蔵タンクの頂部は，0.6 m 以上地盤面から下になること。
7. 地下貯蔵タンクは，厚さ 3.2 mm 以上の鋼板で気密に造ること。
8. タンク室は，壁及び底を厚さ 0.3 m 以上のコンクリート造とし，ふたを厚さ 0.3 m 以上の防水を講じた鉄筋コンクリート造とすること。
9. タンク専用室の出入口のしきいの高さは，床面から 0.2 m 以上としなければならない。
10. 屋内貯蔵タンクは，平屋建の建築物内に設けられたタンク専用室に設置すること。
11. 屋内貯蔵タンクの容量は，指定数量の 40 倍以下であること。
12. 地中配管の外面は，電気的腐食のおそれがある場合，塗覆装又はコーティング及び電気防食を行うこと。
13. 第 4 類の危険物の屋外貯蔵タンクに設ける通気管は，無弁通気管とし，直径 30 mm 以上とする。

演習問題 25

不活性ガス消火設備に関する記述のうち，「消防法」上，誤っているものはどれか。

(1) 防護区画の換気装置は，消火剤の放射前に停止できる構造としなければならない。
(2) 駐車の用に供される部分及び通信機器室であって常時人がいない部分は，全域放出方式としなければならない。
(3) 手動式の起動装置は，2 以下の防護区画ごとに設けなければならない。
(4) 貯蔵容器は，防護区画以外の場所に設けなければならない。

解答 解説

(3) 「手動式の起動装置は，次のイからチまでに定めるところによること。
イ　起動装置は，当該防護区画外で当該防護区画内を見とおすことができ，かつ，防護区画の出入口付近等操作をした者が容易に避難できる箇所に設けること。

ロ　起動装置は，一の防護区画又は防護対象物ごとに設けること。(以下省略)」と規定されている。

演習問題 26

スプリンクラー設備に関する記述のうち，「消防法」上，誤っているものはどれか。ただし，特定施設水道連結型スプリンクラー設備は除く。

(1)　閉鎖型スプリンクラーヘッドを用いるスプリンクラー設備の配管の末端には，末端試験弁を設ける。

(2)　閉鎖型スプリンクラーヘッドのうち標準型ヘッドは，給排気用ダクト等でその幅又は奥行が 1.2 m を超えるものがある場合には，当該ダクト等の下面にも設けなければならない。

(3)　消防ポンプ自動車が容易に接近できる位置に専用の単口形送水口を設置する。

(4)　補助散水栓は，防火対象物の階ごとに，その階の未警戒となる各部分からホース接続口までの水平距離が 15 m 以下となるように設けなければならない。

解答 解説

(3)　スプリンクラー設備には，「非常電源を附置し，かつ，消防ポンプ車が容易に接近できる位置に双口形の送水口を設置すること。」と規定されている。

ⓗ 非常電源

各消防用設備と非常電源の種類，及び非常電源の作動容量の関係は次の通りである。(◎は特定防火対象物で延べ面積が千 m² 以上のもの)

	自家発電設備	蓄電池設備	非常電源専用受電設備	作動容量
①　屋内消火栓設備 ――――	◎	◎	○	30 分以上
②　スプリンクラー設備 ――	◎	◎	○	30 分以上
③　泡消火設備 ―――――	◎	◎	○	30 分以上
④　二酸化炭素消火設備 ――	○	○		1 時間以上

演習問題 27

1 号消火栓を用いた屋内消火栓設備の設置に関する記述のうち，「消防法」

上，誤っているものはどれか。

⑴　屋内消火栓のノズルの先端における放水圧力が1.0 MPaを超えないための措置を講ずる。

⑵　定格負荷運転時のポンプの性能を試験するための配管設備を設ける。

⑶　工場又は作業場に設置する消火栓は，1号消火栓でなければならない。

⑷　主配管のうち，立上り管は，呼び径で50 mm以上のものとする。

解答 解説

⑴　屋内消火栓のノズルの先端における放水圧力が0.7 MPaを超えないための措置を講ずることと規定されている。(0.17 MPa以上0.7 MPa以下とする。)

演習問題 28

不活性ガス消火設備に関する記述のうち，「消防法」上，誤っているものはどれか。

⑴　駐車の用に供される部分及び通信機器室であって常時人がいない部分には，全域放出方式としなければならない。

⑵　防護区画が2以上あり，貯蔵容器を共用するときは，防護区画ごとに選択弁を設けなければならない。

⑶　非常電源は，当該設備を有効に1時間作動できる容量以上としなければならない。

⑷　手動式の起動装置は，2以下の防護区画ごとに設けなければならない。

解答 解説

⑷　不活性ガス消火設備の手動式の起動装置は，一の防護区画又は防護対象物ごとに設けなくてはならない。

6 労働安全衛生法

ⓐ 職制の選任と職務

選任職制	適用範囲事業所	職務	資格要件
総括安全衛生管理者	常時100人以上の労働者を使用する事業所	安全管理者又は衛生管理者を指揮し安全衛生業務を統括管理	事業所長等の事業の実施を統括管理する者
安全管理者	①常時50人以上の労働者を使用する事業所 ②常時300人以上使用の場合は1人を専任	安全に関する技術的事項を管理 ①事業所等の巡視 ②危険防止の措置を講ずる	理科系の大学高専卒後3年高校卒後5年以上実務経験か労働大臣指定者
衛生管理者	①常時50人以上の労働者を使用する事業所 ②常時200人以上を使用する場合はその規模に応じ2人以上専任	衛生に関する技術的事項を管理 ①少なくとも毎週1回巡視 ②健康を保護する必要な措置を講ずる	医師 歯科医師 労働大臣指定者
産業医	常時50人以上の労働者を使用する事業所	健康診断その他健康管理 ①少なくとも月1回以上作業場を巡視 ②健康を守る措置を講ずる	医師
統括安全衛生責任者	同一場所で元請・下請合わせて常時50人以上の労働者が混在する事業の特定元方事業者	①元請の義務となる各事項を統括管理する ②安全衛生責任者への連絡	その場所でその事業の実施を統括管理するもの（所長など）
安全衛生責任者	上記の場合で統括安全衛生責任者を選任すべき事業者以外の請負人	統括安全衛生責任者との連絡又はそれから受けた連絡事項の関係者への連絡	通常下請業者の現場責任者など
安全衛生協議会	作業員の人数に関係なく混在事業所ではすべての事業所が該当する	毎月1回以上開催 ①作業間の連絡 ②作業間の調整	別途工事業者も含め関係請負人がすべて参加

安全委員会 衛生委員会 又は安全衛生 委員会	常時 50 人以上の労働者を使用する事業所	毎月 1 回以上開催 安全委員会協議事項 ①危険防止対策 ②労働災害原因調査と再発防止対策 ③危険防止関係重要事項 衛生委員会協議事項 ①健康障害防止対策 ②上記②の衛生関係 ③健康障害防止重要事項

1. 安全管理者及び衛生管理者，並びに総括安全衛生責任者の選任は，その事由が発生した日から 14 日以内に行い，その事業場の所在地を管轄する労働基準監督署長に届け出る。
2. 元方安全衛生管理者は，当該事業場に専属の者としなければならない。

ⓑ 安全衛生教育

次の場合，事業者は安全衛生教育を実施しなければならない。

1. 労働者を雇入れたとき。
2. 労働者の作業内容を変更したとき。
3. 省令で定める危険又は有害な業務につかせるとき。
4. 労働者を直接指導又は監督する者（作業主任者を除く）や職長を新たな職務につかせるとき。

演習問題 29

建設工事において，統括安全衛生責任者が行わなければならない事項又は統括管理しなければならない事項として，「労働安全衛生法」上，定められていないものはどれか。

(1) 作業場所を巡視すること。
(2) 健康診断の実施及び健康教育を行うこと。
(3) 協議組織の設置及び運営を行うこと。
(4) 元方安全衛生管理者を指揮すること。

(2) 健康診断の実施及び健康教育を行うことについて，統括管理することは規定されていない。

演習問題 30

建設業を営む事業者が，新たに職長になった者に対して行う安全又は衛生のための教育の内容のうち，「労働安全衛生法」上，定められていないものはどれか。

(1) 労働者の適正な配置の方法
(2) 労働者の作業補償
(3) 指導及び教育の方法
(4) 災害発生時における措置

解答 解説

(2) 安全又は衛生のための教育として定められている事項は，作業手順の定め方，労働者の適正な配置の方法，指導及び教育の方法，作業中における監督及び指示の方法，危険性又は有害性等の調査の方法，設備，作業等の具体的な改善の方法，異常時における措置，災害発生時における措置，作業に係る設備及び作業場所の保守管理の方法等であり，労働者の作業補償については，定められていない。

ⓒ 特定元方事業者の義務

建設工事現場で，元請，下請等の異なる労働者が混在して作業を同一の場所で行うことによって生ずる労働災害を防止するため，元方事業者は，次の事項について必要な措置を講じなければならない。

① 協議組織の設置運営
② 作業間の連絡調整（元請下請間，下請相互間）
③ 作業場所の毎日巡視
④ 下請が行う安全衛生教育に対する指導援助
⑤ 機械，設備等の配置等に関する計画の作成，合図の統一など

ⓓ 作業主任者の選任

1. 労働災害を防止するための管理を必要とする一定の作業で，免許者又は技能講習を修了した者の中から作業区分に応じ，作業主任者として，労働者の指導及び必要な事項についての義務を行わせることが義務付けられている。
2. 作業主任者の氏名と職務は，作業場に掲示して関係労働者に周知させなければならない。

3. 作業主任者の選任を必要とする作業は次の通り（建築工事関係）

作業主任者（作）の名称	作業の内容	免許者又は講習修了者
ガス溶接（作）	アセチレン又はガス集合装置を用いて行う溶接等の作業	免許者
地山掘削（作）	地山の掘削作業	講習修了者
土止め支保工（作）	土止め支保工の切り張り，又は腹起こしの取付け又は取外し作業	講習修了者
型枠支保工組立等（作）	型枠支保工の組立又は解体の作業	講習修了者
足場組立等（作）	足場の組立，解体又は変更の作業	講習修了者
鉄骨等組立（作）	鉄骨等の組立，解体又は変更の作業	講習修了者
木造建築物組立等（作）	軒の高さが5m以上の木造建築物の組立，屋根下地外壁下地の取付作業	講習修了者
コンクリート造工作物の解体等（作）	その高さが5m以上のコンクリート造工作物の解体破壊作業	講習修了者
ボイラー取扱（作）	ボイラー取扱いの作業	免許者
ボイラー据付工事（作）	ボイラーの据付作業	講習修了者

ⓔ 労働災害を防止するための技術基準

1. 法律では次の5項目にまとめ，事業者はそれぞれが必要な措置を講じなければならないこととしている。
   ① 機械器具その他の設備，爆発性の物，引火性の物等及び電気，熱その他のエネルギーによる危険防止。
   ② 掘削等の作業方法及び高所等の場所に関する危険の防止。
   ③ 原材料，ガス，粉塵，酸素欠乏空気，放射線，騒音，振動，異常気圧，排気，廃液等による健康障害の防止。
   ④ 作業場についての通路，床面等の保全，換気，採光，照明，避難その他労働者の健康，風紀及び生命の保持。
   ⑤ 労働者の作業行動から生ずる労働災害の防止。
2. 具体的な基準は，労働安全衛生規則，クレーン等安全規則，ゴンドラ安全規則，高圧作業安全衛生規則，酸素欠乏症防止規則等の労働省令に詳しく定めている。

ⓕ 機械等に関する規制

1. 一定以上の大きさのクレーン，エレベーター，ボイラー等，特に危険な作業を必要とする機械等については，都道府県労働基準局長の製造許可，検査と労働基準監督署長の設置変更に関する検査が必要で，検査証の交付を受けたものでなければ使用できない。
2. クレーンの過負荷防止装置，粉塵マスク，型枠支保工用パイプサポート及び補助サポート等，鋼管足場用の部材等，吊り足場用の吊チェーン等，合板足場等，車両系建設機械（ブルドーザー，ショベル等）は，労働大臣が定める規格，又は安全装置を備えていなければ，譲渡，貸与，又は設置してはならない。

ⓖ 就業制限

1. 一定の危険有害業務については，都道府県労働基準局長の免許を受けた者，又は都道府県労働基準局長等の指定する者が行う技能講習を修了した者等，一定の資格を有する者でなければその業務につかせてはならない。
2. 就業制限規定は次の通り。（S は作業主任者）

就業制限	選任配置者	資格要件
高所足場（吊足場，張出し足場，高さ5 m 以上）の足場組立，解体又は変更	足場組立 S	技能講習修了者
型枠支保工の組立又は解体作業	型枠支保工 S	技能講習修了者
掘削面の高さが 2 m 以上の地山の掘削作業	地山掘削 S	技能講習修了者
土止支保工の切り張り又は腹起こしの取付け又は取外し作業	土止支保工 S	技能講習修了者
コンクリート破砕機を用いて行う破砕作業	コンクリート破砕機 S	技能講習修了者
アセチレン溶接装置又はガス集合溶接装置を用いて行う金属の溶接又は加熱作業	ガス溶接 S	免許者
可燃性ガス及び酸素を用いて行う金属の溶接溶断又は加熱業務	ガス溶接作業者	技能講習修了者
アーク溶接の業務	アーク溶接作業者	特別教育修了者

<table>
<tr><td colspan="3">動力により駆動される杭打機又は杭抜機の運転業務</td><td>杭打（抜）機運転者</td><td>特別教育修了者</td></tr>
<tr><td colspan="3">動力駆動巻上機（ゴンドラ関係以外）運転業務</td><td>巻上機運転者</td><td>特別教育修了者</td></tr>
<tr><td colspan="2" rowspan="2">動力を用いかつ不特定場所に自走できる機械の運転（道路上走行運転を除く）</td><td rowspan="2">車両系建設機械運転者</td><td>機体重量3 t 以上</td><td>技能講習修了者</td></tr>
<tr><td>3 t 未満</td><td>特別教育修了者</td></tr>
<tr><td rowspan="10">吊上荷重</td><td>5 t 以上</td><td rowspan="2">クレーン①運転</td><td rowspan="2">クレーン運転者</td><td>免許者</td></tr>
<tr><td>5 t 未満</td><td>特別教育修了者</td></tr>
<tr><td>5 t 以上</td><td rowspan="3">移動式クレーン②運転</td><td rowspan="3">移動式クレーン運転者</td><td>免許者</td></tr>
<tr><td>5 t 未満
1 t 以上</td><td>小型移動式クレーン運転技能講習修了者</td></tr>
<tr><td>1 t 未満</td><td>特別教育修了者</td></tr>
<tr><td>5 t 以上</td><td rowspan="2">デリック③運転</td><td rowspan="2">デリック運転者</td><td>免許者</td></tr>
<tr><td>5 t 未満</td><td>特別教育修了者</td></tr>
<tr><td>1 t 以上</td><td rowspan="2">①②③の玉掛け業務</td><td rowspan="2">玉掛作業者</td><td>技能講習修了者</td></tr>
<tr><td>1 t 未満</td><td>特別教育修了者</td></tr>
<tr><td colspan="3">建設用リフトの運転</td><td>建設用リフト運転者</td><td>特別教育修了者</td></tr>
<tr><td colspan="3">ゴンドラの操作業務</td><td>ゴンドラ操作者</td><td>特別教育修了者</td></tr>
</table>

＊移動式クレーンは 3 段階になっているので注意する。

演習問題 31

下請け混在の建設工事現場の安全管理体制図において，□内に当てはまる用語の組合せとして，正しいものはどれか。

ただし，労働者の数は，元請け・下請け含め常時 50 人以上とする。

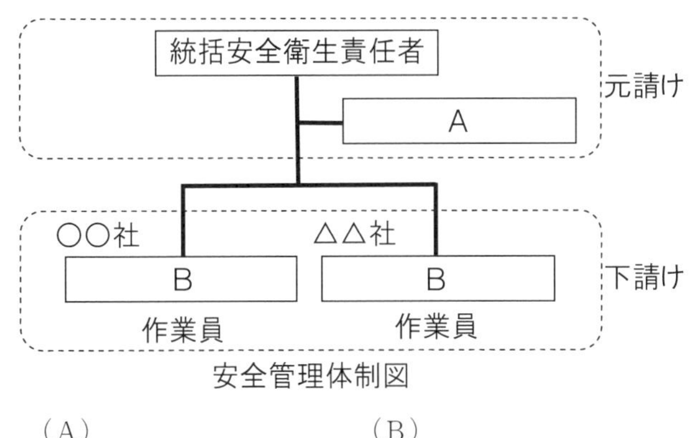

安全管理体制図

	(A)		(B)
(1)	元方安全衛生責任者	―――	安全衛生管理者
(2)	元方安全衛生責任者	―――	安全衛生責任者
(3)	元方安全衛生管理者	―――	安全衛生責任者
(4)	元方安全衛生管理者	―――	安全衛生管理者

解答 解説

(3) (A) は元方安全衛生管理者で，元請け（特定元方事業者）が選任する。
(B) は安全衛生責任者で，下請け（関係請負人）が選任する。

演習問題 32

建設工事現場における危険防止措置に関する記述のうち，「労働安全衛生法」上，誤っているものはどれか。

(1) 勾配が30度を超える架設通路には，踏さんを設けなければならない。
(2) 高さが3mの作業場所だったので，残材料などの投下のため投下設備を設けた。
(3) 高さが2mの足場で作業床を設けることが困難なため，防網を張り，フルハーネス型墜落制止用器具を使用させた。
(4) 高さが2mの作業場所は，作業を安全に行うために必要な照度を保持しなければならない。

解答 解説

(1) 登り桟橋の勾配は30度以下としなければならない。15度を超える場合は，踏さんを設けなければならない。

演習問題 33

建設工事現場における安全衛生管理体制に関する記述のうち,「労働安全衛生法」上, 誤っているものはどれか。

(1) 元方安全衛生管理者を選任する場合は, その事業場に専属の者を選任しなければならない。

(2) 特定元方事業者は, 下請けも含めた作業場の労働者が常時 50 人以上となる場合には, 統括安全衛生責任者を選任しなければならない。

(3) 事業者は, 事業場の労働者が常時 100 人以上となる場合には, 総括安全衛生管理者を選任しなければならない。

(4) 元方安全衛生管理者は, 毎週少なくとも 1 回, 作業場所の巡視を行わなければならない。

解答 解説

(4) 元方安全衛生管理者は, 毎日少なくとも 1 回, 作業場所の巡視を行わなければならない。

演習問題 34

建設工事において, 統括安全衛生責任者が行わなければならない事項として,「労働安全衛生法」上, 定められていないものはどれか。

(1) 作業間の連絡及び調整を行うことについて, 統括管理すること。

(2) 労働災害を防止するために, 元方安全衛生管理者を指揮すること。

(3) 関係請負人が行う労働者の安全又は衛生のための教育に対する指導及び援助を行うことについて, 統括管理すること。

(4) 安全管理者及び衛生管理者を指揮すること。

解答 解説

(4) 安全管理者及び衛生管理者は, 1 つの事業所における労働者の数が 50 人以上となる場合に選任される者で, 統括安全衛生責任者は, 現場における元請け・下請けの混在人数が 50 人以上の場合に選任される者になるため, 安全管理者及び衛生管理者を指揮することはない。

演習問題 35

建設工事現場における作業のうち,「労働安全衛生法」上, 作業主任者の

選任を必要とするものはどれか。

(1)　アーク溶接機を用いて行う金属の溶接

(2)　掘削面の高さが2mとなる地山の掘削

(3)　小型ボイラーの取扱いの作業

(4)　高さが3mの構造の足場の組立ての作業

解答 解説

(2)　掘削面の高さが2m以上となる地山の掘削作業は，地山の掘削作業主任者を選任しなければならない。

演習問題 36

移動式クレーンに関する記述のうち，「労働安全衛生法」上，誤っているものはどれか。

(1)　つり上げ荷重が1トン未満の移動式クレーンの運転（道路上を走行させる運転は除く。）に労働者を就かせるとき，当該業務に関する安全のための特別の教育を行った。

(2)　移動式クレーンの自主検査の結果を記録し，これを3年間保存した。

(3)　アウトリガーを有する移動式クレーンを用いて作業を行うときは，転倒を防止するための鉄板の上にアウトリガーを最大限に張り出して作業を行った。

(4)　移動式クレーンを用いた作業を行うときは，移動式クレーン検査証を，当該作業の現場事務所に備え付けておいた。

解答 解説

(4)　移動式クレーンを用いた作業を行うときは，当該移動式クレーンに，その移動式クレーン検査証を備え付けておかなければならない。

演習問題 37

工事現場の安全管理に関する記述のうち，「労働安全衛生法」上，誤っているものはどれか。

(1)　特定元方事業者は，関係請負人を含めた労働者の作業が同一の場所で行われることによって，生ずる労働災害を防止するため，毎週少なくとも1回，作業場所の巡視を行わなければならない。

(2)　切削といしの取替え又は取替え時の試運転の業務に労働者をつかせるとき

は，当該業務に関する安全又は衛生のための特別の教育を行わなければならない。

(3) 酸素欠乏危険作業に労働者を従事させる場合，当該作業を行う場所の空気中の酸素濃度を保つための換気に，純酸素を使用してはならない。

(4) 架設通路において，墜落の危険のある場所には，高さ 85 cm 以上の手すり，中さん等を設けなければならない。ただし，作業上やむを得ない場合は，必要な部分を臨時に取りはずすことができる。

解答 解説

(1) 特定元方事業者は，関係請負人を含めた労働者の作業が同一の場所で行われることによって生ずる労働災害を防止するため，毎日少なくとも 1 回，作業場所の巡視を行わなければならない。（元方安全衛生管理者が作業場所を毎日巡視する。）

演習問題 38

建設工事現場における安全管理に関する記述のうち，「労働安全衛生法」上，誤っているものはどれか。

(1) 高さが 1.2 m の箇所で作業を行うときは，労働者が昇降するための設備を設けなかった。

(2) 作業主任者を選任したときは，その者の氏名及びその者に行わせる事項を作業場の見やすい箇所に掲示することにより関係労働者に周知した。

(3) 作業床を設ける必要がある枠組み足場で，作業床は，その幅を 30 cm とした。

(4) 作業場に通ずる場所及び作業場内には安全な通路を設け，通路で主要なものには，通路であることを示す表示をした。

解答 解説

(3) 作業床の幅は，40 cm 以上を確保し，床材間のすき間は 3 cm 以下とする。（吊り足場の場合は，幅は 40 cm 以上を確保し，すき間を設けてはならない。）

7　その他関連法

ⓐ ハートビル法

1. ハートビル法は通称名で，正式には「高齢者，身体障害者等が円滑に利用できる特定建築物の建築の促進に関する法律」といい，建築基準法の姉妹法として位置付けられている。
2. ハートビル法に規定する特定施設として，出入口，廊下等，階段，昇降機，便所，駐車場，敷地内の通路が定められている。
3. ハートビル法には，車いすに関連した建築物の各部寸法が定められており，そのうちの一部は次の通りである。
   ① 廊下の幅（内法）は 120 cm 以上
   ② 廊下に設ける傾斜路の勾配は 12 分の 1 以下
   ③ 出入口の幅（内法）は 80 cm 以上
   ④ エレベーターのかごの寸法（内法）は 135 cm×135 cm 以上
   ⑤ 便所の便房の出入口の幅は（内法）は 80 cm 以上

演習問題 39

「ハートビル法」に規定する特定施設として，該当しないものはどれか。

(1) 昇降機
(2) 便所
(3) 駐車場
(4) 浴室

(4) 浴室は特定施設には含まれていない（ⓐの 2. 参照）。

ⓑ 騒音規制法

騒音規制法の対象は，工場及び事業場における事業活動並びに建設工事に伴う騒音。

第9章　法　規

演習問題 40

「騒音規制法」に関する文中（　　）内に当てはまる語句の組合せとして正しいものはどれか。

指定区域内において特定建設作業を伴う建設工事を施工しようとする者は当該特定建設作業の開始の日の（　A　）日前までに（　B　）に届け出なければならない。

（A）　　　　　（B）
(1)　7 ―――― 市町村長
(2)　7 ―――― 労働基準監督署長
(3)　30 ―――― 市町村長
(4)　30 ―――― 労働基準監督署長

解答 解説

(1)　特定作業開始日の7日前までに市町村長に届け出る（P.300の表参照）。

Ⓒ 大気汚染防止法

1. 一定規模以上のボイラー等に適用（伝熱面積10 m^2 以上対象）され，いおう酸化物，ばいじん，有害物質等の規制を定めている。
2. 自動車排出ガスのうち，人の健康又は生活環境に被害を生ずる恐れのある物質は，一酸化炭素，炭化水素，鉛化合物，粒子状物質，窒素酸化物。
3. 物の破砕，選別その他の機械的処理又はたい積に伴い発生し，又は飛散する物質を粉塵という。
4. 燃料その他の物の燃焼又は熱源としての電気の使用に伴い発生する煤塵は，煤煙の部である。
5. 粉塵発生施設を設置しようとする者は，その施設の種類，構造，使用及び管理の方法等を都道府県知事に届け出なければならない。

演習問題 41

「大気汚染防止法」に関する文中（　　）内に当てはまる語句の組合わせとして，適当なものはどれか。

煤煙を大気中に排出する者は，煤煙発生設備を設置しようとするときは（　A　）に届け出なければならない。また，その届出が受理された日から（　B　）を経過した後でなければ工事に着手してはならない。

	(A)	(B)
(1)	都道府県知事	30日
(2)	市町村長	30日
(3)	都道府県知事	60日
(4)	市町村長	60日

(3) 煤煙発生施設は都道府県知事に届出て，受理された日から60日が経過してから着工する（P.300の表，下から7段目参照）。

ⓓ 廃棄物処理法

1. 廃棄物とは，ごみ，粗大ごみ，燃えがら，汚泥，糞尿，廃油，廃酸，廃アルカリ，動物の死体その他の汚物又は不要物であって，固形状又は液状のものを言う。
2. 廃棄物処理の責務は，国民，事業者，国，及び地方公共団体に課せられている。
3. 産業廃棄物の定義
   ① 事業活動に伴って排出される廃棄物を言う。
   ② 該当例として，燃えがら，汚泥，廃油，廃酸，廃アルカリ，廃プラスチック，出版業の紙くず，畜産農業に係る動物の死体，公共下水道の終末処理場から排出される汚泥などがある。
4. 事務所ビルの排水槽からの汚泥（し尿を含まないもの）は産業廃棄物である。
5. 事業者は，その事業活動によって生じた廃棄物を自らの責任において適正に処理しなければならない。
6. 「木くず」は特定の事業活動に限られる物だけが産業廃棄物の対象。
7. 一般廃棄物の定義
   ① 産業廃棄物以外の廃棄物を言う。
   ② 該当例として，一般家庭から排出されるごみ，乾電池，紙くず，し尿，ホテルやレストランからの多量の厨芥（ちゅうかい）（炊事場から出る出べ物屑）や事務所からのコピー紙屑などがある。
8. 事務所ビルのし尿浄化槽から排出される汚泥（し尿を含むもの）は一般廃棄物である。
9. 土地又は建物の占有者は，市町村の行う一般廃棄物の収集，運搬及び処

第9章 法規

理に協力しなければならない。

10. 特別管理廃棄物の定義

① 廃テレビ受信機のPCBを使用する部品は，特別管理一般廃棄物に該当する。

② 特別管理産業廃棄物とは，産業廃棄物のうち爆発性，毒性，感染性，その他の人の健康又は生活環境に係る被害を生ずるおそれがある性状を有するものとして政令で定めるものをいう。

11. 放射性物質及びこれによって汚染されたものは廃棄物から除外される。

12. 市町村は一般廃棄物を収集，運搬，処分しなければならない。

13. 市町村が一般廃棄物の処理計画を定めている区域内の建物の占有者は，自ら処分しない一般廃棄物については，市町村が行う収集，運搬及び処分に協力しなければならない。

14. 市町村による一般廃棄物の処理業の許可は，市町村による一般廃棄物の収集，運搬及び処理が困難である場合でなければ与えられない。

15. 産業廃棄物の収集，運搬又は処分を業として行おうとする者は，事業を行おうとする区域を管轄する都道府県知事の許可を受けなければならない。

16. 一般廃棄物処理業者は，市町村長の許可を受けなければならない。

演習問題 42

「廃棄物の処理及び清掃に関する法律」に関する記述のうち，不適当なものはどれか。

(1) 建設業者は，工事により発生した産業廃棄物の運搬及び処分を一括して産業廃棄物運搬業者に委託することができる。

(2) 建設業者は，工事により発生した特別管理産業廃棄物の運搬を他人に委託する場合には，運搬を委託した者に対し，特別管理産業廃棄物管理表を交付しなければならない。

(3) 建設業者は，建設工事に伴って生じた廃棄物を自らの責任において適正に処理しなければならない。

(4) 建設工事に伴って生じた廃棄物のうち，廃プラスチック，金属くず，工作物の除去に伴って生じた木くずやコンクリートの破片は，産業廃棄物である。

(1) 産業廃棄物運搬業者に処分まで委託することはできない（P.419，ⓓの5. 参照）。

演習問題 43

「廃棄物の処理及び清掃に関する法律」に関する記述のうち，不適当なものはどれか。

(1) 建設工事に伴って生じる産業廃棄物には，汚泥，工作物の除去に伴って生じた木くず，コンクリートの破片等がある。
(2) 事業者たる建設業者は，定められた基準に従って，その産業廃棄物を自ら処理しなければならない。
(3) もっぱら再生利用の目的となる産業廃棄物のみの収集，運搬又は処分を業として行う場合は，都道府県知事の許可を受ける必要はないが，届け出る必要がある。
(4) 建設業者は，建設工事に伴って生じた廃棄物の再生利用を行うことにより，その減量に務めなければならない。

解答 解説

(3) この場合，届け出の必要もない。

ⓔ リサイクル法

「再生資源の利用の促進に関する法律（リサイクル法）」において，建設業に関する「指定副産物」のうち「再生資源」として，土砂，コンクリートの塊，又はアスファルト・コンクリートの塊が定められている。

ⓕ 熱供給事業法

演習問題 44

地域冷暖房における導管に関する記述のうち「熱供給事業法」上，不適当なものはどれか。

(1) 導管は，原則として最高使用圧力の 1.5 倍の水圧の連続 10 分間の加圧に対して耐えるものでなければならない。
(2) 導管の気密試験は，原則として最高使用圧力の 1.1 倍の圧力で行う。

(3) 導管には，温度の変化による伸縮により過大な応力が生じるおそれのある場合は，圧力安全装置を設けなければならない。

(4) 道路に埋設される導管は，他の地下埋設物と交差する場合で，適切な防護措置を講じないときは，15 cm 以上離さなければならない。

解答 解説

(3) このような場合には，伸縮を吸収する措置を講じなければならない。

復習問題

問題 1　**建築基準法の用語に関する次の記述のうち，適当でないものはどれか。**

(1)　建築物とは，土地に定着する工作物のうち，屋根及び柱若しくは壁を有するもの，これに付随する門若しくは塀を言う。

(2)　建築とは建築物を新築し，増築し，改築し，又は移転することをいう。

(3)　居室とは，居住，執務，作業，集会，娯楽その他これらに類する目的のために継続的に使用する室をいう。

(4)　地階とは，床が地盤面下にある階で，床面から地盤面までの高さが，その階の天井高さの 1／4 以上のものをいう。

問題 2　**建築基準法で定める昇降機に関する次の記述のうち，適当でないものはどれか。**

(1)　電動ダムウェーターで，かごの床面積が 1 m^2 を超え，又は天井の高さが 1.2 m を超えるものは，エレベーターとして取扱われる。

(2)　エレベーターの機械室の床面積は，原則として昇降路の水平投影面積の 2 倍以上としなければならない。

(3)　非常用エレベーターの定格速度は，毎分 60 m 以上でなければならない。

(4)　エスカレーターの勾配は，35 度以下とする。

問題 3　**建設業法に関する次の記述のうち，適当でないものはどれか。**

(1)　2 以上の都道府県の区域内に営業所を設けて建設業を営もうとする者は，建設大臣の許可を受けなければならない。

(2)　一の都道府県の区域内にのみ営業所を設けて，建設業を営もうとする者は，当該営業所の所在地を管轄する都道府県知事の許可を受けなければならない。

(3)　発注者から直接請け負う 1 件の建設工事につき，その工事の下請け代金が 2 千万円以上となる下請契約をして施工するものは，特定建設業の許可を受けなければならない。

(4)　建設業者は，あらかじめ書面で承諾を得た場合を除き，請け負った建設工事を一括して他人に請け負わせてはならない。

問題 4　**建設業法で定める主任技術者，監理技術者，現場代理人等に関する次**

の記述のうち，適当でないものはどれか。

⑴ 建設業者は，その請け負った建設工事を施工するときは，工事現場に主任技術者又は監理技術者を置かなければならない。

⑵ 現場代理人は，工事現場に常駐しなければならない。

⑶ 現場代理人は，請負契約の履行を確保するため，この契約に基づく工事の施工に関する一切の事項を処理する。

⑷ 主任技術者と現場代理人は，兼ねることができない。

問題5 **労働基準法で定める災害補償に関する次の記述のうち，適当でないものはどれか。**

⑴ 休業補償：休業中平均賃金の60％を支払う。

⑵ 遺族補償：業務上死亡したときは，平均賃金の1,000日分を補償する。

⑶ 打切補償：療養開始後2年を経過しても疾病が治らない場合，1,200日分の補償をして，その後の補償はしなくてもよい。

⑷ 補償を受ける権利は，労働者の退職によって変更されることはない。

問題6 **水道法で定める水道事業者に関する次の記述のうち，適当でないものはどれか。**

⑴ 水道事業者は，業務従事者の定期健康診断をおおむね3か月ごとに行うこと。

⑵ 水道事業者は，定期及び臨時の水質検査を行うこと。

⑶ 水道事業者は，事業計画に定める給水区域内の需要者から給水契約の申込みを受けたときは正当の理由がなければこれを拒んではならない。

⑷ 水道事業者は，当該水道によって水の供給を受ける者の給水装置の構造及び材質が政令で定める基準に適合していないときは，給水契約の申込みを拒むことができる。

問題7 **消防法に基づく消防用設備の体系に関する次の組合せのうち，適当でないものはどれか。**

⑴ 屋内消火栓設備 ―――――― 消防の用に供する設備

⑵ 連結散水設備 ――――――― 消防の用に供する設備

⑶ 排煙設備 ――――――――― 消火活動上必要な施設

⑷ 非常コンセント設備 ―――― 消火活動上必要な施設

問題 8　消防法上，床面積が 500 m^2 以上の通信機器室に設置できない消火設備は，次のうちどれか。

(1)　二酸化炭素消火設備
(2)　ハロゲン化物消火設備
(3)　粉末消火設備
(4)　泡消火設備

問題 9　労働安全衛生法上，事業者が安全衛生教育を実施しなければならない定めで，適当でないものはどれか。

(1)　労働者を雇入れたとき。
(2)　労働者の作業内容を変更したとき。
(3)　省令で定める危険又は有害な業務につかせるとき。
(4)　労働者に時間外勤務を命じたとき。

問題 10　次のうち，労働安全衛生法上，免許が必要な作業はどれか。

(1)　型枠支保工の組立又は解体作業
(2)　アーク溶接の作業
(3)　ゴンドラの操作
(4)　ボイラーの取扱い

問題 11　通称「ハートビル法」に規定する下記の各部寸法のうち，適当でないものはどれか。

(1)　廊下の幅（内法）は 100 cm 以上
(2)　廊下に設ける傾斜路の勾配は 12 分の 1 以下
(3)　出入口の幅（内法）は 80 cm 以上
(4)　便所の便房の出入口の幅は（内法）は 80 cm 以上

復習問題　解答解説

問題 1　(4)　地階とは，床が地盤面下にある階で，床面から地盤面までの高さが，その階の天上高さの 1／3 以上のものをいう（P.374，ⓒの 7. 参照）。

問題 2　(4)　エスカレーターの勾配は，30 度以下とする（P.377，ⓚの 7. 参照）。

問題 3　(3)　発注者から直接請け負う 1 件の建設工事につき，その工事の下請け代金が 4,500 万円以上となる下請契約をして施工するものは，特定建設業の許可を受けなければならない（P.382，ⓐの 4. 参照）。

問題 4　(4)　主任技術者と現場代理人は，兼ねることができる（P.383，ⓒの 11. 参照）。

問題 5　(3)　打切補償・療養開始後 3 年を経過しても疾病が治らない場合は，1,200 日分の補償をして，その後の補償はしなくてもよい（P.391，ⓗの 6. 参照）。

問題 6　(1)　水道事業者は，業務従事者の定期健康診断をおおむね 6 か月ごとに行うこと（P.394，ⓑの 1. 参照）。

問題 7　(2)　連結散水設備は，消火活動上必要な施設に属する（P.400，ⓑの 4. 参照）。

問題 8　(4)　泡消火設備は，通信機器室には設置できない（P.403 のⓕ参照）。

問題 9　(4)　労働者に時間外勤務を命じたときは，該当しない（P.408 のⓑ参照）。

問題 10　(4)　ボイラーの取扱いには「ボイラー技士」の免許が必要である（P.410 上の表参照）。

問題 11　(1)　廊下の幅（内法）は 120 cm 以上（P.417，ⓐの 3. の①参照）。

新制度

模擬試験問題

選択問題は，指定解答数以上解答すると減点になるため，十分注意すること。

問 題 A

（午前の部）

2 時間 30 分

問題番号 No.1 から No.14 までの 14 問題は必須問題です。
問題番号 No.15 から No.37 までの 23 問題のうち 12 問題を選択し解答してください。
問題番号 No.38 から No.44 までの 7 問題は必須問題です。

問 題 B

（午後の部）

2 時間

問題番号 No.1 から No.10 までの 10 問題は必須問題です。
問題番号 No.11 から No.22 までの 12 問題のうち 10 問題を選択し解答してください。
問題番号 No.23 から No.29 までの 7 問題は，施工管理法（応用能力）の問題で，必須問題です。（四肢択二）

問題A（解答はp.456~）

（解答はp.456~）

※ 問題No.1からNo.44までの問題の正解は，1問について一つです。正解と思う数字を一つ選択してください。
1問について，二つ以上選択したものは，正解となりません。

問題番号No.1～No.14までの14問題は必須問題です。全問題を解答して下さい。

【No.1】日射に関する記述のうち，適当でないものはどれか。

(1) 大気の透過率は，主に大気中に含まれる二酸化炭素の量に影響される。

(2) 日射のエネルギーは，紫外線部よりも赤外線部及び可視線部に多く含まれている。

(3) 天空日射とは，大気成分により散乱，反射して天空の全方向から届く太陽放射をいう。

(4) 日射の影響を温度に換算し，外気温度に加えて等価な温度にしたものを相当外気温度という。

【No.2】温熱環境に関する記述のうち，適当でないものはどれか。

(1) 予想平均申告（PMV）とは，人体の熱的中立に近い状態の温冷感を予測する指標である。

(2) met（メット）とは，人体の代謝量を示す指標であり，椅座安静状態の代謝量1 metは，単位体表面積当たり100 Wである。

(3) clo（クロ）は，衣服の断熱性を示す単位で，1 cloは約0.155 m^2・℃/Wである。

(4) 人体は周囲空間との間で対流と放射による熱交換を行っており，これと同じ量の熱を交換する均一温度の閉鎖空間の温度を作用温度（OT）という。

【No.3】室内の空気環境に関する記述のうち，適当でないものはどれか。

(1) 空気中の二酸化炭素濃度が20%程度以上になると，人体に致命的な影響を与える。

(2) 空気中の一酸化炭素濃度が2%になると，20分程度で人体に頭痛，目まいが生じる。

(3) 燃焼において，酸素濃度が19%に低下すると，不完全燃焼により急速に一酸化炭素が発生する。

(4) 人体からの二酸化炭素発生量は，その人の作業状態によって変化し，代謝量が多くなると増加する。

【No.4】流体に関する記述のうち，適当でないものはどれか。

(1) ニュートン流体では，摩擦応力は境界面と垂直方向の速度勾配に動粘性係数を乗じたものとなる。

(2) 空気の粘性係数は，一定の圧力のもとでは，温度の上昇とともに大きくなる。

(3) レイノルズ数は，流体に作用する慣性力と粘性力の比で表される無次元数で，流体の平均流速に比例する。

(4) 任意の点の速度，圧力等のすべての状態が時間的に変化しない流れを定常流という。

【No.5】流体が直管路を流れている場合，流速が $\frac{1}{2}$ 倍となったときの摩擦による圧力損失の変化の割合として，適当なものはどれか。

ただし，圧力損失は，ダルシー・ワイスバッハの式によるものとし，管摩擦係数は一定とする。

(1) $\frac{1}{4}$ 倍

(2) $\frac{1}{2}$ 倍

(3) 2倍

(4) 4倍

【No.6】下図に示す断面積の大きい開放水槽において，流出孔における流速を求めるときに適用できる「定理の名称」と「流速値」の組合せとして，適当なものはどれか。

ただし，g は重力加速度，ρ は流体の密度，H は流出孔から水面までの高さとする。

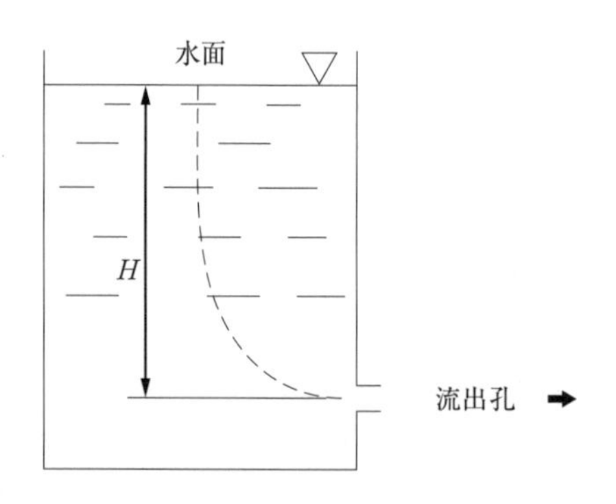

（定理の名称）　　　　　（流速値）

(1)　パスカルの定理 ―――――― $\sqrt{2gH}$
(2)　トリチェリの定理 ―――― $\sqrt{2gH}$
(3)　パスカルの定理 ―――――― $\sqrt{2\rho gH}$
(4)　トリチェリの定理 ―――― $\sqrt{2\rho gH}$

【No.7】下図に示す，熱機関のカルノーサイクルに関する記述のうち，適当でないものはどれか。

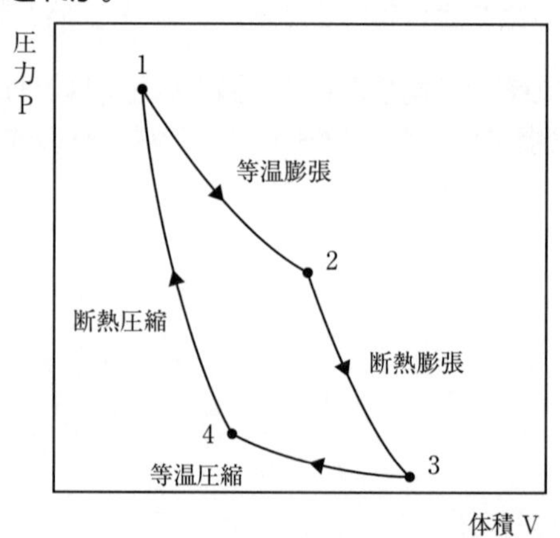

(1)　カルノーサイクルは，等温膨張，断熱膨張，等温圧縮，断熱圧縮の四つの可逆過程から構成される。
(2)　カルノーサイクルは，高温熱源と低温熱源の温度差が大きいほど効率が高くなる。
(3)　等温膨張では，外部から熱量を受け取り，等温圧縮では，熱量を外部に放出する。

(4) 断熱膨張では，気体の温度が上昇し，断熱圧縮では気体の温度が低下する。

【No.8】伝熱に関する記述のうち，適当でないものはどれか。

(1) 強制対流熱伝達とは，外的駆動力による強制対流時の流体と壁面の間の熱移動現象をいう。

(2) 固体内の熱移動には，高温部と低温部の温度差による熱伝導と放射による熱伝達がある。

(3) 固体壁両側の気体間の熱通過による熱移動量は，気体の温度差と固体壁の面積に比例する。

(4) 熱放射は，電磁波によって熱エネルギーが移動するため，熱を伝える物質は不要である。

【No.9】燃焼に関する記述のうち，適当でないものはどれか。

(1) 気体燃料，液体燃料，固体燃料のうち，燃焼に最も多く空気を必要とするのは固体燃料である。

(2) 高発熱量とは，燃焼ガスに含まれる水蒸気が凝縮したときに得られる潜熱を含めた発熱量をいい，低発熱量とは，潜熱を含まない発熱量をいう。

(3) 燃焼ガス中の窒素酸化物の量は，高温燃焼時より低温燃焼時のほうが多い。

(4) 空気過剰率が大きすぎると廃ガスの持ち去る熱による損失が多くなる。

【No.10】腐食に関する記述のうち，適当でないものはどれか。

(1) 選択腐食は，合金成分中のある種の成分のみが溶解する現象であり，黄銅製バルブ弁棒で生じる場合がある。

(2) かい食は，比較的速い流れの箇所で局部的に起こる現象で，銅管の曲がり部で生じる場合がある。

(3) 異種金属接触腐食は，貴な金属と卑な金属を組み合わせた場合に生じる電極電位差により，卑な金属が局部的に腐食する現象である。

(4) マクロセル腐食は，アノードとカソードが分離して生じる電位差により，陰極部分が腐食する現象である。

【No.11】電気設備工事に関する記述のうち，適当でないものはどれか。

(1) 使用電圧 100 V 回路の金属製ボックスには，D 種接地工事を施す。

(2) 使用電圧 100 V の屋外機器への分岐回路には，漏電遮断器を使用する。

(3) 高低差のあるケーブルラックに敷設するケーブルは，ケーブルラックの子げたに固定する。

(4) 低圧電路の電線相互間の熱絶縁抵抗は，使用電圧が高いほど低い値とする。

【No.12】三相誘導電動機の電気設備工事に関する記述のうち，適当でないものはどれか。

(1) 制御盤から電動機までの配線は，CV ケーブル又は EM-CE ケーブルで接続する。

(2) 制御盤からスターデルタ始動方式の電動機までの配線は，4 本の電線で接続する。

(3) 電動機の保護回路には，過負荷及び欠相を保護できる継電器を使用する。

(4) インバータ装置は，商用周波数から任意の周波数に変換して，電動機を可変速運転する。

【No.13】コンクリートの性状に関する記述のうち，適当でないものはどれか。

(1) コンクリートの中性化とは，一般的に，コンクリート表面で接する空気中の酸素の作用により，アルカリ性を失っていく現象をいう。

(2) 水セメント比が小さく密実なコンクリートほど中性化の進行は遅くなる。

(3) コンクリート打込み時に生じるコールドジョイントは，構造上の欠陥となりやすい。

(4) スランプ値は，コンクリートのワーカビリティーを評価する指標の 1 つである。

【No.14】下図のように単純梁に集中荷重 P_1 及び P_2 が作用したとき，支点 A の鉛直方向の反力の値として，適当なものはどれか。

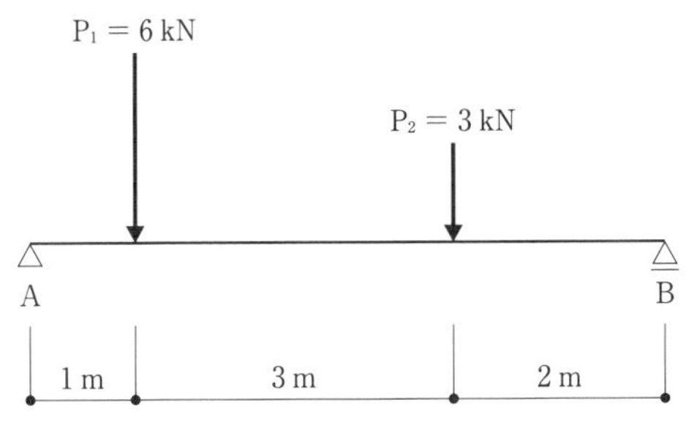

(1) 3 kN

(2) 4 kN

(3) 5 kN

(4) 6 kN

※問題番号 No.15 から No.37 までの 23 問題のうちから 12 問題を選択し，解答して下さい。

【No.15】建築計画に関する記述のうち，省エネルギーの観点から，適当でないものはどれか。

(1) 建物の出入口には，風除室を設ける。

(2) 東西面の窓面積を極力減らす建築計画とする。

(3) 窓には，ダブルスキン，エアフローウィンドウ等を用いる。

(4) 非空調室は，建物の外周部より，なるべく内側に配置する。

【No.16】空気調和方式に関する記述のうち，適当でないものはどれか。

(1) 変風量単一ダクト方式は，定風量単一ダクト方式に比べ，送風機動力を節減できる。

(2) 変風量単一ダクト方式では，必要外気量の確保等のため，最小風量の設定を行う。

(3) ダクト併用ファンコイルユニット方式は，全空気方式に比べ，外気冷房を行いやすい。

(4) ダクト併用ファンコイルユニット方式は，全空気方式に比べ，一般的に，搬送動力が小さい。

【No.17】下図に示す冷房時における定風量単一ダクト方式の湿り空気線図に関する記述のうち，適当でないものはどれか。

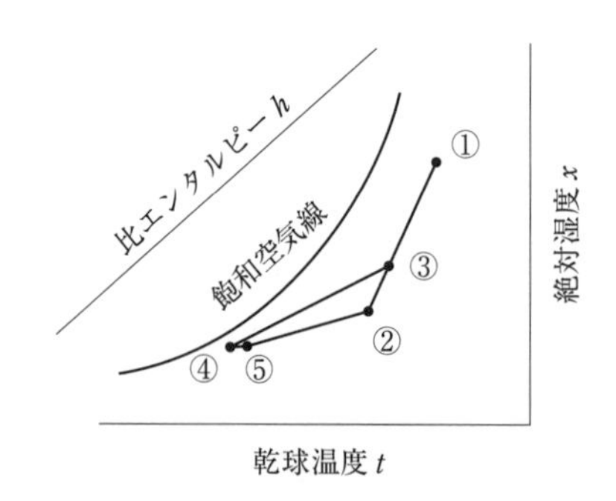

(1) コイル出口空気状態点④から⑤は送風機の発熱等による温度上昇であり，⑤から②は室内での状態変化で SHF の状態線上を移動する。

(2) 混合空気状態点③は，外気量と送風量の比から，

「$\dfrac{\text{外気量}}{\text{送風量}} = \dfrac{\text{②と③を結ぶ線分の長さ}}{\text{①と②を結ぶ線分の長さ}}$」として求める。

(3) 混合空気状態点③とコイル出口空気状態点④の比エンタルピー差から求めたコイル冷却負荷のうち，外気負荷は室内状態点②と混合空気状態点③の比エンタルピー差の部分となる。

(4) 冷房吹出温度差は，混合空気状態点③とコイル出口空気状態点④の乾球温度差から求める。

【No.18】熱負荷に関する記述のうち，適当でないものはどれか。

(1) 実効温度差は，外壁面全日射量，外壁日射吸収率，外壁表面熱伝達率等の要因により変わる。

(2) 壁体の構造が同じであっても，壁体表面の熱伝達率が大きくなるほど，熱通過率は大きくなる。

(3) 暖房負荷計算では，暖房室が外気に面したドアを有する場合，隙間風負荷を考慮する。

(4) 暖房負荷計算では，外壁の負荷は，一般的に，実効温度差を用いて計算する。

【No.19】空気調和設備における自動制御に関する記述のうち，適当でないものはどれか。

(1) 加湿器は，冷温水ポンプとのインターロックを設定する。

(2) 冷却塔のファンは，冷却塔の冷却水出口温度による二位置制御とする。

(3) 外気取入れダンパーは，空気調和機の運転開始時に一定時間，閉とする。

(4) 加湿器は，代表室内の湿度調節器による二位置制御とする。

【No.20】地域冷暖房に関する記述のうち，適当でないものはどれか。

(1) 地域冷暖房には，熱源の集約化により，人件費の節約が図れること，火災や騒音のおそれが小さくなること等の利点がある。

(2) 地域冷暖房の社会的な利点には，大気汚染防止，二酸化炭素排出量削減等の総合的な環境保全効果がある。

(3) 建物ごとに熱源機器を設置する必要がないため，熱需要者側の建物は床面積の利用率が高くなる。

(4) 地下鉄の排熱，ゴミ焼却熱等の未利用排熱は，地域冷暖房には利用することができない。

【No.21】空気熱源ヒートポンプに関する記述のうち，適当でないものはどれか。

(1) 空冷ユニットを複数台連結するモジュール型は，部分負荷に対応して運転台数を変えることができる。

(2) 空冷ユニットを複数台連結するモジュール型は，法定冷凍トンの算定をする場合，連結する全モジュールを合算する必要がある。

(3) ヒートポンプでは，外気温度が低くなると暖房能力が低下する。

(4) ヒートポンプの成績係数は，圧縮仕事の駆動エネルギーが暖房能力に追加されるため，冷凍機の成績係数より高くなる。

【No.22】換気に関する記述のうち，適当でないものはどれか。

(1) 自然換気設備の排気口は，給気口より高い位置に設け，常時解放された構造とし，かつ，排気筒の立ち上がり部分に直結する必要がある。

(2) 開放式燃焼器具の排気フードにⅡ型フードを用いる場合，火源からフード下端までの高さは1m以内としなければならない。

(3) 床面積の $\frac{1}{30}$ 以上の面積の窓その他，換気に有効な開口部を有する事務所の居室には，換気設備は不要である。

(4) 住宅等の居室のシックハウス対策としての必要有効換気量を算定する場合の換気回数は，一般的に，0.5〔回/h〕以上とする。

【No.23】機械換気設備により電気室において発生した熱を排除するときに必要な最小換気量として，適当なものはどれか。

ただし，発生熱量は4kW，許容室温は40℃，外気温度は35℃，空気の比熱は1.0kJ/（kg・K），空気の密度は1.2kg/m^{3}とする。

(1) 1,200 m^3/h

(2) 1,600 m^3/h

(3) 2,400 m^3/h

(4) 2,800 m^3/h

【No.24】下図に示す2階建て建築物の機械排煙設備において，各部が受け持つ必要最小風量として，適当でないものはどれか。

ただし，本設備は，「建築基準法」上，区画，階及び全館避難安全検証法によらないものとする。

また，上下階の排煙口は同時開放しないものとし，隣接する2防煙区画は同時開放の可能性があるものとする。

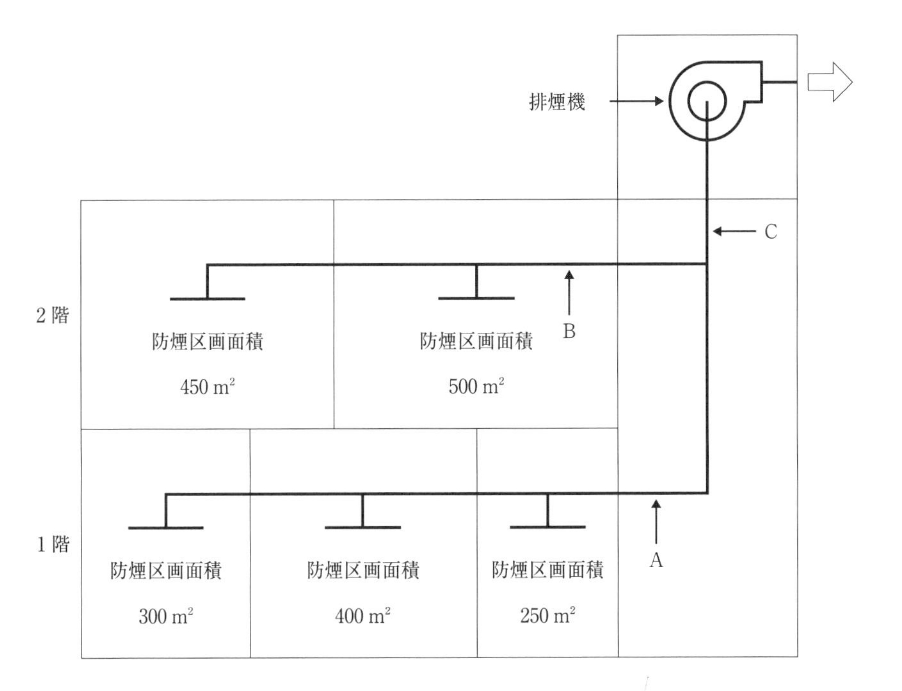

(1) ダクトA部：42,000 m^3/h

(2) ダクトB部：57,000 m^3/h

(3) ダクトC部：57,000 m^3/h

(4) 排煙機　　：57,000 m^3/h

【No.25】排煙設備に関する記述のうち，適当でないものはどれか。

ただし，本設備は，「建築基準法」上，区画，階，全館避難安全検証法，及び，特殊な構造によらないものとする。

(1) 自然排煙設備の排煙口は，防煙区画の床面積の $\frac{1}{50}$ 以上の排煙上有効な開口面積を有する必要がある。

(2) 機械排煙設備の排煙口は，防煙区画の各部分から水平距離で 30 m 以下となるように設ける。

(3) 機械排煙設備において，特別避難階段の付室を兼用する非常用エレベーターの乗降ロビーの排煙風量は，6〔m^3/s〕以上とする。

(4) 機械排煙設備において，排煙口は吸込み風速を 20〔m/s〕以下，排煙ダクトはダクト内風速を 10〔m/s〕以下となるようにする。

【No.26】上水道に関する記述のうち，適当でないものはどれか。

(1) 凝集池は，凝集剤と原水を混和させる混和池と，混和池で生成した微小フロックを大きく成長させるフロック形成池から構成される。

(2) 取水施設は，取水された原水を浄水施設まで導く施設であり，その方式には自然流下式，ポンプ加圧式及び併用式がある。

(3) 配水施設は，浄化した水を給水区域の需要家にその必要とする水圧で所要量を供給するための施設で，配水池，ポンプ，配水管等で構成される。

(4) 送水施設の計画送水量は，計画1日最大給水量（1年を通じて，1日の給水量のうち最も多い量）を基準として定める。

【No.27】下水道に関する記述のうち，適当でないものはどれか。

(1) 管きょ底部に沈殿物が堆積しないように，原則として，汚水管きょの最小流速は，0.6〔m/s〕以上とする。

(2) 流域下水道は，二以上の市町村の区域からの下水を排除又は処理する下水道で，終末処理場を持っているものをいう。

(3) 管きょは，固形物の停滞を防ぐために，流量が大きくなる下流ほど勾配が急になるようにする。

(4) 分流式の下水管きょにおける最小口径は，一般的に，汚水管きょでは200 mm，雨水管きょでは250 mmである。

【No.28】給水設備に関する記述のうち，適当でないものはどれか。

(1) 直結増圧方式は，高置タンク方式に比べて，給水引込み管の管径が大きくなる。

(2) 揚水ポンプの吸込揚程の最大値は，常温の水では10 m程度である。

(3) 大便器洗浄弁及び小便器洗浄弁の必要給水圧力は，一般的に，70 kPa程度である。

(4) 受水タンクの底部には，吸込みピットを設け，ピットに向かって$\frac{1}{100}$程度の勾配をとる。

【No.29】給水設備に関する記述のうち，適当でないものはどれか。

(1) ウォーターハンマー防止等のため，給水管内の流速は2.0 m/sを超えないものとする。

(2) クロスコネクション防止対策として，上水管と雑用水管とで，異なる配管材質を選定する。

(3) 受水タンクの容量は，一般的に，時間最大予想給水量の $\frac{1}{2}$ 程度の値とする。

(4) 受水タンクにおいて，地震時に水面が波動を起こし，水の自由表面が水槽の天井面や側面に衝突する現象をスロッシングという。

【No.30】給湯設備に関する記述のうち，適当でないものはどれか。

(1) 給湯単位に対する給湯同時使用流量は，一般的に，病院，レストラン，共同住宅，事務所の順に，大きくなる。

(2) 瞬間湯沸器の出湯能力は，一般的に，水温より 25℃ 高い湯を 1 L/min 出湯する能力を 1 号としている。

(3) 循環式浴槽設備では，レジオネラ症防止対策のため，循環している浴槽水をシャワーや打たせ湯には使用しない。

(4) 中央式給湯設備の貯湯タンクに接続する配管は，一般的に，還り管は低い位置で接続し，往き管は高い位置で接続する。

【No.31】排水設備に関する記述のうち，適当でないものはどれか。

(1) 管径 100 mm の排水管の掃除口の設置間隔は，30 m 以内とする。

(2) 排水管の管径決定において，ポンプからの排水管を排水横主管に接続する場合は，器具排水負荷単位に換算して管径を決定する。

(3) 排水立て管に対して 45° 以下のオフセットの管径は，垂直な排水立て管とみなして決定してよい。

(4) オイル阻集器は，洗車の時に流出する土砂及びワックス類も阻集できる構造とする。

【No.32】排水・通気設備に関する記述のうち，適当でないものはどれか。

(1) 器具排水負荷単位法による通気管の管径算定において，所定の表を使用する場合，通気管長さは通気管の実長とし，局部損失相当長を加算しなくてよい。

(2) 通気弁は，大気に開放された伸頂通気管と同様に正圧緩和の効果が期待できる。

(3) 建物の階層が多い場合の 1 階の排水横枝管は，排水立て管に接続せず，単独で屋外の排水桝に接続する。

(4) 伸頂通気方式において，誘導サイホン作用の防止には，排水用特殊継手を用いて管内圧力の緩和を図る方法がある。

【No.33】通気設備に関する記述のうち，適当でないものはどれか。

(1) ループ通気管の管径は，排水横枝管と通気立て管とのうち，いずれか小さいほうの管径の $\frac{1}{2}$ より小さくしてはならない。

(2) 排水立て管のオフセットの逃がし通気管の管径は，通気立て管と排水立て管とのうち，いずれか小さい方の管径の $\frac{1}{2}$ より小さくしてはならない。

(3) 排水横枝管の逃がし通気管の管径は，それを接続する排水横枝管の管径の $\frac{1}{2}$ より小さくしてはならない。

(4) 各個通気管の管径は，それが接続される排水管の管径の $\frac{1}{2}$ より小さくしてはならない。

【No.34】不活性ガス消火設備に関する記述のうち，適当でないものはどれか。

(1) 不活性ガス消火設備に用いる消火剤の種類には，二酸化炭素，窒素，IG-55，IG-541がある。

(2) 貯蔵容器は，防護区画以外の温度40℃以下で温度変化が少なく，直射日光及び雨水のかかるおそれの少ない場所に設ける。

(3) 全域放出方式又は局所放出方式の不活性ガス消火設備の非常電源は，当該設備を有効に30分間作動できる容量以上とする。

(4) 不活性ガス消火設備を設置した場所には，その放出された消火剤及び燃焼ガスを安全な場所に排出する措置が必要である。

【No.35】ガス設備に関する記述のうち，適当でないものはどれか。

(1) 液化石油ガス（LPG）は，圧力調整器によりガス容器（ボンベ）の中の高い圧力を1.0 kPaに減圧して燃焼機器に供給される。

(2) 都市ガスのガス漏れ警報器を天井部分に設置する場合は，警報器の下端は天井面の下方30 cm以内に設置する。

(3) 都市ガスの種類A・B・Cでは，燃焼速度はA・B・Cの順で速くなる。

(4) 液化石油ガス（LPG）設備で用いられる配管は，0.8 MPa 以上で行う耐圧試験に合格したものとする。

【No.36】JIS に規定する「建築物の用途別による屎尿浄化槽の処理対象人員算定基準」に定められている「建築用途」と「算定単位」の組合せのうち，適当でないものはどれか。

（建築用途）　　　　　　（算定単位）

(1) ホテル・旅館 ―――――――― 延べ面積〔m^2〕

(2) 病院・療養所・伝染病院 ――― ベッド数〔床〕

(3) 共同住宅 ―――――――――― 居室数〔室〕

(4) 事務所 ――――――――――― 延べ面積〔m^2〕

【No.37】浄化槽に関する記述のうち，適当でないものはどれか。

(1) 浄化槽は，水洗便所のし尿，工業廃水等の汚水を処理する設備又は施設である。

(2) 浄化槽は，生物化学的処理において生物膜法と活性汚泥法に大別される。

(3) 浄化槽は，積雪寒冷地を除き，車庫，物置等の建築物内への設置は避ける。

(4) 消毒には，一般的に，次亜塩素酸カルシウム錠，塩素化イソシアヌール酸錠等の固形塩素剤が使用される。

> 問題 No.38 から No.44 までの 7 問題は必須問題です。全問題を解答してください。

【No.38】冷凍機に関する記述のうち，適当でないものはどれか。

(1) 遠心冷凍機は低圧冷媒又は高圧冷媒を使用する機器があり，低圧冷媒を使用する機器は一般的な空調条件では高圧ガス保安法の適用を受けない。

(2) 二重効用吸収冷凍機は，高圧蒸気により低温再生器を加熱し，低温再生器で発生した冷媒蒸気をさらに高温再生器の加熱に用いる構造である。

(3) 空気熱源ヒートポンプのデフロスト運転には，運転を冷房サイクルに切り替えて空気熱交換器に高温高圧のガスを流し付着した霜を溶かす方法がある。

(4) スクリュー冷凍機は，高圧縮比でも体積効率がよいため，一般的に，高い圧縮比を必要とするヒートポンプ用として用いられる。

【No.39】遠心ポンプに関する記述のうち，適当でないものはどれか。

(1) 締切り動力が低く，水量の増大に伴い軸動力は減少する特性がある。

(2) 吐出し量は，ポンプの羽根車の直径が変わった場合，羽根車の出口幅が一定であれば，直径の変化の2乗に比例して変化する。

(3) 渦巻ポンプの渦巻ケーシングは，スロート部から吐出し口にかけて流速を緩やかに減速して速度エネルギーを圧力エネルギーに変換している。

(4) ポンプや送水系に外力が働かないのに，吐出し量と圧力が周期的に変動する現象をサージングという。

【No.40】空気調和機に関する記述のうち，適当でないものはどれか。

(1) 大温度差送風方式は，送風量を減らして，送風搬送動力を削減するため，一般的に，冷房吹出温度差を10℃と大きくとる。

(2) マルチパッケージ形空気調和機の冷房暖房同時型は，冷房運転時に発生する排熱を暖房運転中の屋内機に利用することで高い省エネルギー効果が得られる。

(3) ユニット形空気調和機の冷却コイルは，コイル面通過風速を2.0～3.0 m/sで選定し，コイル面の凝縮した水滴の飛散が多くならないようにする。

(4) デシカント空気調和機は，デシカントローターで高温の排気と給気とを熱交換する際に供給空気の湿度を除去し，乾燥した空気を給気する。

【No.41】配管材料及び配管附属品に関する記述のうち，適当でないものはどれか。

(1) 圧力配管用炭素鋼鋼管は，蒸気，高温水等の圧力の高い配管に使用され，スケジュール番号により管の厚さが区分されている。

(2) 架橋ポリエチレン管は，中密度・高密度ポリエチレンを架橋反応させることで，耐熱性，耐クリープ性を向上させた管である。

(3) 空気調和機ドレン配管の排水トラップの封水は，送風機の全静圧を超えないようにする。

(4) 蒸気トラップには，メカニカル式，サーモスタチック式，サーモダイナミック式がある。

【No.42】ダクト及びダクト附属品に関する記述のうち，適当でないものはどれか。

(1) グラスウール等の多孔質吸音材を内張りしたダクトでは，中高周波数域の音の減衰が大きい。
(2) 同一材料，同一断面積のダクトの場合，同じ風量では長方形ダクトの方が円形ダクトより単位長さ当たりの圧力損失が大きい。
(3) シーリングディフューザー形吹出口は，中コーンを上げると拡散半径が大きくなる。
(4) ピストンダンパーは，消火ガス放出時にガスシリンダーの作動で閉鎖する機構を有する。

【No.43】「公共工事標準請負契約約款」に関する記述のうち，適当でないものはどれか。

(1) 発注者は，完成通知を受けたときは，通知を受けた日から14日以内に完成検査を完了し，検査結果を受注者に通知しなければならない。
(2) 受注者は，工事目的物及び工事材料等を設計図書に定めるところにより，火災保険，建設工事保険等に付さなければならない。
(3) 発注者は，受注者が工期内に工事を完成させることができないとき，これによって生じた損害の賠償を受注者に対して請求することができる。
(4) 発注者の完成検査で，必要と認められる理由を受注者に通知した上で，工事目的物を最小限度破壊する場合，その検査又は復旧に直接要する費用は発注者の負担となる。

【No.44】設計図書に記載する「機器名」と「機器仕様」の組合せのうち，適当でないものはどれか。

ただし，電動機に関する事項は除く。

	（機器名）	（機器仕様）
(1)	全熱交換器 ――	形式，種別，風量，全熱交換効率，面風速，初期抵抗（給気・排気）
(2)	空調用ポンプ ――	形式，吸込口径，水量，揚程，押込圧力
(3)	冷却塔 ――	形式，冷却能力，冷却水量，冷却水出入口温度，外気乾球温度，騒音値
(4)	チリングユニット ――	冷凍能力，冷水量，冷水出入口温度，冷却水量，冷却水出入口温度，冷水・冷却水損失水頭

B 問題 （解答は p.464~）

（解答は p.464~）

※ 問題 No.1 から No.22 までの問題の正解は，1 問について一つです。正解と思う数字を一つ選択してください。
1 問について，二つ以上選択したものは，正解となりません。

問題 No.1 から No.10 までの 10 問題は必須問題です。全問題を解答してください。

【No.1】工事の「届出書等」，「提出時期」及び「提出先」の組合せとして，適当でないものはどれか。

	（届出書等）	（提出時期）	（提出先）
(1)	ばい煙発生施設設置届出書	工事完了日から 4 日以内	都道府県知事
(2)	消防用設備等設置届出書	工事完了日から 4 日以内	消防長又は消防署長
(3)	特定施設設置届出書（騒音）	工事開始日の 30 日前まで	市町村長
(4)	ボイラー設置届	工事開始日の 30 日前まで	労働基準監督署長

【No.2】下図のネットワーク工程表に関する記述のうち，適当でないものはどれか。

ただし，図中のイベント間の A~I は作業内容，日数は作業日数を表す。

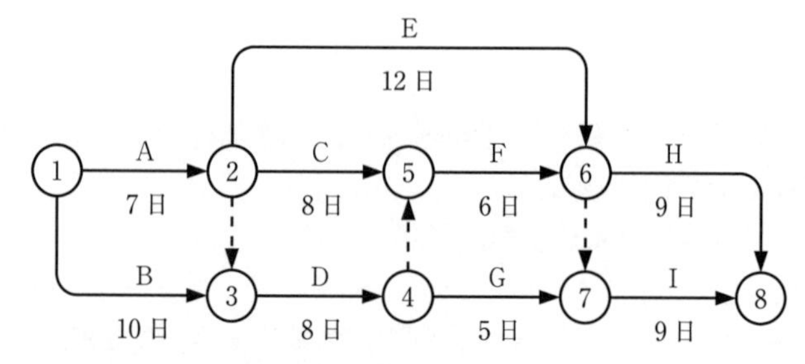

(1) クリティカルパスの所要日数は 33 日で，ルートは 2 本ある。
(2) イベント⑤の最早開始時刻と最遅完了時刻は同じで，15 日である。
(3) 作業内容 E のトータルフロートは，5 日である。
(4) 作業内容 C の作業日数を 2 日短縮しても，工期は 2 日短縮されない。

【No.3】品質管理に関する記述のうち，適当でないものはどれか。

(1) 計量抜取検査は，ロットの特性値が正規分布とみなせる場合に実施する。

(2) 計数抜取検査には，不良個数による検査と欠点数による検査がある。

(3) ISO 9000 ファミリー規格は，製品やサービスを作り出すプロセスに関する規格である。

(4) ISO 14000 ファミリー規格は，公害対策として企業が遵守すべき基準値を定めた規格である。

【No.4】建設工事における安全管理に関する記述のうち，適当でないものはどれか。

(1) 危険有害な化学品を取り扱う作業では，安全データシートを常備し，当該化学品の情報を作業場内に表示する。

(2) ハインリッヒの法則によれば，1つの重大災害発生の過程には数十件の軽度の事故と数百件のヒヤリ・ハットの発生がある。

(3) リスクアセスメントとは，労働災害が発生した場合に，当該災害発生の責任の所在を評価して，被災者への補償額を算定する手法である。

(4) 送り出し教育とは，工事現場に労働者を送り出そうとする関係請負人が当該労働者に対し事前に実施する教育で，新規入場者教育の効率化に有効である。

【No.5】機器の据付けに関する記述のうち，適当でないものはどれか。

(1) 屋内設置の飲料用受水タンクの据付けにおいて，はり形コンクリート基礎上の鋼製架台の高さを 100 mm とする場合，当該コンクリート基礎の高さは 500 mm としてよい。

(2) 雑排水用水中モーターポンプ2台を排水槽内に設置する場合，ポンプケーシングの中心間距離は，ポンプケーシングの直径の3倍としてよい。

(3) 貯湯タンクの据付けにおいては，周囲に 450 mm 以上の保守，点検スペースを確保するほか，加熱コイルの引抜きスペース及び内部点検用マンホール部分の点検作業用スペースを確保する。

(4) ゲージ圧が 0.2 MPa を超える温水ボイラーを設置する場合，安全弁その他の附属品の検査及び取扱いに支障がない場合を除き，ボイラーの最上部からボイラーの上部にある構造物までの距離は，0.8 m 以上とする。

【No.6】配管の施工に関する記述のうち，適当でないものはどれか。

(1) 蒸気配管に圧力配管用炭素鋼鋼管を使用する場合，蒸気還水管は，蒸気給気管に共吊りする。

(2) 鋼管のねじ接合に転造ねじを使用する場合，転造ねじのねじ部の強度は，鋼管本体の強度とほぼ同程度となる。

(3) Uボルトは，配管軸方向の滑りに対する拘束力が小さいため，配管の固定支持には使用しない。

(4) 冷媒配管の接続完了後は，窒素ガス，炭酸ガス，乾燥空気等を用いて気密試験を行う。

【No.7】ダクトの施工に関する記述のうち，適当でないものはどれか。

(1) アングルフランジ工法では，低圧ダクトか高圧ダクトかにかかわらず，ダクトの吊り間隔は同じとしてよい。

(2) 共板フランジ工法ダクトに使用するガスケットは，アングルフランジ工法ダクトに使用するガスケットより厚いものを使用する。

(3) スパイラルダクトの差込接合では，鋼製ビスで固定し，ダクト用テープを二重巻きすれば，シール材の塗布は不要である。

(4) 亜鉛鉄板製長方形ダクトの板厚は，ダクト両端の寸法が異なる場合，その最大寸法による板厚とする。

【No.8】配管の保温に関する記述のうち，適当でないものはどれか。

(1) 機械室内の露出の給水管にグラスウール保温材で保温する場合，一般的に，保温筒，ポリエチレンフィルム，鉄線，アルミガラスクロスの順に施工する。

(2) 冷温水管の保温の施工において，ポリエチレンフィルムは，防湿のための補助材として使用される。

(3) 蒸気管が壁又は床を貫通する場合，伸縮を考慮して，貫通部及びその前後約 25 mm 程度は保温被覆を行わない。

(4) 保温の施工において，保温筒を二層以上重ねて所要の厚さにする場合は，保温筒の各層をそれぞれ鉄線で巻き締める。

【No.9】冷凍機の試運転調整に関する記述のうち，適当でないものはどれか。

(1) 冷却水ポンプ，冷水ポンプ及び冷却塔を起動し，冷水量及び冷却水量が規定流量であることを確認する。

(2) 停止サーモスタットの設定値が冷水温度の規定値より高いことを確認する。

(3) 冷水ポンプ，冷却水ポンプ及び冷却塔とのインターロックを確認してから冷凍機の起動スイッチを入れる。

(4) 冷水量が過度に減少した場合，断水リレーの作動により冷凍機が停止することを確認する。

【No.10】土中埋設配管における防食処置に関する記述のうち，適当でないものはどれか。

(1) ペトロラタム系防食テープによる防食処置では，ペトロラタム系防食テープを $\frac{1}{2}$ 重ね1回巻きし，その上にプラスチックテープを $\frac{1}{2}$ 重ね1回巻きする。

(2) ブチルゴム系絶縁テープによる防食処置では，ブチルゴム系絶縁テープを $\frac{1}{2}$ 重ね2回巻きする。

(3) 熱収縮材による防食処置では，熱収縮テープを $\frac{1}{2}$ 重ね1回巻きし，バーナーで加熱収縮させる。

(4) 防食テープ巻きを施した鋼管は，施工時に被覆が損傷しても，鉄部が露出する陽極部面積が小さい場合，腐食によって短期間に穴があく可能性は小さい。

問題 No.11 から No.22 までの 12 問題のうちから 10 問題を選択し，解答してください。

【No.11】建設工事現場の安全衛生管理に関する記述のうち，「労働安全衛生法」上，誤っているものはどれか。

(1) 統括安全衛生責任者が統括管理しなければならない事項には，協議組織の設置及び運営がある。

(2) 統括安全衛生責任者が統括管理しなければならない事項には，作業間の連絡及び調整がある。

(3) 特定元方事業者は，毎作業日に少なくとも1回，作業場所の巡視を行わなければならない。

(4) 特定元方事業者は，安全衛生責任者を選任し，その者に統括安全衛生責任者との連絡等を行わせなければならない。

【No.12】建設工事現場の安全衛生管理に関する記述のうち，「労働安全衛生法」上，誤っているものはどれか。

(1) 事業者は，高さが2m以上の箇所での作業において，強風，大雨等の悪天候により危険が予想されるときは，当該作業に労働者を従事させてはならない。

(2) 事業者は，ガス溶接等の業務に使用する溶解アセチレンの容器は，横に倒した状態で保管しなければならない。

(3) 事業者は，3m以上の高所から物体を投下するときは，適当な投下設備を設け，監視人を置く等労働者の危険を防止するための措置を講じなければならない。

(4) 事業者は，高さが5m以上の構造の足場の組立て作業をするときは，作業主任者を選任しなければならない。

【No.13】建設業における就業に関する記述のうち，「労働基準法」上，誤っているものはどれか。

(1) 使用者は，労働者に，原則として，休憩時間を除き一週間について40時間を超えて労働させてはならない。

(2) 使用者は，満18歳に満たない者をクレーンの玉掛けの業務（二人以上の者によって行う玉掛けの業務における補助作業の業務を除く。）に就かせてはならない。

(3) 使用者は，その雇入れの日から起算して6箇月間継続勤務し，全労働日の7割以上出勤した労働者に対して，原則として，10労働日の有給休暇を与えなければならない。

(4) 使用者は，労働者を解雇しようとする場合においては，原則として，少なくとも30日前にその予告をしなければならない。

【No.14】建築物の用語に関する記述のうち，「建築基準法」上，誤っているものはどれか。

(1) 共同住宅は特殊建築物であるが，一戸建住宅は特殊建築物ではない。

(2) 建築物の壁や屋根は主要構造部であるが，建築物の階段は主要構造部ではない。

(3) 建築物の2階以上の部分で，隣地境界線より5m以下の距離にある部分は，法に定める部分を除き，延焼のおそれのある部分である。

(4) 防火性能とは，建築物の周囲において発生する通常の火災による延焼を抑制するために，外壁又は軒裏に必要とされる性能をいう。

【No.15】建築設備に関する記述のうち，「建築基準法」上，誤っているものはどれか。

(1) 排水トラップの封水深は，阻集器を兼ねる排水トラップの場合を除き，5cm以上15cm以下としなければならない。

(2) 天井内等の隠ぺい部に防火ダンパーを設ける場合は，一辺の長さが45cm以上の保守点検が容易に行える点検口を，天井，壁等に設けなければならない。

(3) 換気設備を設けるべき調理室等の給気口は，原則として，当該室の天井高さの$\frac{1}{2}$以下の位置に設けなければならない。

(4) 換気設備を設けるべき調理室等の排気口は，原則として，当該室の天井または天井から下方80cm以内の高さの位置に設けなければならない。

【No.16】建設業の許可に関する記述のうち，「建設業法」上，誤っているものはどれか。

(1) 管工事業を営もうとする者は，二以上の都道府県の区域内に営業所を設けて営業をしようとする場合，原則として，国土交通大臣の許可を受けなければならない。

(2) 発注者から直接請け負う1件の管工事につき，下請代金の総額が4,500万円以上となる工事を施工しようとする者は，特定建設業の許可を受けなければならない。

(3) 建設業者は，許可を受けた建設業の建設工事を請け負う場合においては，その建設工事に附帯する他の建設業の建設工事を請け負うことができる。

(4) 国，地方公共団体又はこれらに準ずる者として，国土交通省令で定める法人が発注者である管工事を施工しようとする者は，請負代金の額にかかわらず特定建設業の許可を受けなければならない。

【No.17】建設工事における施工体制に関する記述のうち，「建設業法」上，誤っているものはどれか。

(1) 主任技術者及び監理技術者は，当該建設工事の請負代金の管理，及び，施工に従事する者の技術上の指導監督の職務を誠実に行わなければならない。

(2) 建設業者は，発注者から直接請け負った建設工事を下請契約を行わずに自ら施工する場合，主任技術者を置かなければならない。

(3) 主任技術者の専任が必要な建設工事で，密接な関係のある二つの建設工事を同一の場所で施工する場合は，同一の専任の主任技術者とすることができる。

(4) 国が注文者である施設に関する管工事で，工事1件の請負代金の額が4,000万円以上の工事を施工する場合，工事に置く主任技術者又は監理技術者（特例監理技術者は除く。）は，工事現場ごとに専任の者でなければならない。

【No.18】スプリンクラー設備に関する記述のうち，「消防法」上，誤っているものはどれか。
ただし，特定施設水道連結型スプリンクラー設備は除く。

(1) 補助散水栓は，防火対象物の階ごとに，その階の未警戒となる各部分からホース接続口までの水平距離が15 m以下となるように設けなければならない。

(2) 劇場の舞台部に設けるスプリンクラーヘッドは，閉鎖型スプリンクラーヘッドとしなければならない。

(3) 閉鎖型スプリンクラーヘッドのうち標準型ヘッドは，給排気用ダクト等でその幅又は奥行が1.2 mを超えるものがある場合には，当該ダクト等の下面にも設けなければならない。

(4) 予作動式の流水検知装置が設けられているスプリンクラー設備にあっては，スプリンクラーヘッドが開放されてから放水までの時間を1分以内としなければならない。

【No.19】1号消火栓を用いた屋内消火栓設備の設置に関する記述のうち，「消防法」上，誤っているものはどれか。

(1) 主配管のうち，立上り管は，管の呼びで50 mm以上のものとしなければならない。

(2) 屋内消火栓の開閉弁は，床面からの高さが1.5 m以下の位置又は天井に設けることとし，当該開閉弁を天井に設ける場合にあっては，当該開閉弁は自動式のものとしなければならない。

(3) 水源の水量は，屋内消火栓の設置個数が最も多い階における当該設置個数（当該設置個数が2を超えるときは，2とする。）に2.6 m^3を乗じて得た量以上の量としなければならない。

(4) 加圧送水装置は，屋内消火栓設備のノズルの先端における放水圧力が0.7 MPaを超えるように設けなければならない。

【No.20】分別解体等に関する記述のうち，「建設工事に係る資材の再資源化等に関する法律」上，誤っているものはどれか。

(1) 特定建設資材を使用する床面積の合計が500 m^2以上の建築物の新築工事の受注者は，原則として，当該工事に伴い副次的に生ずる建設資材廃棄物をその種類ごとに分別しつつ当該工事を施工しなければならない。

(2) 対象建設工事の受注者は，工事着手の時期及び工程の概要，分別解体等の計画等の事項を，工事に着手する日の7日前までに，都道府県知事に届け出なければならない。

(3) 分別解体等に伴って生じた特定建設資材廃棄物である木材については，工事現場から50 km以内に再資源化をするための施設がない場合，再資源化に代えて縮減をすれば足りる。

(4) 対象建設工事の元請業者は，当該工事に係る特定建設資材廃棄物の再資源化等が完了したときは，再資源化等に要した費用等について，発注者に書面により報告しなければならない。

【No.21】特定建設作業に関する記述のうち，「騒音規制法」上，誤っているものはどれか。

ただし，災害その他非常の事態の発生により当該特定建設作業を緊急に行う必要がある場合及び人の生命又は身体に対する危険を防止するため特に当該特定建設作業を行う必要がある場合を除く。

(1) 特定建設作業とは，建設工事として行われる作業のうち，びょう打機を使用する作業等の著しい騒音を発生する作業であって，2日以上にわたるものをいう。

(2) 特定建設作業に伴って発生する騒音についての規制は，都道府県知事が定める指定地域内においてのみ行われる。

(3) 指定地域内において，特定建設作業の騒音は，当該特定建設作業の場所において連続して5日を超えて行われる特定建設作業に伴って発生するものであってはならない。

(4) 指定地域内において，特定建設作業の騒音は，特定建設作業の場所の敷地の境界線において，85デシベルを超えてはならない。

【No.22】産業廃棄物の処理に関する記述のうち，「廃棄物の処理及び清掃に関する法律」上，誤っているものはどれか。

(1) 事業者は，産業廃棄物の運搬又は処分を委託する場合には，契約は書面で行い，委託契約書及び書面を契約の終了の日から5年間保存しなければならない。

(2) 事業者は，電子情報処理組織を使用して産業廃棄物の運搬又は処分を委託する場合，委託者に産業廃棄物を引き渡した後，3日以内に情報処理センターに登録する必要がある。

(3) 事業者は，排出した産業廃棄物の運搬又は処分を委託する場合，電子情報処理組織を使用して産業廃棄物の種類，数量，受託者の氏名等を情報処理センターに登録したときは，産業廃棄物管理票を交付しなければならない。

(4) 事業者は，特別管理産業廃棄物の運搬又は処分を委託する場合，あらかじめ，当該委託しようとする特別管理産業廃棄物の種類，数量，性状等を，委託しようとする者に文書で通知しなければならない。

※ 問題No.23からNo.29までの問題の正解は，1問について二つです。正解と思われる数字を二つ選択してください。
1問について，一つだけ選択したものや，三つ以上選択したものは，正解となりません。

問題番号No.23～No.29までの7問題は必須問題です。全問題を解答して下さい。

【No.23】公共工事における施工計画等に関する記述のうち，適当でないものはどれか。
適当でないものは二つあるので，二つとも答えなさい。

(1) 仮設，施工方法等は，工事の受注者がその責任において定めるものであり，発注者が設計図書において特別に定めることはできない。

⑵　工事材料の品質は設計図書で定められたものとするが，設計図書にその品質が明示されていない場合は，均衡を得た中等の品質を有するものとする。

⑶　工事原価は共通仮設費と直接工事費を合わせた費用であり，現場従業員の給料，諸手当等の現場管理費は直接工事費に含まれる。

⑷　総合試運転調整では，各機器単体の試運転を行うとともに，配管系，ダクト系に異常がないことを確認した後，システム全体の調整が行われる。

【No.24】工程管理に関する記述のうち，適当でないものはどれか。
適当でないものは二つあるので，二つとも答えなさい。

⑴　ネットワーク工程表において，作業の出発結合点の最早開始時刻から到着結合点の最遅完了時刻までの時間から，当該作業の所要時間を引いた余裕時間をトータルフロートという。

⑵　バーチャート工程表は，各作業の着手日と終了日の間を横線で結ぶもので，各作業の所要日数と施工日程が分かりやすい。

⑶　ネットワーク工程表において，後続作業の最早開始時刻に影響を及ぼすことなく使用できる余裕時間をインターフェアリングフロートという。

⑷　総工事費が最少となる最も経済的な工期を最適工期といい，このときの施工速度を採算速度という。

【No.25】品質管理で用いられる統計的手法に関する記述のうち，適当でないものはどれか。
適当でないものは二つあるので，二つとも答えなさい。

⑴　散布図では，対応する２つのデータの関係の有無が分かる。

⑵　管理図では，問題としている特性とその要因の関係が体系的に分かる。

⑶　パレート図では，各不良項目の発生件数の順位が分かる。

⑷　ヒストグラムでは，データの時間的変化が分かる。

【No.26】建設工事における安全管理に関する記述のうち，適当でないものはどれか。
適当でないものは二つあるので，二つとも答えなさい。

⑴　建設工事に伴う公衆災害とは，工事関係者及び第三者の生命，身体及び財産に関する危害並びに迷惑をいう。

(2) 年千人率は，重大災害発生の頻度を示すもので，労働者 1,000 人当たりの 1 年間に発生した死者数である。

(3) 建設業労働安全衛生マネジメントシステム（COHSMS）は，組織的かつ継続的に安全衛生管理を実施するための仕組みである。

(4) 災害の発生頻度を示す度数率は，延べ実労働時間 100 万時間当たりの労働災害による死傷者数である。

【No.27】機器の据付けに関する記述のうち，適当でないものはどれか。
適当でないものは二つあるので，二つとも答えなさい。

(1) 防振基礎に設ける耐震ストッパーは，地震時における機器の横移動の自由度を確保するため，機器本体との間の隙間を極力大きくとって取り付ける。

(2) 天井スラブの下面において，あと施工アンカーを上向きで施工する場合，接着系アンカーは使用しない。

(3) 軸封部がメカニカルシール方式の冷却水ポンプをコンクリート基礎上に設置する場合，コンクリート基礎上面に排水目皿及び当該目皿からの排水管を設けないこととしてよい。

(4) 機器を吊り上げる場合，ワイヤーロープの吊り角度を大きくすると，ワイヤーロープに掛かる張力は小さくなる。

【No.28】配管及び配管附属品の施工に関する記述のうち，適当でないものはどれか。
適当でないものは二つあるので，二つとも答えなさい。

(1) 複式伸縮管継手を使用する場合は，当該伸縮管継手が伸縮を吸収する配管の両端を固定し，伸縮管継手本体は固定しない。

(2) 水道用硬質塩化ビニルライニング鋼管の切断には，パイプカッターや，高速砥石切断機は使用しない。

(3) 空気調和機への冷温水量を調整する混合型電動三方弁は，一般的に，空調機コイルへの往き管に設ける。

(4) 開放系の冷温水配管において，鋼管とステンレス鋼管を接合する場合は，絶縁継手を介して接合する。

【No.29】ダクト及びダクト附属品の施工に関する記述のうち，適当でないものはどれか。

適当でないものは二つあるので，二つとも答えなさい。

(1) 送風機吐出し口とダクトを接続する場合，吐出し口断面からダクト断面への変形における拡大角は15°以下とする。

(2) 排煙ダクトを亜鉛鉄板製長方形ダクトとする場合，かどの継目にピッツバーグはぜを用いてはならない。

(3) 横走りする主ダクトには，振れを防止するため，形鋼振れ止め支持を15 m以下の間隔で設ける。

(4) 給気ダクトに消音エルボを使用する場合，風量調整ダンパーの取付け位置は，消音エルボの上流側とする。

模擬試験解答・解説

問題A

【No.1】　解答(1)

(1)　大気の透過率は，主に大気中に含まれる水蒸気の量に影響される。したがって，二酸化炭素ではないため，(1)は適当でない。

【No.2】　解答(2)

(2)　椅座安静状態の代謝量1 metは，単位体表面積当たり58.2 W/m^2である。

したがって，100 Wではないため，(2)は適当でない。

【No.3】　解答(2)

(2)　0.16%で20分で頭痛，めまい，吐き気が起こり，2時間で失神する。

1.28%で1～3分で死亡する。

したがって，2%ではないため，(2)は適当でない。

【No.4】　解答(1)

(1)　ニュートン流体（水）では，摩擦応力は境界面と垂直方向の速度勾配に粘性係数を乗じたものとなる。摩擦応力 = 粘性係数×流速の変化／距離の変化が成り立つ。

したがって，動粘性係数を乗じたものではないため，(1)は適当でない。

【No.5】　解答(1)

(1)　圧力損失は，流速の2乗に比例するため，流速が1/2になると，1/2の2乗は1/4になる。

したがって，1/4になるため(1)が適当である。

【No.6】　解答(2)

（定理の名称）　　　　　　（流速値）

(2)トリチェリの定理 ―――― $\sqrt{2gH}$

水槽下端の小穴から流出する水の流速は水位高さの1/2乗に比例する。

したがって(2)が適当である。

【No.7】　解答(4)

(4)　断熱膨張では，気体の温度が下がり，断熱圧縮では気体の温度は上昇する。

したがって，断熱膨張は，熱の出入りがない状態で，圧力低下などにより気体の膨張分子が気体を膨張させることにエネルギーを使うので，分子の運動が遅くなり，温度が下がる。(膨張すると気温が下がる。) ⑷は適当でない。

【No.8】　解答⑵

⑵　固体内の熱移動には，高温部と低温部の温度差による熱伝導と対流，伝導，ふく射による熱伝達がある。

したがって，熱伝達は，放射だけではなく，対流，伝導を含んでいるため，⑵は適当でない。

【No.9】　解答⑶

⑶　燃焼ガス中の窒素酸化物の量は，高温燃焼時の方が低温燃焼時より多い。

したがって，⑶は適当でない。

【No.10】　解答⑷

⑷　マクロセル腐食は，アノードとカソードが分離して生じる電位差により，陽極部分が腐食する現象である。

したがって，⑷は適当でない。

【No.11】　解答⑷

⑷　低圧電路の電線相互間の熱絶縁抵抗は，使用電圧が高いほど高い値とする。

したがって，⑷は適当でない。

【No.12】　解答⑵

⑵　制御盤からスターデルタ始動方式の電動機までの配線は，6本の電線で接続する。

したがって，⑵は適当でない。

【No.13】　解答⑴

⑴　コンクリートの中性化とは，一般的に，コンクリート表面で接する空気中の二酸化炭素の作用により，アルカリ性を失っていく現象をいう。

したがって，酸素ではなく二酸化炭素であるため，⑴は適当でない。

【No.14】　解答⑷

⑷　$V_A \times 6\text{m} - 6\text{ kN} \times 5\text{ m} + 3\text{ kN} \times 2\text{ m} = 0$

これより，30 kN・m+6 kN・m／6 m

V_A = 6 kN

したがって，(4)が適当である。

【No.15】 解答(4)

(4) 非空調室は，建物外周に配置することにより，建物全体で合理的な空調計画とすることができる。したがって，(4)は適当でない。

【No.16】 解答(3)

(3) ダクト併用ファンコイルユニット方式は，給気量が少ないため外気冷房はできない。

したがって，(3)は適当でない。

【No.17】 解答(4)

(4) 冷房吹出温度差は，室内状態点②とコイル出口空気状態点④の乾球温度差から求める。したがって，(4)は適当でない。

【No.18】 解答(4)

(4) 暖房負荷計算では，外壁の負荷は安全側のため，特別考慮しない。実効温度差は北側外壁の冷房負荷計算に用いる。したがって，(4)は適当でない。

【No.19】 解答(1)

(1) 加湿器は，室内湿度検出器により室内の湿度を検出し，検出信号を操作信号に変換して加湿器を二位置制御する。冷温水ポンプとのインターロックを設定しない。

したがって，(1)は適当でない。

【No.20】 解答(4)

(4) 地下鉄の排熱，ゴミ焼却熱等の未利用排熱は，地域冷暖房に有効利用することができる。したがって，(4)は適当でない。

【No.21】 解答(2)

(2) モジュール型は，熱源機のローテーション運転を自動的に行うため，連結する全モジュールを合算する必要がない。したがって，(2)は適当でない。

【No.22】 解答(3)

(3) 床面積 1／20 以上の面積の窓その他，換気に有効な開口部を有する事務所の居室には，換気設備は不要となる。したがって，(3)は適当でない。

【No.23】 解答(3)

(3) 4 kW／0.33×（40℃ −35℃） ≒ 2,424 ≒ 2,400 m^3／h

したがって，(3)が適当である。

【No.24】 解答(4)

(4) 最大床面積×2 m^3／min・m^2 であるため，

排煙機風量：500m^2×2 m^3／min・m^2 = 1,000 m^3／min

1,000 m^3×60 = 60,000 m^3／h　したがって，(4)は適当でない。

(1) 1階は 300m^2+400m^2 = 700m^2　700m^2×1 m^3／min・m^3 = 700 m^3

700 m^3×60 分 = 42,000 m^3／h

(2) 2階は（450m^2+500m^2）×1 m^3／min・m^3 = 950 m^3

950 m^3×60 分 = 57,000 m^3／h

(3) 各階ごとの排煙風量の一番大きい風量となるため，57,000 m^3／h となる。

【No.25】 解答(4)

(4) 排煙口の吸込み風速は，10［m／s］以下，排煙ダクトはダクト内風速を 20～15［m／s］以下となるようにする。したがって，(4)は適当でない。

【No.26】 解答(2)

(2) 取水された原水を浄水施設まで導く施設は，導水施設であり，その方式には，自然流下式とポンプ加圧式がある。したがって，(2)は適当でない。

【No.27】 解答(3)

(3) 管きょの勾配は，下流にいくに従い緩やかにする。

したがって，(3)は適当でない。

【No.28】 解答(2)

(2) 揚水ポンプの吸込揚程の最大値として，ポンプの吐出揚程は吸込揚程にポンプの全揚程を足したものとなり，吐出エネルギーと吸込エネルギーの差という考え方が重要である。入出で配管径が変われば流速が変わり吐出揚程が変わる。密度が小さくなれば揚程は同じでも吐出圧は低くなる。ポンプは流量や圧力，出口配管の圧力損失などの様々な要素が絡み合って，バランスの取れたところで運転することになる。現状，どのポイントでどんな運転をしているのかはポンプの特性を十分に理解できていないと難しい問題である。

したがって，常温の水では10m程度にはならないため，(2)は適当でない。

(高置タンク方式における揚水ポンプの揚水量 Q_P は，次式により求める。

$Q_P = Q_{hm}/60$　ここに，Q_P：揚水ポンプの揚水量［L/min］

Q_{hm}：時間最大予想給水量［L/h］

吸込揚程はキャビテーションに直接関係する値である。ポンプが吸い上げることができない液面高さでポンプを運転すると，ポンプはキャビテーションという重大な事故を起こす。

【No.29】　解答(3)

(3)　受水タンクの容量は，1日予想給水量の1／2程度としている。受水槽の容量を必要以上に過大にとると，残留塩素が減少するので，好ましくない。

したがって，(3)は適当でない。

【No.30】　解答(1)

(1)　給湯単位に対する給湯同時使用流量は，一般的に，事務所，レストラン，病院，共同住宅の順に，大きくなる。したがって，(1)は適当でない。

【No.31】　解答(1)

(1)　排水管の管径が100 mm以内の場合は15 m以内，100 mmを超える場合は30 m以内とする。したがって，(1)は適当でない。

【No.32】　解答(2)

(2)　通気弁は，大気に開放された伸頂通気管のような，正圧緩和の効果は期待できない。

通気弁は背圧によって弁ふたが閉じ，立て菅系統では空気の逃げ場がなくなるためである。したがって，(2)は適当でない。

【No.33】　解答(2)

(2)　排水立て管のオフセットの逃がし通気管の管径は，通気立て管と排水立て管とのうち，いずれか小さい方の管径以上とすること。したがって，(2)は適当でない。

【No.34】　解答(3)

(3)　全域放出方式又は局所放出方式の不活性ガス消火設備の非常電源は，当該設備を有効に60分間作動できる容量以上とする。

したがって，(3)は適当でない。

【No.35】 解答(1)

(1) 容器（ボンベ）で供給するLPガスは，LPガスの組成と大気温度によって定まる蒸気圧を持っている。この圧力を調整器で約2.8 kPaに減圧して燃焼器具に供給する。

したがって，1.0 kPaではないため，(1)は適当でない。

【No.36】 解答(3)

(3) 共同住宅 ――― 延べ面積

したがって，算定単位は延べ面積（m^2）になるため，適当でない。

【No.37】 解答(1)

(1) 浄化槽は，水洗便所のし尿，生活雑排水を処理するものである。工業廃水等の汚水は処理しない。したがって，(1)は適当でない。

【No.38】 解答(2)

(2) 二重効用吸収冷凍機の冷凍サイクルは，再生器及び溶液熱交換器が高温用と低温用に分かれている。0.9 MPa程度の蒸気あるいは190℃前後の高温水で高温再生器を加熱し，高温再生器で発生した冷媒蒸気をさらに低温再生器の加熱に用い，成績係数を高くしている。したがって，(2)は適当でない。

【No.39】 解答(1)

(1) 遠心ポンプは，締め切り動力が低く，水量の増大に伴い，軸動力は増加する。

したがって，(1)は適当でない。

【No.40】 解答(1)

(1) 大温度差送風方式は，空調空気の吹出し温度差，熱媒が水の場合の放熱器・冷温水コイル・冷凍機蒸発器・凝縮器の出入口温度差を大きくとり，流量を減らして換気ファンや循環ポンプの搬送動力の削減を図るものである。能力 = 流量×温度差となるため，温度差と流量は反比例の関係となり，温度差を大きく取れば，流量が少なくなり搬送動力エネルギーが削減できる。空調吹出温度を従来システム（$\Delta t = 10$℃）に比べて送風温度を下げる（$\Delta t = 13$〜15℃）ことにより送風量を低減し，送風ファンにかかる搬送動力を削減するシステムであり，空調コイルの変更を行う。また，湿度を下げることで温度を上げることも可能となる。
したがって，冷房吹出温度差を10℃としないため，(1)は適当でない。

(4) デシカント空気調和機は，デシカント空調機・除湿機の構造は対象とする空気を除湿する除湿側と，水分を吸着したデシカントローターを再生する再生側にて構成される。デシカントローターの材質は低温でも再生能力の高い高分子収着剤や従来から使用されているシリカゲル，ゼオライトなどがある。デカント方式（乾式デシカント）は乾燥剤を含浸させたハニカム形状のローター（デカントローター）に空気を通して除湿する方式である。デシカントローターの再生に加熱用熱源が必要になる。直接的に湿度をコントロールするため，冷却除湿方式に見られるエネルギーロスを防ぐことができる。デシカントローターで高温の排気と給気とを熱交換する際に供給空気の湿度を除去し，乾燥した空気を給気する。(4)は適当である。

【No.41】 解答(3)

(3) 空気調和機ドレン配管の排水トラップの封水は，送風機の全静圧以上の落差をとり空調機用トラップを設ける。ここで，落差とは，逆流しないための水深を意味する。トラップの形式は特記によるが，基本的な性能として，防臭，小動物や昆虫等の侵入防止，渇水時の注水復帰，保守・点検・清掃の容易性，施工の容易性等が要求される。
したがって，「送風機の全静圧を超えないようにする」，(3)は適当でない。

【No.42】 解答(3)

(3) シーリングディフューザー形吹出口は，中コーンを下げると拡散半径が大きくなり，冷房時に用いる。逆に中コーンを上げると拡散半径が小さくなり暖房時に用いる。
したがって，(3)は適当でない。

【No.43】 解答(4)

(4) 発注者の完成検査で，必要と認められる理由を受注者に通知した上で，工事目的物を最小限度破壊する場合，その検査又は復旧に直接要する費用は受注者の負担となる。したがって，(4)は適当でない。

【No.44】 解答(3)

(3) 冷却塔の機器仕様として，外気乾球温度ではなく，外気湿球温度である。

したがって，外気湿球温度は冷却塔を効率よく稼働させる制御システムとして重要であるため，(3)は適当でない。

問題B

【No.1】　解答(1)

(1)　ばい煙発生施設設置届出書は，当該施設を設置しようとする日の60日前まで，提出先は都道府県知事又は市長に届け出をする。したがって，提出時期が工事完了日から4日以内ではないので，適当でない。

【No.2】　解答(2)

(2)　イベント⑤の最早開始時刻と最遅完了時刻は同じで18日である。

したがって，15日ではないので，(2)は適当でない。

【No.3】　解答(4)

(4)　ISO14000ファミリー規格は，環境マネジメントシステムの要求事項を規定したもので，ISO14001を中心として，環境マネジメントシステムをさらに有効に運用するための支援規格（環境監査，環境ラベル，環境パフォーマンス，ライフサイクルアセスメント，温室効果ガス）を作成しており，これらの規格群は，ISO14000ファミリー規格と総称されている。したがって，(4)は適当でない。

【No.4】　解答(3)

(3)　リスクアセスメントとは，事業場にある危険性や有害性の特定，リスクの見積り，優先度の設定，リスクの低減措置の決定の一連の手順をいい，事業者は，その結果に基づいて適切な労働災害防止対策を講じる必要がある。労働安全衛生法第28条の2では，「危険性又は有害性等の調査及びその結果に基づく措置」として，製造業や建設業等の事業場の事業者は，リスクアセスメント及びその結果に基づく措置の実施に取り組むことが努力義務とされ，その適切かつ有効の実施のために，厚生労働省から「危険性又は有害性等の調査等に関する指針」が公表されている。

したがって，(3)は適当でない。

【No.5】　解答(4)

(4)　ボイラー及び圧力容器安全規則第20条（ボイラーの据付位置）第1項　ボイラーの最上部から天井，配管その他のボイラーの上部にある構造物までの距離は，1.2 m 以上としなければならない。ただし，安全弁その他の付属品の検査及び取扱いに支障がないときはこの限りでないと規定されている。ゲージ圧力が 0.2 MPa を超える温水ボイラーは労働安全衛生法施行令第 1 条（定義）により本規則に規定するボイラーに該当する。したがって，(4)は適当でない。

【No.6】　解答(1)

(1)　蒸気配管に圧力配管用炭素鋼鋼管を使用する場合，蒸気還水管を蒸気給気管に共吊りしてはならない。共吊りは，もとの配管に荷重がかかり，継手を損傷させたり，配管がたわんで適切な勾配が取れなくなる等，障害が生ずるので絶対に行ってはならない。したがって，(1)は適当でない。

【No.7】　解答(3)

(3)　スパイラルダクトの接続の差込接合は，継手の外面にシール材を塗布して直管に差込み，鋼製ビスで周囲を固定し，継目をダクト用テープで二重巻きにしたものとする。差込接合部のビス本数は 800 mm を超え，1250 mm 以下で片側最小本数 12 本，560 mm を超え，800 mm 以下で 8 本，355 mm を超え，560 mm 以下で 6 本，155 mm を超え，355 mm 以下で 4 本，155 mm 以下で，3 本である。したがって，(3)は適当でない。

【No.8】　解答(1)

(1)　機械室内の露出の給水管にグラスウール保温材で保温する場合，一般的に，保温筒，亜鉛鉄線，ポリエチレンフィルム，アルミガラスクロスの順で施工する。
したがって，(1)は適当でない。

【No.9】　解答(2)

(1)　冷凍機の停止サーモスタットの設定値は，冷水温度の規定値より 10℃以下で設定する。それより高い設定では，火災・故障の原因になる。
したがって，(2)は適当でない。

【No.10】　解答(4)

(4)　防食テープ巻きを施した鋼管は，鉄部が露出する陽極部面積が小さい場合でも，通気性が悪い部分が陽極，通気性の良い部分が陰極となって大規模な腐植電池を形成し，陽極部分が腐食する。したがって，⑷は適当でない。

【No.11】 解答⑷

⑷ 安全衛生責任者を選任するのは，関係請負人であり，統括安全衛生責任者との連絡等を行う。したがって，⑷は適当でない。

【No.12】 解答⑵

⑵ アセチレンガスは不安定な特性・物性上の理由で，横置き禁止である。したがって，横に倒した状態での保管はしてはならない。酸素は横にしても問題はない。
したがって，⑵は適当でない。

【No.13】 解答⑶

⑶ 法第39条事業者は，その雇入れの日から起算して6箇月間継続勤務し全労働日の8割以上出勤した労働者に対して，継続し，又は分割した10労働日の有給休暇を与えなければならない。
したがって，⑶は適当でない。

【No.14】 解答⑵

⑵ 法第2条　第五号　主要構造部　壁，柱，床，はり，屋根又は階段をいい，建築物の構造上重要でない間仕切壁，間柱，附け柱，揚げ床，最下階の床，廻り舞台の床，小ばり，ひさし，局部的な小階段，屋外階段その他これらに類する建築物の部分を除くものとする。防災上，火災の時に命を守る部分であり，基礎は主要構造部ではなく，力学的なものではない。したがって，⑵は適当でない。

【No.15】 解答⑴

⑴ 排水トラップの封水深は，5 cm 以上 10 cm 以下とする。したがって，⑴は適当でない。

【No.16】 解答⑷

⑷ 特定建設業の許可は，発注者から直接請け負う1件の建設工事につき，その工事の全部又は一部を，下請代金の額（その工事に係る下請契約が2以上あるときは，下請代金の額の総額）が政令で定める金額4,500万円以上となる下請契約を締結して施工しようとする場合である。したがって，発注者による制約はないため，⑷は適当でない。

【No.17】 解答⑴

⑴ 主任技術者及び監理技術者は，工事現場における建設工事を

適正に実施するため，当該建設工事の施工計画の作成，工程管理，品質管理その他の技術上の管理及び当該建設工事の施工に従事する者の技術上の指導監督の職務を誠実に行わなければならない。したがって，当該建設工事の請負代金の管理は職務ではないため，(1)は適当でない。

【No.18】　解答(2)

(2)　劇場の舞台部に設けるスプリンクラーヘッドは，開放型スプリンクラーヘッドを取り付け，配管内は空気で満たされており，火災時には火災感知器と連動する自動式，あるいは，手動により開放弁を開いて給水管内に送水し適宜に区画した部分のヘッドまたは全部のヘッドから注水する方式である。したがって，(2)は適当でない。

【No.19】　解答(4)

(4)　加圧送水装置は，屋内消火栓設備のノズルの先端における放水圧力が 0.7 MPa 以下になるように設置する。したがって，(4)は適当でない。

【No.20】　解答(2)

(2)　対象建設工事の発注者又は自主施工者は，工事着手の時期及び工程の概要，分別解体等の計画等の事項を，工事に着手する日の7日前までに，都道府県知事に届け出なければならない。したがって，(2)は適当でない。

【No.21】　解答(3)

(3)　指定地域内において，特定建設作業の騒音は，当該特定建設作業の場所において連続して6日を超えて行われる特定建設作業に伴って発生するものであってはならない。したがって，(3)は適当でない。

【No.22】　解答(3)

(3)　マニフェスト情報を電子化し，ネットワークを介してマニフェストの交付・引渡しをやり取りする仕組みであり，廃棄物処理法第13条の2の規定に基づき，公益財団法人日本産業廃棄物処理センターが全国で1つの情報処理センターとして指定され，電子マニフェストシステムの運営を行っている。電子マニフェストを利用する場合は，排出事業者と委託先の収集運搬業者，処分業者の3者が加入している必要がある。紙マニフェストと比較して，事務処理の効率化，データの透明性確保，紙マニフェストの保存が不要等のメリットがあり，導入する事業者が増えている。したがって，産業廃棄物管理票は交付する必要はないため，(3)は適当でない。

【No.23】 解答(1)，(3)

(1) 仮設，施工方法等は，工事の受注者がその責任において定めるものであるが，土止め，締切り，築島等で特に大規模であり，重要なものについては，指定仮設として本工事と同様に取り扱われ，設計数量，設計図面，施工法，配置などが発注者より指定されて，工事内容が変更された場合は，設計変更が行われる。
したがって，(1)は適当でない。

(3) 工事原価は間接工事費と直接工事費を合わせた費用であり，現場従業員の給料，諸手当等の現場管理費は間接工事費に含まれる。したがって，(3)は適当でない。

【No.24】 解答(3)，(4)

(3) ネットワーク工程表において，後続作業の最早開始時刻に影響を及ぼすことなく使用できる余裕時間をフリーフロートという。インターフェアリングフロートは，後続作業の持つトータルフロートに影響を与えるフロートであり，トータルフロートからフリーフロートを引き算すれば求まる。したがって，(3)は適当でない。

(4) 総工事費が最少となる最も経済的な工期を最適工期といい，最適計画である。採算速度は，損益分岐点以上の施工出来高を上げるときの施工速度をいう。
したがって，(4)は適当でない。

【No.25】 解答(2)，(4)

(2) 管理図では，データの時間的変化や異常なバラツキの早期発見，工程（過程）が安定しているか等がよくわかる。したがって，問題としている特性とその要因の関係が体系的に分かるのは特性要因図であるため，(2)は適当でない。

(4) ヒストグラムでは，データのバラツキ状態を知るために多く用いられる統計的手法で，バラツキが適正か，また，規格値内に収められているかを判断する。
したがって，個々のデータの時間的変化や変動の様子は分かるのは管理図であるため，(4)は適当でない。

【No.26】 解答(1)，(2)

(1) 建設工事に伴う公衆災害とは，第三者の生命，身体及び財産に関する危害並びに迷惑をいい，工事関係者は含まれない。したがって，(1)は適当でない。

(2) 年千人率は，労働者1,000人当たりの1年間に発生した死傷者数で表わすもので，発生頻度を示す。年千人率＝(年間死傷者数／年間平均労働者数)×1,000　で表わす。したがって，(2)は適当でない。

【No.27】 解答(1)，(4)

(1) 防振基礎に設ける耐震ストッパと防振装置のすき間を最小限に（2mm以下に）調整する。すき間を大きく取ると自由度が増し，機器が横に移動して損傷が大きくなる。
したがって，(1)は適当でない。

(4) 機器を吊り上げる場合，ワイヤーロープの吊り角度を大きくすると，ワイヤーに掛かる張力は大きくなるため，吊り角度を小さくする。したがって，(4)は適当でない。

【No.28】 解答(1)，(3)

(1) 複式伸縮管継手を使用する場合は，当該伸縮管継手が伸縮を吸収する配管の両側を固定せずガイドとして，伸縮管継手本体を固定する。したがって，(1)は適当でない。

(3) 空気調和機への冷温水量を調整する混合型電動三方弁は，一般的に，空調機コイルの還り管に設ける。したがって，(3)は適当でない。

【No.29】 解答(2)，(3)

(2) 排煙ダクトを亜鉛鉄板製長方形ダクトとする場合，かどの継目はピッツバーグはぜを用いる。又はボタンパンチスナップはぜとする。したがって，(2)は適当でない。

(3) 横走りする主ダクトには，振れを防止するため，形鋼振れ止め支持を12m以下の間隔で設ける。したがって，(3)は適当でない。

Memo

Memo

Memo

Memo

Memo

Memo

Memo

著者略歴

種子永修一（たねながしゅういち）

1954年　和歌山市生まれ

所持免状　給水装置工事主任者

1級管工事施工管理技士

1級電気工事施工管理技士

1級建築施工管理技士

1級土木施工管理技士

1級造園施工管理技士

宅地建物取引主任者

特殊建築物等調査資格者

その他

●法改正・正誤などの情報は，当社ウェブサイトで公開しております。
http://www.kobunsha.org/

●本書の内容に関して，万一ご不審な点や誤り，記載漏れなどお気付きの点がありましたら，郵送・FAX・E メールのいずれかの方法で当社編集部宛に，書籍名・お名前・ご住所・お電話番号を明記し，お問い合わせください。なお，お電話によるお問い合わせはお受けしておりません。

郵送　〒546-0012　大阪府大阪市東住吉区中野 2-1-27
FAX　(06)6702-4732
E メール　henshu2@kobunsha.org

●本書の内容に関して運用した結果の影響については，上項に関わらず責任を負いかねる場合がございます。本書の内容に関するお問い合わせは，試験日の 10 日前必着とさせていただきます。

よくわかる！１級管工事施工管理技術検定試験　一次検定

編　　著　種子永　修　一

印刷・製本　亜細亜印刷株式会社

発行所　株式会社　弘　文　社

〒546-0012 大阪市東住吉区
中野２丁目１番27号
☎ (06)6797－７４４１
FAX (06)6702－４７３２
振替口座 00940－２－43630
東住吉郵便局私書箱１号

代表者　岡　﨑　　靖

落丁・乱丁本はお取り替えいたします。